基督教文化研究丛书

主编 何光沪 高师宁

初编 第 **10** 册

附魔、驱魔与皈信——乡村天主教与民间信仰关系研究

王媛 著

神谕的再造——一个城市天主教群体中的个体信仰和实践

蔡圣晗 著

基督徒的内群分化：分类主客体的互动

孙晓舒 王修晓 著

花木兰文化出版社

国家图书馆出版品预行编目资料

附魔、驱魔与皈信——乡村天主教与民间信仰关系研究　王媛著／
神谕的再造——一个城市天主教群体中的个体信仰和实践　蔡圣晗
著／基督徒的内群分化：分类主客体的互动　孙晓舒 王修晓 著 --
初版 -- 新北市：花木兰文化出版社，2015〔民 104〕
序 4+ 目 2+114 面／目 2+84 面／目 2+92 面；19×26 公分
（基督教文化研究丛书　初编 第 10 册）
ISBN 978-986-404-203-6 ／ 978-986-404-201-2 ／ 978-986-404-202-9
（精装）
1. 宗教文化　2. 天主教　3. 民间信仰／1. 天主教　2. 信仰／1. 基督徒
240.8　　　　　　　　　　104002089 ／ 104002087 ／ 104002088

ISBN-978-986-404-203-6

ISBN-978-986-404-201-2

ISBN-978-986-404-202-9

基督教文化研究丛书
初编　第 十 册

ISBN 978-986-404-203-6　978-986-404-201-2
978-986-404-202-9

附魔、驱魔与皈信——乡村天主教与民间信仰关系研究
神谕的再造——一个城市天主教群体中的个体信仰和实践
基督徒的内群分化：分类主客体的互动

作　　者　王　媛／蔡圣晗／孙晓舒 王修晓
主　　编　何光沪 高师宁
执行主编　张　欣
企　　划　北京师范大学基督宗教文艺研究中心
总 编 辑　杜洁祥
副总编辑　杨嘉乐
编　　辑　许郁翎
出　　版　花木兰文化出版社
社　　长　高小娟
联络地址　台湾 235 新北市中和区中安街七二号十三楼
　　　　　电话：02-2923-1455 ／ 传真：02-2923-1452
网　　址　http://www.huamulan.tw 信箱 hml810518@gmail.com
印　　刷　普罗文化出版广告事业
初　　版　2015 年 3 月
定　　价　初编 15 册（精装）台币 28,000 元　　　　版权所有 请勿翻印

附魔、驱魔与皈信
——乡村天主教与民间信仰关系研究

王 媛 著

作者简介

王媛（1984 －），女，2011 年毕业于中国人民大学，文化人类学博士，现任教于南京航空航天大学人文与社会科学学院，主要研究方向是宗教人类学、农村教育研究等，曾出版译著《人类学的邀请》（合译），并在《思想战线》等学术刊物上发表多篇科研论文和译文。

提　　要

　　天主教传入中国，不可避免的会与中国本土文化和地方信仰发生碰撞。本研究探讨天主教和民间信仰这两个不同文化体系的互动关系，着重分析了两者对附体（附魔）的不同阐释体系和改教现象，继而探讨天主教如何运用话语与驱魔实践成功从民间信仰争取信徒的。在中国一些乡村地区，天主教一方面批判民间信仰中的各路神仙为"邪神""魔鬼"，另一方面通过施展驱魔实践治病驱邪，彰显自身"灵验"，凸显地方民间信仰体系的"无能"与"欺骗"。信众由民间信仰改信天主教很大程度上源于功利性需求的满足，在许多情况下成为信仰与仪式元素的简单置换，不需付出太多的宗教资本。于是，中国乡村天主教呈现出相互矛盾又内在关联的两个特点：一方面是自身不断受到民间信仰的影响，另一方面是借用驱魔传教与民间信仰争夺信众，因而不同于国外那种经院化的天主教，呈现出民间化的特点。我国天主教民间化自"礼仪之争"后的禁教便已开始，既是社会政治的推压促使教会不得不与民间信仰发生的互动结果，也是教会权衡利弊之后的自主选择。乡村天主教徒融合了圣经经典和本土文化，在地方性话语背景下对附魔现象进行诠释，体现了天主教在乡村传播过程中对中国社会和文化的进一步适应。

大公教会的地方性及其呈现
——《附魔、驱魔与皈信》序

黄剑波

2014 年 12 月 20 日

　　万圣节前夕收到王媛博士邮件，嘱我为其即将印行的新著《附魔、驱魔与皈信——乡村天主教与民间信仰关系研究》作序，俗事杂乱，拖到圣诞季节方能略写数言。按欧洲基督教传统叙事来说，也大略可以说是从"魔／鬼"到"神／道"，所以也还算是切题。

　　王媛博士是我任教以来指导的第二批硕士研究生，其时我自己方属懵懂，所谓指导也就更是糊涂。再加上中国人民大学莫名其妙的两年制硕士规则，无论从时间上、制度上，还是学术积累上都无法保证一篇质量上乘的论文。然而，就是在这种情况下，王媛博士以及本出版系列另一著作的作者孙晓舒博士（她是我指导的第一个硕士研究生）克服了种种困难，顺利完成了她们的毕业论文。其后多年的求学和研究她们转向了其他领域，借此重刊的机会，她们再次回到这个话题，可以说几乎是重写了大部分的章节，无论是从篇幅上还是论述上都有了很大幅度的扩充和延展。尽管作品仍有很大的提升空间，而且我也并不完全认同文中的一些论述和观点，但与当年的毕业论文相较之下无疑有了可观的进步。因此，尽管我笔债堆积如山，仍愿意欣然作序，对其中一些我感兴趣的话题略加延伸。

　　《附魔》一书所探讨的，无论是皈信，还是讨论天主教与中国乡村民间信仰的关系，都是值得继续深入的话题，但通读下来最吸引我的是对于"附体"及相应处理的不同阐释。对我来说，这是全书田野材料最细致，思考空间最丰富最具张力的部分。

王媛特别指出，在华北乡村叙事中，"魔"更有可能是一个外来词汇，是传教士用于解释在乡村地区广为存在的"附体"的结果。此说固然有待进一步考证，但可以引发的思考却很多。从策略性的角度来说，这与传教布道的目标相关，书中也给出了一些有力的例证表明这个事实。

然而一旦我们不仅仅从功能甚或功利主义的角度来看待的话，可以体察出更为丰富的文化象征的意味。例如，"附魔"的界定和确认本身就表示了鬼魔与天主或偶像与真神之间的对立关系，从而也就表达了信与不信这一对在乡村社区生活中更为现实性的张力。前者如果说主要是在信仰或观念层面上，后者则直接体现在华北乡村熟人社会中"我群"与"他群"的形成、维系及再生产。

因此，"附魔"与"驱魔"就不仅仅是关乎教会或教士的布道努力，不仅仅关乎信徒个人的皈信过程，而是进一步要关乎这样一些问题：作为天主教徒意味着什么？作为中国乡村的天主教徒意味着什么？而这就迫使研究者需要去关注天主教"被认知"（perceived）这个维度，不仅仅是天主教徒如何体认和叙述他们认为的天主及天主教，更关乎其他乡村民众如何观察、理解和想象天主教徒、天主教及由这些信徒及教会所表述的天主。

王媛注意到这种华北乡村的天主教与西方的天主教存在很大的差别，在我看来，这种中国与西方的叙事框架实际上还隐含了这样几组张力关系：乡村与城市，体验与理性，传统与现代。关于这种叙事框架本身的讨论和评论暂且不展开，在此仅强调一点，华北乡村天主教当然与其他地方的天主教有所不同，然而这大概不能简单的说就是中西之别，实际上在文中也提及天主教的驱魔有着相当久远的传统，而且事实上在当今世界各地的天主教实践中仍然广为存在，只是呈现方式或"语言"不同了，因为其"语境"有别。

因此，这里更值得讨论的议题是，如此主张"大公性"的天主教之地方性特质及其呈现方式。所谓天主教，其词义 catholicism 本身即宣称了其普世性，但是无论从时间维度看其古代到当下的发展过程，还是从地里空间维度看其在不同区域、人群中的呈现，其多样性和丰富性远远超过了正统教义愿意承认的范围，也大大不同于人们对其单一性的想象。当然，这里也必须指出，或许同样有趣的问题在于，如此多样和地方性的天主教，又是何以可能主张其大公性，以及更为重要的是，如何在其生活于不同语境中的信徒那里传达和构建了其大公性。

　　也因此，这里的真正张力或许更应该看成是这样的一对关系：文本／教义与生活／实践的张力。人类学的天主教研究如果能够对于理解天主教，理解中国（华北乡村）社会有所贡献的话，也理当是在这个向度更多着力。是故，也期待王媛博士能借此在中国天主教研究方面有更多的投入和更出色的产出。

目次

第一章　导　论

一、研究缘起

外来宗教的传入必然会与本土的民间信仰发生文化碰撞，因而二者的关系便成为宗教学、社会学、人类学、历史学等诸多不同学科的学者们关注的话题。中国是一个具有悠久民间历史的国家，无论不断更替的朝代推崇的是何种宗教，民间信仰的观念根深蒂固，已经成为国人诸多思想和行动的根源。按照美国芝加哥大学人类学家雷德斐尔德（Robert Redfield）将文化区分为"大传统"（great tradition）和"小传统"（little tradition）的说法，民间信仰属于"小传统"（Robert Redfield, 1953）。就传统中国社会随着城镇发展而出现的市民阶层来说，大传统与小传统带有社会分层的意味，大传统代表社会上层的精英文化，小传统则指的是社会下层的乡土文化，普通市民和乡民除了受到大传统的影响外，作为民间文化传统的小传统更是与他们的生活交织融合。

从哲学角度上看，中国文化拥有"海纳百川"的包容性、"万物皆为我所用"的融合性。儒家和道家思想起源于中国。儒家思想自春秋时期创立，到汉武帝时，接受儒生董仲舒的提议"罢黜百家，独尊儒术"，在茫茫历史长河中作用于上层社会和下层民众，形成了中国人"中庸""忠""孝"等观念和"祭祖祭孔"的仪式传统。道教同样于春秋时由老子创立，具有浓厚道教色彩的宗教语言已经渗透至许多民间的礼仪中，其思想则影响着众多中国普通人的行为方式和世界观。而后传入中国的宗教则几乎都经历了与中国文化的融合。佛教传入中国后经历了"中国化"的过程，与民间信仰杂糅在一起，并在长期的互动中形成了融合的局面，从而成为当今中国第一大宗教，甚至推动了佛教在亚洲地区的传播。天主教与基督教的传入则是相对晚近的事情，来华传教士首先要面对的便是自身对宗教唯一性和正统性以及与中国文化相适应的抉择。在坎坷曲折的传教历程中，天主教与基督教通过和中国传统文化特别是儒家文化的结合而本土化、地方化。基督教因其并不拘泥于礼仪形式以及其他许多原因而传播更加广泛。天主教相对于基督教更强调传统，强调圣事，也就是礼仪，保留有祭司也就是神职的等级制，在明清时期因为"礼仪之争"天主教无法得到政府和精英的支持，所以在乡村发展更为迅速。

从天主教作为世界宗教的角度来看，国外天主教会的变革也在深刻影响中国天主教会的发展。梵蒂冈第二次大公会议（简称"梵二会议"）于1962至1965年召开，会上陆续通过并发表了16个文件，包括四个宪章、九个法令和三个宣言。梵二会议从很多方面改变了罗马天主教会，开启了众多革新运动，使得天主教思想更加适应现代化，在处理"基督徒"与"非基督徒"的关系，天主教会与世界的关系上都提出新的决议，同时强调传教方式和仪式的改革，提倡本土化的传教方式。改革后的天主教礼拜仪式虽然仍保持了它原有的基本精神、程式和内容，保持了天主教的全部节期和庆典等法规，但是梵二会议的改革打破了长期以来礼仪问题上的僵局，赋予礼仪规则一定的灵活性、多样性，简化了一些程序，放宽了一些限制，使天主教礼拜仪式具有了很大程度的开放性（傅安乐，1996）。因为受到一些因素的影响，梵二会议对中国天主教的影响比较滞后，一般认为改革开放之后国内天主教会才开始接纳并吸收"梵二精神"。梵二会议提出的许多变革也恰好给改革开放后的天主教的回归和发展提供了许多有利因素。

国内基督教研究的发展情势十分可喜，在研究成果的数量与质量上都有长足进步。一些推动基督教研究发展的平台及交流机制得以逐步建立起来。多学科的交流也是一大特点，除基督教神学、宗教学外，历史学、社会学、人类学、民俗学等多学科均对基督教研究产生极大热情，提供了多个不同视角。一些学者也不仅仅投身于大陆地区的研究，对海外宗教现象的研究也时有硕果。从关注的角度上，不仅从宏观上讨论宗教与社会的关系，也从微观上描绘宗教信仰者的日常生活实践。"基督教中国化"的研究作为兼具学术价值和现实意义的研究课题也是众多学者研究的重点，特别是如何处理好基督教与中国文化和中国社会的关系成为重要议题。然而稍有缺憾之处在于，一方面，以往学者关注新教者较多，而对天主教的相关讨论偏少；另一方面，缺乏采用宗教人类学学科视角和方法对天主教以及天主教与中国社会文化互动的研究。而文化人类学对于分析文化接触过程中的采借、敌对、冲突、同化、融合等复杂进程具有学科优势。外来宗教与本土民间信仰的特点及两者的关系一直都是宗教人类学感兴趣的研究主题。因此，运用人类学田野调查结合文献研究，思考天主教传入后同中国本土民间信仰之间相互接触和互动模式，以及文化接触的影响和未来趋势便成为本项研究的主要目的和重要关注点。

河北省在全国来说是著名的天主教徒聚集地之一，罗马教廷在 1838 年在河北建立第一个天主教区（西湾子教区），在百余年间先后设立 14 个正式天主教区[1]。1991 年，河北省计有教徒约 100 万人，占全国天主教总数的四分之一，位居全国首位[2]。其中位于河北东南部的献县教区更是有着悠久的天主教历史。咸丰六年，即 1856 年的 5 月 30 日，"直隶东南代牧区"正式成立，教廷选派法国耶稣会士郎怀仁（Languillat）为直隶东南代牧区首任主教。在 2006 年，献县教区张庄总堂刚刚庆祝过沧州（献县）教区一百五十周年，气势恢宏。这一地区的天主教主要由法国耶稣会士传入，前五任主教都是法籍耶稣会士，直到第六位赵振声主教开始才是进入国内主教领导时期。直至 2008 年，这一教区拥有神父百位，教徒约 7.5 万人，教堂 206 座。

天主教自近代传入中国以来一直都很重视乡村教会的发展，在我国不同地域都可发现天主教传教士通过各种途径吸引大批教徒入教，而且从家庭甚至整个村庄入手，整体入教，且重视信仰随着家族传承和地方发展得以继承。改革开放以后，国家落实宗教自由政策，各大宗教都得以恢复和发展，基督教信仰的人数增长迅速，然而更多表现在新教徒的增长上，天主教却并不明显。献县教区拥有深厚信仰基础，也具备福传的各项条件，本应在宗教恢复后获得更好的发展，但事实上单就教徒数量上来看，却是二十多年内于传教方面进展不大。在遭遇了文革对宗教的迫害之后，当地教徒对那段痛苦的经

---

1 河北省地方志编纂委员会，《河北省志·宗教志（第 68 卷）》，中国书籍出版社，1995：207。对此，李晓晨提出 16 个教区的不同看法，详见李晓晨，近代河北乡村天主教会研究，人民出版社，2012。

2 河北省地方志编纂委员会，《河北省志·宗教志（第 68 卷）》，中国书籍出版社，1995：208。

历持有比较深刻的回忆，跟历史上义和团时期一起被人们建构成为对苦难的集体记忆。曾经张庄总堂被占用，大批的资料被焚毁，在巨大压力和恐惧之下，一些教徒由于各种原因而放弃了信仰或声称放弃了信仰。文革之后，国家实施宗教自由政策，恢复了许多堂点，[3] 一部分原来的教徒重新信仰天主教。除这部分教徒的回归外，天主教在当地的传播依旧采取家族延续的方式。当地存在这样的惯例，也即是父母信教，下一代从小领洗入教，并提倡同教友结婚，且无论对方是否信教，子女必须领洗。虽然并未明文规定，却是当地教徒约定俗成的观念。与每年的死亡人数统一计算，每年教徒的增加情况并不明显，基本上和人口自然增长相一致。而这与新教信仰人数在近些年的增长无法相比。

但是，在献县教区却有一个例外的情况发生，也就是 B 镇堂区。笔者经过长时间的田野调查发现，当地出现了异于周边地区的大量的天主教徒领洗的现象，与献县教区其他堂区可能偶有零星几个领洗者形成鲜明对比。这么多的新领洗的教徒从何而来？教徒的增长无外乎两种可能：一是不信教者皈依天主教，二是信他教者转信天主教。皈依的原因也多元化，既有理智型和情感型，也有社会型和家庭型，更有功利型。而围绕 B 镇及其周边地区的众多个案可以被归纳为驱魔改教型，其中起关键作用的事件便是引发讨论的缘起——附魔与驱魔。

何谓附魔？附魔可以被看作附体的一种。作为一种关乎神鬼与灵魂的现象，附体在世界各地都有出现，并且以多种不同的形式展现。例如，马来西亚的恶灵附体，中国东北民族萨满附体，巴西神医福力斯等等。所谓附魔，也就是按照民间的说法，魔鬼附在这个人的身上，导致他不能按照自己的意志行事。何谓驱魔？这一点是同附魔相对应的，具有天主教色彩的词汇，《圣经》里也多次提到耶稣驱魔的神奇。驱魔就其本身的意义来讲，指的是某些特殊的人员通过一定的行为和仪式将附在另一个人身上的魔鬼赶走。

在献县教区的 B 镇堂区，2007 年一年领洗入教的人有上千人，这些人自有各种皈依缘由，许多学者已有对改教原因的众多案例总结和分析，这里并不赘述，只是强调在这千人左右的皈依者中因为附魔原因而导致由民间信仰皈信天主教的约占五分之一。在一本当地编写的传教小册子中写道："纵观

3　1980 年，国家下发文件恢复宗教活动，献县教区也是于此时开始逐步恢复，这是一个过程，有些地区可能还会有所滞后。

我们献县教区，在这方面成绩卓有成效的就是 B 镇堂区。自教会开放至今 20 年来，B 镇堂区教友人数由原来的两千发展到八千人。"

为什么民间信仰遭遇了天主教会有如此的表现？改信天主教的人们如何评价自己原有信仰和天主教？两者在广大乡民心中是否也有高下的比较？这种衡量的标准又是什么？附魔对于天主教来说是件好事还是坏事？天主教为什么会采取这样的方式传教？在中国乡村的文化背景下，天主教与民间信仰表现在附魔与驱魔上又能够给我们什么启示？当地人又在这两大不同信仰中作为什么角色出现，对于外来文化的传入又是采取什么样的应对策略？一连串的议题引发笔者的思考。

同样的社会现象在不同文化背景（包括宗教背景）的人看来，表象之下或许蕴含着不同的奥秘，对于这些人来说，同样的概念，其含义也可能存在天壤之别。借用索绪尔的语言学术语，在不同宗教信仰群体的语言与解释体系里，能指或许常有重叠，所指可能相差甚远。本研究所要探讨的"附魔"及"驱魔"即是如此。怀着以上一连串的疑问，在总结前辈学者们研究的基础上，笔者走进献县教区，走进 B 镇，走进乡村天主教社区，围绕教徒们眼中和心中的天主教，围绕天主教的传播和发展，围绕驱魔及改教（conversion）开展人类学的田野调查和研究，以期解析天主教同民间信仰这两种不同的宗教体系在中国乡村社会产生的融合与互动，以及天主教如何与地方文化发生适应和关联的。

天主教的本土化已有许多相关研究者的论文和著作发表，其中大多从历史角度，探讨明末清初以来天主教的发展历程，所引用的也多为史料；也有一部分属于理论研究，较少关注当下新时期天主教与民间信仰的互动过程中发生的本土化和民间化特征，缺乏实证研究。因此在下面的讨论中，笔者将从这一看似古怪离奇的现象入手，探讨中国乡村天主教的一些特征以及天主教与民间信仰的关系问题。

二、研究内容和框架

天主教和民间信仰这两个不同文化体系的互动关系是一个宏大的课题，由于多种因素的限制，想要细致入微同时面面俱到是难以实现的。笔者着重分析了两者对附体（附魔）的不同阐释体系和改教现象，继而探讨天主教如何运用话语与驱魔实践成功从民间信仰争取信徒，总结天主教的民间化特征并尝试分析其原因。在中国一些乡村地区，天主教极力批判和贬斥民间信仰中的各路神仙，但是又借用具有共通性的仪式器具，施展驱魔实践治病驱邪。信众由民间信仰改信天主教很大程度上源于功利性需求的满足。于是，中国乡村天主教呈现出相互矛盾又内在关联的两个特点：一方面是自身不断受到民间信仰的影响，另一方面是借用驱魔传教与民间信仰争夺信众，因而不同于国外那种经院化的天主教，呈现出民间化的特点。乡村天主教的民间化现象既受到"礼仪之争"的影响，也是教会传入后与中国传统社会文化相融合的结果，信众在接受信仰的过程中对民间信仰和天主教的演绎和混合也是重要原因。乡村天主教徒融合了《圣经》经典和本土文化，在地方性话语背景下对附魔现象进行诠释，体现了天主教在乡村传播过程中对中国社会和文化的进一步适应。

本书共分为七章。

第一章导论介绍研究缘起、主要研究内容和研究方法。

第二章从附魔驱魔和附体研究、改教的主要观点、中国乡村天主教的相关研究、天主教与民间信仰关系四个方面对前人研究述评，先从现象、理论入手，再落脚于两者互动关系的考察。

第三章首先介绍田野点的宗教概况，而后分析附魔及后续"治疗"以及天主教和民间信仰对待这一系列现象的处理方式和解释，以及对由此而产生的皈依天主教的现象进行分类解读。

第四章围绕附魔和驱魔，结合当地教徒和非教徒信仰和生活，列举天主教和民间信仰多个可资对照的方面并具体分析。两者对附魔均具有自身一套阐释体系，并且通过阐释试图将对手放在一个较低的层次，然而两者之间契合的方面又反映出本质相似的一面。这种相似体现在许多仪式上，天主教采借了许多民间信仰中的仪式元素，看似不同于民间信仰的圣物、圣仪等都带有同民间信仰的类似功能，两者发挥的作用是一致的。由民间信仰改信天主教在许多情况下成为仪式的简单置换。在传播方式上，两者都强调并夸大信仰团体专家治愈疾病的本领。当然，两者表面上也存在差异性，如天主教的一神性与民间信仰的多神崇拜，对赏罚的侧重差异和信众不同的自我认同。

第五章关注信仰的承续和传播。无论新教还是天主教都经历了本土化的过程，并仍然在不断的与中国文化产生互动。天主教的本土化是传入之后不断适应中国社会的结果。但是天主教本土化的过程却是曲折的，当下天主教呈现出来的许多特点也受到历史过程中"礼仪之争"而导致的禁教的影响。现在天主教的传播也表现出多种灵活性和地方性特征，除了运用家族传教之外，还采用音乐、大学生联谊会等多种方式来传播和加深年青一代人的信仰。而新一代的青年天主教徒很多时候是在经历了迷惑和反思之后才跨入了自我认同的新层次，由一种被动接受的习惯转变为主动的认同感。

第六章尝试分析天主教传入中国后具有民间化倾向的表现和原因。笔者分析了内在和外在因素，包括从教会传教角度上对社会政治历史等背景的考察，从信众角度上分析经济与文化背景对个体的影响以及人的能动性，还从主位和客位的双面角度对结论进行具体阐释。可以说，外部的社会文化结构力量以及内部的意义追寻的交互作用形成如今具有中国地方文化特色的乡村天主教。

最后一章中，笔者总结当代乡村天主教的发展特点，并尝试为中国乡村天主教和民间信仰之间的关系做出一种预估，认为在很长的一段时间内，两者不会出现谁最终胜利的情况，而只是会在阐释层面上压制对方。两者之间的文化碰撞也会继续进行。虽然中国乡村天主教与民间信仰之间仍存在许多观念和仪式上的差异，前者早已不同于国外那种经院化的天主教，而具备了一些中国乡土信仰的类似特征。

三、研究方法

在社会科学的研究方法中，定量研究擅长通过数字和统计分析来实现了解社会现象的目标，定性研究则倾向于通过参与观察、深入访谈来实现对人们行为、心理和情感互动的理解。因此，一般认为定量研究更适合于大规模的调查，而定性研究更适于对个案的深入挖掘和剖析。当然，现在的社会科学调查研究通常会采用定性研究和定量研究相结合的研究方法，二者得以相辅相成，取长补短。

宗教作为一种包含外在仪式和内在信仰，融合情感的一种现象，宗教社会学和宗教经济学也不乏采用问卷调查和统计资料进行分析的，也的确在一些方面能够有助于了解宗教现状及全貌，然而人类作为一种具有独特情感和思想的群体，采用超脱出主观情感的"客观"方式总会给人隔靴搔痒之感，让人难以实现深入的理解，人们发现"任何方法和认识都不能逃脱每个研究者个体和研究对象及其相互之间的主观因素和影响"（Flick，U，1998）。

本研究在资料收集上主要采用文献研究、参与观察和深入访谈的方法。一、通过查阅地方志、相关新闻报道、宗教内部资料以及学术论著等，从多种途径了解调查地区的宗教历史和现状，如宗教活动场所的数量、神职人员与教徒数目、管理方式，民间信仰有关历史等。二、参与观察是人类学以及相关学科展开实地研究时必不可少的研究方法，是定性研究采用的主要方法之一，也是资料来源的重点，其特殊性在于以研究者为调查工具，凭借研究者的主观认知以及在"局内人"和"局外人"之间的不断转换，实现投入理解和客位解释相结合的目标。三、深入访谈通常采用无结构式访谈，调查者通常只是有着大致的主题，依赖调查者和被调查者互动双方的主动性和创造性，常常能够获取比访谈者直接提问更为真实而丰富的资料，更可能对文化现象的分析和处理达至格尔茨"深描"的境界。然而深入访谈在分析上存在困难，而且费时较长。针对这两个难点，本研究一方面采用话语分析（Discourse Analysis）等方法分析资料，另一方面长期多次地进入田野能够保障调查时间的充沛，且由此与报道人建立良好的关系，事半功倍。

俗话说，"万事开头难"。人类学的田野调查更倾向于自下而上的进入田野的方式，不主张大张旗鼓或者打着某某机构或大学的名号自上而下开展调查，原因在于后者容易导致研究者与被研究者之间形成一种隔膜，难以获得真实资料。虽然现在的田野调查通常由于各种繁杂的事务已经很难实现长期不间断地与被调查者生活在一起，"同吃、同住、同劳动"，然而好在有了交通的便利，我们可以通过较长时间、多次的田野调查和回访[4]来实现同等甚至更好的调查效果。

---

4 这种回访研究在人类学调查研究中有很多著名的例子，既有如费孝通先生自己跨越不同时间段的多次回访江苏省吴江县开弦弓村（费孝通在《江村经济》中给这个村子起学名为："江村"），也有先行者和接替者在不同时代先后踏足大陆多个著名田野点，如庄孔韶重访林耀华先生闽东的家乡，做了新的承继性研究。可以参考庄孔韶，回访的非人类学视角和人类学传统——回访和人类学再研究的意义之一，西南民族大学学报（人文社科版），2004（1）；庄孔韶，回访和人类学再研究的专题述评——回访和人类学再研究的意义之二，西南民族大学学报（人文社科版），2004（2）。而且这种回访也不仅仅是局限在国内人类学研究，从林德回访中镇、弗思回访提科皮亚、哈钦森再研究努尔人到弗里曼重访萨摩亚、韦纳重访特里布罗恩德岛以及刘易斯重访特波茨兰村，参见黄娟，反思回访与再研究：历史、场景与理论，中国农业大学学报（社会科学版），2014（1）。

在 2007 年 7 月笔者通过参加献县教区举行的大学生联谊会[5]进入田野。虽然作为一个教徒眼中的外教人，但是教堂的神父却没有将我拒之门外，而是将我跟一起来参加活动的大学生们安排在一起，饮食住宿都得到照顾，感激之余不禁深感不安，我想这或许也是天主教在不断的打开自己的怀抱，而不是将自己牢牢隔离并保护起来，既欢迎加入，也积极交流。事实上，也只有这样才能将信仰福音传播开去，福传事业才能发扬光大。第一次的田野调查使得自己从一个"陌生人"身份转变为一个有点共同点的"熟人"，也从主位和客位双重角度观察并体会着天主教信仰。

第二次的田野调查已是 2008 年年初的冬日，特别在当地神父的介绍下，住进教友家中，与家里的几个孩子睡大通铺。这位教友在当地担任会长。所谓会长不同于农村村民委员会中的村长，而是在天主教村庄配合神父活动的民间的领导，多为当地比较有经济实力或者具有专门技术的教友，男性居多，也有女性[6]。由于在村中的威望和与周边教友村庄的联系，我的"房东"成为了我了解当地天主教的关键报道人之一，也因为他的介绍，我到达周边老周庄、东留路等信教村落进行了调查，并访谈了当地几位神父。这一次的调查我对 B 镇附魔和驱魔传教的了解才开始有所加深，也到当地进行了调查，因为一些原因遗憾在当地没有亲眼观察到明显的附魔发作，但是教徒和神父的口述恰好成为当地人如何叙述并演绎天主的神迹的重要佐证，查阅的相关文献记录包括当地人的内部资料和已出版的相关研究也展示着天主教通过驱魔实践来拯救世人的历史案例。虽然如此，笔者却没有料想到2012 年左右天主教中所说的附魔现象却在自己的亲人身上发生。笔者的姑姑是多年民间信仰者，然而又不同于一般农村妇女初一、十五进庙烧香这种个体性的行为，其信仰具有比较明确的组织性，定期会举行聚会，也会组织旅游。然而这种深信可能对其精神和思想产生影响，以至于有时发病起来是以笔者的爷爷的口吻说话，场面诡异而恐怖，为此她在医院治疗之后有所好转，于是在亲人的劝导下不再参加原来的信仰活动，多与家人邻居聊天散心，病情才相对稳定。

---

5 大学生联谊会是针对教友家庭中在大学就读或者即将步入大学的适当年龄的学生开展的类似"暑期夏令营"一样的活动。期间会听取不同神父和修女讲授课程、参与弥撒、小组分享、集体游戏、祈祷。通过这一活动加深对信仰的认识，结识新教友。

6 例如笔者在沧州河间调查时遇到当地一个从小吃摊起家的拥有连锁饭店的女企业家是当地的女会长。

探究附体现象的原因，精神病学会将其列为一种癔症表现，可能源于自己沉浸到一种角色扮演的氛围中去，产生短暂或长期的人格分裂。对此，笔者会在下文进行较为详细的阐述。发生于自己亲人身上的经历令我感到，如果能从文化和信仰角度对这些现象进行研究或得出一些结论，或许能够为经历类似困扰的人们提供一个出路，也有助于相关不同学科领域的研究者对这一现象的理解。

第二章 文献综述

　　中国是一个具有悠久的民间信仰传统的社会，按照杨庆堃的说法，中国宗教具有无所不在的事实。除却官方认可的五大宗教，包括佛教、道教、伊斯兰教、基督教、天主教，在中国的广大地区还广泛存在着各种民间信仰和偶像崇拜。无论是官方认可的几大宗教还是民间信仰都在中国社会主义建设时期受到了不同程度的压制和打压，近二三十年以来中国内地出现了相当程度的宗教复兴。对于外来宗教来说，中国是一个具有很大发展潜力的宗教市场，在传统的中国文化背景下，中国社会中的宗教具有民俗宗教的特点，不同的宗教和信仰团体在国家宗教放宽、社会发展以及人们信仰需求增加的促使下发展起来。

　　本章在梳理国内外文献资料时采用了如下基本思路：首先，从心理学、人类学、精神病学等不同学科角度分析附魔现象。关于附魔或者附体的研究，国内外对相似现象的研究广泛，我们在此希望在总结前人的研究基础上尝试以新的田野资料作文化比较研究；其次，以附魔为动因的皈依天主教的现象作为我们许多学者称之为"改教"的一种特殊原因就笔者所看的文献中还比较少见，而对于"改教（conversion）"或者"改宗"的研究，国际国内的学者已有颇为丰硕的成果，他们从不同的学科和角度对改教原因和机制进行了探讨；第三，概括中国乡村天主教的一些实证研究，简要总结乡村地区天主教信仰的特点；最后，笔者以人类学文化传播理论为基础梳理宗教接触和互动中可能出现的几种情况并加以总结，进而整理天主教与民间信仰关系的研究，以此作为展开下文讨论的理论基础与参照。

一、附魔、驱魔与附体研究综述

附体（spirit possession）作为一种特别的宗教实践通常出现在比较原始的宗教形式中。按照英国人类学家爱德华·泰勒提出的万物有灵论的观点，人们相信世间万物都有灵魂的存在，而且这些灵魂能够降祸福到人的身上（Edward Tylor，1992：404-483）。附体现象是国内外非常普遍的宗教现象，例如中国的许多少数民族的原始宗教中经常出现神灵附体现象（顾邦文，1994）。

依照所附着于身体的物体和附着对象，以及附着物的善恶和所造成的效果的好坏，我们可以将附体划分为几类：一种情况，附着的是恶灵或者鬼怪，人们认为它由于一些原因可能导致伤害到附着的对象，或者利用附体造成对周围其他人的影响；再者认为附着的是自己死去的亲人或朋友，是希望借助生者的躯体来完成未完成的愿望，或者转达何种授命，依照心理学分析，这一现象通常源于生者对死者的思念，大多不会造成不良后果；还有一种解释认为附着的是神，例如中国北方民族萨满教中萨满巫师常常借用附体来治疗疾病，同样的例子还有巴西的神医福力斯，他们都是利用附着在自己身上的神灵的力量来进行医学治疗。

（一）宗教心理学的分析

附魔或者附体可以被视为是一种神秘的宗教经验。宗教经验是宗教心理学中的重要概念。威廉·詹姆士认为，宗教经验有四个最基本的特征：超言说性（ineffability），即它们不能用言语表达；知悟性（Noetic quality），即它们被经验为一个知识的权威性的来源；短暂性（transiency），即它们持续的时间短，但留下的印象却持久；被动性（passivity），即有一个被相异者（the Other）所控制的感觉（William James，1902）。同时，宗教哲学家路易斯·P·波伊曼认为，宗教经验的看待有两大传统，"神秘经验"假定全部现实的同一性或主观与客观的统一性；"信仰经验"没有将主观与客观统一起来，而是一种内在精神性的（神圣的）经验（路易斯·P·波伊曼，2014）。1935 年，齐鲁神学教授蘷德义（Lyman V.Cady）以"宗教事业的人"自居，编写了面向基督信徒的《宗教心理学》一书。书中认为，宗教神秘经验所共有的特征包含四个方面，一是"直接性"（Immediacy），不是指直接接受他人传授或亲身阅读理解宗教经典，而获得关于对神的认识，而是指人在经验上切身地感受到上帝与自我的"合一"；二是"确实性"（Certainty），这是伴随"直接性"特征而感觉到真实性,如感受到"上帝之爱"、"上帝之赦免"等;三是"豁朗"(Illumination)的觉悟,这种关于对上帝的经验,不仅仅坚信上帝在客观的意义当中存在,更相信"上帝与我同在",并感觉到心灵中顿觉清爽,如同拨云雾而见天日,感觉到有一种"天启"在内心显现,进而获得新的福祉等;四是"可意会而不可言传"(Ineffability)的特征,一般说来有神秘经验者,不论是"中和"的,还是"极端"的,都不能将经验到的"实在"用言语充分表达出来[1](龚德义,1990)[2]。

依照宗教心理学的分析,附魔体现了神秘经验与信仰经验的结合。在附魔的情况下,附魔者无法控制自己的言行,他们能够体会到魔鬼的存在,甚至是附着在自己的身上,这种情况下是主观与客观没有统一起来,而严重的时候,被附魔者会暂时失去自己的意识而完全被魔鬼所占据,这时又是主观与客观相统一的情况。

(二)医学与精神病学的分析

医学和精神病学对癔症的研究可以从生物因素(遗传因素、躯体因素)、心理因素和社会文化因素三个方面的原因展开分析。对癔症的发病机制还未有完全确定的观点,第一种观点认为这种癔症是一种原始的应激现象。所谓原始反应即人类在危机状态下所表现出的无意识本能反应。包括:①兴奋性反应如狂奔、乱叫、情感暴发等精神运动性兴奋状态;②抑制性反应如昏睡、木僵、瘫痪、聋、哑、盲等;③退化反应如幼稚行为、童样痴呆等。第二种观点认为癔症是一种有目的的反应。临床实践发现癔症常常发端于困境之中或危难之时,而且癔症的发作往往能导致脱离这种环境或免除某些义务(沈渔邨,2005:611-617)。

弗洛伊德用十七世纪的附魔病例来分析证明自己的观点,把附魔现象看作一种现代神经症的症状。他认为这些癔症与现代神经症的内涵完全相同。"彼时被看待成附体妖魔的东西,在今人看来,就是那些卑鄙的、邪恶的愿

---

1 龚德义:《宗教心理学》(影印版),上海书店出版,1990 年。转引自:周普元、彭无情,宗教心理学视域下弗洛伊德的宗教经验观——兼论弗洛伊德理论的 X 理论模型,《大连大学学报》2010 年第 4 期

2 龚德义在该书出版过程中既担心教外科学认识的批评,也担心教内信徒的批评,最终在科学性和宗教性两者的关系上,他作为一名神学家,坚持引入西方宗教心理学的理论,认为能够坚固教徒的信仰。参考周普元,中国宗教心理学的发展历程(上),中国社会科学报,2012 年 8 月 6 日第 339 期。

望，那些受到否定、约束的本能冲动的衍生物。……我们放弃将这些现象投射到外部世界的做法，而将现象的起源归结于有着这些症状的病人的内心生活"（弗洛伊德，1923）。

翟书涛结合文化人类学的研究，针对癔症附体和有关状态的案例加以分类，划分为癔症附体（hysterical possession）、神媒（spirit mediumship）、神秘状态（mystical state）、非妄想性巫术观念（non-delusional witchcraft ideation）、迷信活动、骗子等多个类别。癔症附体者多为文化程度不高、经济不发达地区的妇女，21-40岁发生者居多、离婚、分居、守寡、社会阶层状况、心理因素、宗教信仰、躯体健康状况都会与癔症附体发生关联。而且附体可能表现为不同的情况（翟书涛，1987）。张亚林分析了除去现代医学尚未认识的疾病和限于医生和诊疗设备的分辨能力而暂时未能诊断的疾病外，剩下的那些声称有躯体症状，但实际并非起因于躯体的"躯体"症状。这被冠以一个专业词汇即躯体化（somatization），许多躯体化障碍的患者多数表现为癔症人格（张亚林，1987）。

（三）人类学的分析

首先，许多人类学的研究者吸收和参考心理和人格角度的分析模式。台湾著名人类学家李亦园在讲到童乩的附体现象时说：

"童乩作法治病最关键的问题是他认为有神降临附在他身上，他所说的话并非他自己的话，而是神借他的口以示意。因此问题的重点在于是不是真有神附体？从科学的立场而言，童乩作法时的精神现象是一种习惯性的"人格解离"。在这一精神状态下，童乩本人平常的"人格"暂时解离或出于压制的状态而不活动，并为另一个"人格"所代替，这另一个人格也就是他所熟识的神的性格，因此并非真正的神降附在他身上的！……在开始时其本身的意识逐渐减弱，自我的活动逐渐缓慢，生理上则血糖快速降低，终至于人格完全解离，在此时感官会产生各种幻觉，而在行动与语言上为另一种平常他仰慕而熟识的性格所代替，并扮演那个角色了"。（李亦园，1996：284-286）

旁观者或局外人或许会沿用现代医学的科学思路质疑所谓的神是否真的降临，以及童乩的治病是有效还是仅仅是骗人的把戏。童乩的治病虽然与现代医学属于两种不同的知识体系，但是传统治疗者也如现代医学一样，赢得患者的信任，并以此信任为基础展开治疗。这种信任源于治疗者和被治疗者拥有相同的文化传统与信仰体系，能够对乡民产生很有力的解脱和稳定作用（李亦园，2004a）。

其次，人类学更为重视考察附体现象之下是否也存在多种社会文化根源，于是超脱出其是否真正附魔这样的一个真实性的问题，而追求现象同社会文化之间的关联。从功能主义观点来看，附魔或附体也可能成为底层民众伸张正义和表达诉求的一种技术和工具。例如，Roger Gomm 在文中讲到，位于非洲 Kenya 南部海岸的最大部落 Digo 部落的妇女有着弱势于男子的地位，但是她们通过利用自身的灵魂附体现象而在驱魔的过程中向丈夫或者男权者提出一些要求。因此其认为附体是一种声明自己所处的弱势的地位以及由此而进行讨价还价的策略（Roger Gomm，1975）。此外，许多马来西亚人也相信恶灵可以寄居并且占据身体，从而导致伤害。然而，这些灵魂有时是安静的或者被宗教实践者驱散的。在现代马来西亚的工厂里，灵魂附体是个问题，尤其是那些在压力下长时间工作的妇女身上，她们收入低微，待遇恶劣。由于容易遭到灵魂附体，许多女性工厂的工人都被附体并且接近疯狂的边缘。她们反过来寻求当地宗教从业者的帮助，请他们来驱散灵魂，可能有效，也可能无效（Aihwa Ong，1987）。因此有许多学者解释为这种附体和疯狂表现是她们想要反抗这种恶劣环境的表现。

以上案例将附体的原因归为社会结构性力量，性别和社会阶层的差别给位于劣势地位的妇女带来生存的压力，社会并没有给予这部分人正常的表达诉求和改变现状的途径，于是受到当地文化背景共同认可的神灵便成为工具。因而，换一种角度，附魔这种现象能够揭示人在灵魂层面之外的社会和文化现状。

总之，无论这些是纯粹的宗教体验，或者是仅仅的个人的"人格分裂"，又或是反映了某些社会事实，这些都是些外人对他们的看法，是站在研究者和观察者的角度的看法。我们人类学的研究有必要从主位的观点来理解对方的文化，这就是我下面对于附魔的分析所想要深入探讨的地方，也就是考察当地人也就是不同的信仰者对于附魔的解释。当然，人类学强调"进得去"也要"出得来"，单纯的描述现象对于人类学研究来说是不可取的，深层意义的挖掘才是关键，这就需要综合各种解释和考量，才能走向正确的结论。

二、改教的概念与理论分析

（一）改教的概念阐释

皈依或者称之为改教（conversion）[3]，是"跨宗教传统的转换"。这是一个复杂的过程，对此不同的学科有不同的解释。究其定义，古典宗教心理学家威廉·詹姆士认为"皈依、更生、蒙神恩、体验宗教、得到安身立命之处，这些词组都代表一种过程——由这一种过程，或逐渐地、或突然地，一向分裂并自觉为错误、卑劣的、不快乐的自我，因为对于宗教的实在得到更稳固的把握而变成统一的并正当的、优越的、快乐的。无论我们是否相信必须有个直接的神的作为，才可以引起这种精神上的变化，至少就一般说，这是皈依的意义"（William James，1929：189）。

即使是很小的社会，人们也会涉及有关宗教的选择，因为首要面临的是选择是否要信仰某种宗教。世界各地都存在大量信仰宗教的人，当然也有众多无神论者。而那些有宗教信仰的民众也将会进一步有重新选择另一种宗教的可能，我们将其称为改教，即跨宗教传统的转换；如果朝这一思路继续，那么宗教的不同派别之间也可能会迎来又一轮抉择，我们称其为改宗，即宗教传统内部的转换。

（二）改教的有关理论

改教终究是两种信仰体系或者文化体系碰撞的某一种结果。通过对社会学、社会心理学、人类学等不同学科的相关研究的简单梳理，改教研究大致可以被归为经济理性和社会文化原因两个不同的分析框架。

上个世纪 90 年代，西方宗教社会学家在历经 30 多年的艰苦探索之后，终于突破传统理论范式，这就是宗教市场论这一针对许多美洲和欧洲的宗教现象更具解释力的新的理论范式。宗教社会学家从宗教市场论的观点分析了改教和改宗的根源，主要观点包括：1、在作宗教选择时，人们会试图保持他们的社会资本；2、在正常情况下，多数人既不改教又不改宗；3、随着人们与委身于不同传统的宗教的人具有或形成更强的依恋，他们就会改教；4、宗教资本由对于一个特定宗教文化的掌握和依恋程度构成；5、在作宗教选择时，人们会试图保守他们的宗教资本；6、人们的宗教资本越大，他们就越不太可能改宗或改教（Rodney Stark, Roger Finke, 2000）。这些命题是基于如下

3 Conversion 可以被翻译为改教、也可以翻译为皈依、皈信、归信、改信等。

假设，即人类是具有普遍的经济理性的，即使是在信仰选择上也倾向于委身于更能提高自己资本的宗教。

宗教资本作为一种文化或者情感，是一个人在信仰宗教过程中习得的一套文化，可以包括跟宗教有关的动作、语言、故事等等多种符号存在方式，以及多个符号结合编织而成的意义之网。在此同时，人们会对宗教中的神灵投入信任、崇拜、敬畏等多重情感，也对宗教文化产生深深的认同和依恋，甚至宗教生活与世俗生活相融合成为一个人生活中最为重要的方面。宗教资本的转移是相当困难的，因为不同的宗教传统拥有不同的宗教文化，情感投入也有差别，因此宗教生活一般来说是具有稳定性的。换句话说，在正常情况下，大多数人是不会改教或者改宗的。不但如此，即使在重新进行宗教选择时候，人们也会倾向于保存原有的宗教资本。斯达克等人的研究也表明，改教的人大多数是来自缺少原先的宗教委身的人，或者对于一个宗教群体只有名义上的联系的人中。

宗教市场论不仅对美洲和欧洲当下的宗教现象具有较强的解释力，对于中国的许多改教现象也适用。在中国许多地方出现的皈依过程中，婚姻的例子或有出现，移民或者遇到有很大的社会性危机这样的例子也有但比较少，更多的是从民间信仰转向皈依基督宗教的现象。吴梓明等人分析了中国的民间宗教信仰的特点，认为其不如西方宗教般重视信徒对所属宗教的"委身"（commitment）。"一方面，中国宗教对信奉者并不含有'绝对性委身'的要求，信徒没有因为'委身'于某一神祇而不能同时信奉另一神祇的宗教包袱；另一方面，当他们参加基督宗教的活动时，他们都对基督宗教的'委身'和'宗教资本'会逐渐增多，慢慢地就比较容易从民间信仰转向皈依基督宗教"（吴梓明，2005：277）。

人类具有普遍经济理性的观点，以及改教者最大化地保存原有宗教资本的做法，也得到其他社会学和人类学研究的回应或佐证。例如功能主义人类学作品中能感觉到自利隐含在人类的基本动机之中；经济人类学研究中，形式主义观点强调个体自利的行为动机和个人利益最大化，而作为对立者的匈牙利经济史思想家卡尔·波兰尼提出实质主义观点（substantivism）认为人与环境的互动中强调文化和社会系统对个体选择的限定，用他的话说，"经济被嵌合在社会之中"（施琳，2002：216）。布迪厄强调惯习（habitus），也就是一种历史文化的动态的有意识和无意识的习得（Bourdieu，1977）。

若是置于中国社会文化背景下，究竟中国乡民在信仰选择中会倾向于个体理性还是受文化和社会影响更深呢？虽然雷德菲尔德对俗民社会（folk society）的考察将那些广大的位于小传统的大部分人看作是非自省的（Redfield，1956），但是针对中国人改教的许多研究还是把焦点放在"功利性"这三个字上，也就是继续沿用理性主义的观点判断人们的皈依和改教。

社会心理学的"人在情境中"理论（person-in-situation）认为，人不是完全独立自存的个体，研究一个人，必须将其放到他所处的环境中进行，即他的家庭、社区、工作场所等。因而研究者有必要考察研究对象与所处社会环境各要素之间的关系。个体会受到来自环境压力和人们彼此冲突的影响和困扰，因此要用系统的方法去分析情境中人们的行动。所以其从民间信仰改信天主教的行为包含着个人经济理性的考量，也同个体所处的文化和社会系统发生关联。

最后，谈谈人类学在关注改教现象时采取的切入点，对此，可以用罗宾斯的一句话概括，他认为人类学在研究改教的时候常强调"地方化、本土化和混合主义"（Joel Robbins，2003）。罗宾斯把基督教看作人类学的一个专门的研究对象，即所谓"基督教人类学"（Anthropology of Christianity）[4]。《基督现代》是基督教人类学研究系列的一本书，作者韦伯·基恩关注印度尼西亚松巴岛上，来自荷兰的加尔文教派传教士与信仰祖先崇拜的松巴人的在传教相遇时的宗教困境。他提到："宗教改教可以包含一种新的符号意识形态（semiotic ideology）间观念上和实践上的关系"（Webb Keane，2007）。松巴人的祖先崇拜者的仪式专家昂布·内卡在1986年领洗，改信基督教，此后的仪式和信仰实践都反映出传统文化的持续性和变异性。例如，虽然保留了原来的仪式，但是却被赋予了新的意义解释。

三、中国乡村的天主教

法国著名汉学家谢和耐在《中国与基督教》中总结了明清天主教的传教与当今中国天主教的特点。由于中西方文化在诸多方面的差异导致了明清时期天主教传教的失败，而中国的教徒所接收的天主教是儒家与某些基督教观念杂糅的产物（谢和耐，2003）。

---

4 国内读者可以参考黄剑波、艾菊红主编，《人类学基督教研究导读》，北京：知识产权出版社，2014。

　　一个完整宗教都存在信仰和理性的两面。由于官方支持儒家，而儒家的矜持使其对民间文化和信仰精神的吸收十分有限。民间宗教常常是政府政治和思想的"异端"。这种分裂状况，使利玛窦等耶稣会士想到一种文化政策，强调儒家的"非宗教"的一面，通过强化儒家的理性一面，来抑制中国民间宗教意识和宗教行为中的"异端"（李天纲，1998：203）。然而后来，中国天主教传教史上的"礼仪之争"的焦点在于是否应当将祭拜祖先和尊敬孔子看成是拜偶像，开始以利玛窦为代表的耶稣会士对此采取宽容态度，而后多明我会介入，"礼仪之争"才正式升级，从早期仅仅作为基督教徒的学术问题演变为罗马教廷与清政府之间的政治议题。天主教对于自身正统性的强调，罗马教宗强硬的不妥协的态度也激起了当时自诩天朝大国的清政府的不满，于是本来已经获得康熙以及士大夫阶层广泛支持，同时也拥有大量普通民众支持者的天主教遭遇了谢和耐所提到的失败。同时清政府对天主教的反对政策也波及诸多天主教家庭，他们遭到所在地官员的打压，许多天主教徒因为在罗马教宗的规定下不能祭拜孔子而无法获得参加科举的机会，便转而走经商的道路。因而，"礼仪之争"之后，中国的天主教对中国主流文化影响进入衰落时期。这主要有两个方面原因，天主教与中国文化的关系恶化，后来传教士人多并不十分了解中国文化，二是中国方面，雍正乾隆两帝对传教士政策完全转变（李天纲，1998）。此后，到了清朝末期，传教士随着帝国主义殖民化进入中国，政府将其宣传成为鸦片、毒害、异类，由此，它同当权者以及民间的团体之间都存在不同程度的冲突和矛盾。在民间，天主教徒遭到了义和团"扶清灭洋"的围剿。

　　伴随着罗马教宗以及中国政治和社会的发展，"礼仪之争"慢慢平息下来（苏尔·诺尔，2001）。到了 20 世纪，天主教仍然保留有自身正统性的强调，只不过教会自身也在不断调整传教策略，也在全球化的背景下开展与不同国家、文化、社会的组织和个人的对话，从而在福传过程中对其他民族的文化与宗教信仰呈现出很大的宽容性。然而，当年"礼仪之争"不但没有真正使天主教在中国消亡，反而在乡村地区呈现繁盛的趋势，而中国后来乡村的天主教却也因此更大程度地表现出民间化的特征。

　　在清政府下令禁教之后，天主教失去了那些代表"大传统"的社会上层人士。"在中国的天主教很难提供在农民村民和政治和知识上的精英之间的精神联系。在教皇拒绝耶稣会士迁就融合儒教礼仪之后，教会很大地放弃了建立具有影响力的天主教知识精英的努力。"由于无法从精英群体中得到支持，因此在缺乏精英指导的情况下，就出现了中国天主教徒即使冒着被称为"异端"的危险而吸收民间宗教以及佛教与道教中的信仰元素。赵文祠提到几个特点，如"崇拜圣母玛利亚，和对白莲教的无生老母（eternal mother）没有什么不同，重视奇迹般的拯救高过道德的培养，信仰奇迹般地治疗和驱魔（exorcism）"（Richard Madsen，2003：171），"当今的天主教徒常常报告圣母玛利亚的幻像，利用不确定的仪式，乡村神父驱魔（cast out demons）和展现奇迹般的治愈（Richard Madsen，1998：91-95）"。赵文祠还认为乡村天主教具有民间宗教的特点。例如很多乡村天主教的实践都符合常常在乡村民间宗教中发现的具有魔力的仪式。正是乡村的民间文化不成比例地影响着今天中国教会的精神（ethos）（Richard Madsen，2001）。

因而，乡村天主教不同于西方经院化的天主教，不同于罗马教廷试图传播的那种天主教，而带有了中国本土文化和民间化的特征。这可以从传教士和乡村天主教徒这两个不同角度分析：原因之一，利玛窦及其后来的耶稣会士不断向罗马教廷争取，对国内许多民间仪式保持宽容的态度，教会这种转变策略的做法在传教初期加速了天主教与中国本土文化的融合；原因之二，"礼仪之争"导致禁教后乡村教徒的自我选择。在缺乏管理者或者引导者的情况下，乡村教徒只好自己组织祈祷等宗教活动，还要躲避清政府的追查，缺乏外籍传教士的引导，甚至有些地方只有教徒没有神父，于是入教较早的老教友有时就不得不承担起主持仪式的职责。即便是老教友，民间信仰及其对应的物质、语言等多个符号体系所构成的宗教文化也深深烙印在思想中。因而，在诸多外在压力之下，原有的民间信仰的文化和符号体系对教徒产生影响，人们自然地借用了民间宗教的许多元素。

按照赵文祠的说法，"礼仪之争"令天主教失去了学院派的支持，天主教的传教士便只好转而发展农村地区，尽力将整个村子或至少整个世系皈信，为信仰的坚定不移提供社会支持，张先清的研究发现，明清时期当地乡村宗族对天主教信仰的皈依，是天主教能够深入福安乡村社会传播、发展的根本原因。天主教信仰依附在这些宗族中，依靠地方宗族的力量不断发展壮大，直至成为对当地民间社会生活具有深刻影响的一种区域性主流宗教（张先清，2009）。

而吴飞对献县教区武垣县段庄（为保护受访者，书中的地名以及人名均为化名）进行了长期的田野调查，并从人类学、社会学的角度分析了当地村庄天主教群体的信仰和生活，著成《麦芒上的圣言：一个乡村天主教群体中的信仰和生活》。总结书中的主要观点，其一，中国乡村的天主教徒并不能将信仰生活同世俗生活结合起来，或者说他们并没有试图将两者结合。这种神圣与世俗的二元区分无论是在教徒的宗教生活和日常生活上，还是在神职人员和普通教友之间都存在。其二，天主教没有形成一套技术，只是在仪式和组织上形成了天主教群体、一个亚群体、一个身份群体，但并未在伦理层面使天主教徒有异于普通农民。总之，教徒与非教徒的区别主要表现在宗教仪式和宗教信仰的集体认同上，在日常生活上并不存在差别（吴飞，2001）。在赵文祠关于社区与团结的论述中可以看到，天主教徒与非天主教徒往往有共同的祖先、经济活动模式、政治机构，对土改、公社化、文革、承包到户有共同的社会记忆。其主要区别在宗教象征符号的运用方面。如天主教徒家悬挂的是圣女像而非民间神，天主教徒的葬礼不烧香磕头，不烧纸钱，不祭奠，而向棺木洒圣水，祷告，并在墓前置以简易的十字架等。有些天主教家庭的葬礼仍借用传统网络资源，他们认为，若不如此，亡者既孤单，又脆弱，虔诚的天主教徒家庭多实行教内婚（Richard Madsen，1998）。

河北地区的天主教史的研究，近来也有一些专著出版，例如李晓晨所著《近代河北乡村天主教会研究》，从区域社会史的角度，探索了乡村教会的发展，揭示天主教对中国社会形成的客观影响。该研究分别阐释了河北乡村天主教会的萌芽和建立过程中禁教和开教波折，天主教会在与地方社会互动中经历的排斥与融合，发展过程中经历的困境与挑战，河北乡村教会的社会事业等，并且将乡村教徒的皈依动机做了深入细致的划分，结合了宗教心理学和社会学的理论，将其归为八种类型：理智型和实验型，神秘型和感情型，社会型和婚姻家族型，宗教功利型和世俗功利型等八种类型，还特别提到"驱魔功效，皈依进教"。李晓晨认为，驱魔皈依主要是实用功利的目的，但也含有一定的宗教动机，中国传统信仰体系中的鬼神信仰和附身的观念为乡民接受天主教的魔鬼观念提供了前提（李晓晨，2012）。作者就附魔和驱魔引用了丰富的历史文献，对本研究有许多启示，只可惜没有详细解读和阐述，也没有分析乡民传统信仰观念和天主教信仰之间存在的联系，而且案例资料也多是近代的史料，缺乏对当下正在进行中的驱魔传教现象的关注。

对河北乡村天主教的历史分析还有许多教会内部的资料，例如献县教区陈义神父 2002 年编写的《献县教区简史》, 刘献堂编著的《献县教区简史——庆祝教区成立 150 周年》, 后者主要依据法籍神父鄂恩涛法文手稿 Cent Ans (1856-1956) Histoire de Mission et du Diocese de Sienhsien Hopei (中文译名《献县教区百年历史》编撰而成。

对我国各地天主教的传播状况, 也有许多学者在不同的地域开展了相关实证研究。例如尚海丽 (2010) 以河北为例, 比较了基督教和天主教在中国内地传播在时间、社会背景、传播路线和方式上的不同, 以及推动中国内地近代化进程的影响。刘安荣 (2011) 考察山西民国时期乡村天主教徒的信仰状态与特征; 曾志辉 (2010) 调查广西三个区域天主教堂点的历史与现状, 关注山地民族与山区教会。刘昭瑞 (2011) 基于长时期田野工作, 指出了乡村教会的社会网络和新的社会空间特征, 以及乡村天主教教会所出现的文化刻板印象, 还特别提出广东地区乡村基督宗教所存在的"香港模式"现象, 并对可能出现的"台湾经验"也做了初步的讨论。郭建康 (2011) 以甘肃 w 镇天主教为例, 采用问卷调查和深度访谈两种方法, 对农村基督徒宗教皈依的历程做了简要分析, 主要内容包括宗教皈依的社会根源、动机、途径以及皈依效果的强化等方面。这些不同角度和不同主题的研究都为人们了解中国大陆天主教发展现状提供了丰富的参考。

四、天主教与民间信仰的关系

两个不同的宗教信仰相遇的结果目前来看是三种情况, 首先, 一方改变另外一方; 其次, 双方并无教义和文化上的明确冲突, 并无争议; 第三, 两者互相采借, 不断濡化 (enculturation), 混合在一起; 第四, 虽然相互独立存在, 但是却在很多方面有联系, 各有自己的解释体系, 然而却同在一种精神之下。分析民间信仰与世界宗教的关系看来并不能简单归结为一方压倒性地制约另一方, 他们是种互动与融汇的关系, 或者互相借鉴, 产生形不同而神似的情况, 这些都是世界宗教本土化的表现。

杨庆堃将中国的民间宗教定义为"分散性", "佛教和道教作为制度性的宗教, 在某种程度上为分散性的民间宗教吸纳提供了精神资源, 更使得宗教的民间形态完全可以将上层意识形态的控制放在一边, 以其分散而又灵活的方式展现宗教在中国社会不竭的生命力(金耀基, 范丽珠, 2007: 12)"。欧大年(Daniel L.Overmyer)却反对杨氏的分散性的观点, 认为中国的宗教融入当地社会结构是被制度化的，同时不能以西方基督教模式的宗教理解来判断中国人的信仰活动。"与其把汉族民俗宗教的此种实态，称作诸教混合主义，倒不如说使教理得以确立，并决定着人们信仰的神权政治和宗教权力以及宗教组织等，从来就未曾在民间真正普及过"（渡边欣雄，1998：108）。在这一点上，可以说民俗宗教是极富柔软性和个体化的（Harrell，1974：203-204；Baker，1979：81-84）。

这些观点都从各个方面分析了中国社会背景下的宗教活动的特点，不论是民俗宗教或是民间信仰又或是分散性宗教，这些作为文化背景对于外来宗教的传入都具有了更多的吸收性与宽容性。佛教对于中国本土信仰而言也是外来宗教，只是佛教传入时间很早，很容易吸收其他的神灵的信仰，发生变异和当地信仰相结合，故而早已经与中国本土信仰杂糅在一起。也正因它这种变异性，它在世界各地的传播过程中和当地文化和信仰相结合为各种不同的分支和流派。例如藏传佛教始于 7 世纪中叶，当时的藏王松赞干布迎娶尼泊尔尺尊公主和唐朝文成公主时，两位公主都带去了佛像、佛经。松赞干布在两位公主影响下皈依佛教，建大昭寺和小昭寺。到 8 世纪中叶，佛教又直接从印度传入西藏地区。10 世纪后半期藏传佛教正式形成。现在藏传佛教分支为各种不同的派别。天主教在教义以及信仰方面和佛教有很大的不同，但是同属于外来宗教，也必然要面临如何处理与传入地本土宗教和信仰文化之间关系的问题。

金泽在雷德菲尔德"大传统"与"小传统"的概念背景下，分析了民间信仰及民间宗教的聚散现象，特别是民间信仰在传统社会和近现代社会中与正统宗教及主流社会运动的互动，它与民间宗教关系的研究。他认为，在多神教为正统宗教的社会里，民间信仰以及民间宗教与正统宗教有着结构上的亲和性，多神信仰所具有的兼容性使双方不易发生直接的排斥，但宗教观念和宗教行为上的分歧也会对双方的关系产生影响，因而总是存在着两种可能：或者各安其位，有互补甚至相互转化（在地位上）；或者（大多情况下只是部分的）相互排斥甚至对立冲突。（金泽，2002）

按照人类学文化变迁的理论，不同的文化体系相接触必定发生文化的采借，宗教作为一种独特的文化存在方式，尤其是表现在物质与精神（或心灵）的皈依的双重变化，两种不同宗教文化之间的适应和互动就成为一种复杂的过程。就对中国宗教的研究来看，佛教进入中国后经过广大乡村民众的吸收，转换成为各种偶像杂糅的民间信仰，他们对于较之稍晚传入的天主教和基督教是否也是采取同样的转换思维呢？天主教与民间信仰同属于宗教信仰范畴，因而两者必然存在一些相生相克，而又相辅相成的方面。

（一）混合主义

有学者研究认为，一种外来宗教传入的初期，常常会采取一种混合存在的方式，即被称为混合主义（syncretism）倾向。混合主义本质上是文化的融合，产生于濡化过程中。濡化是人类学在对文化互动的研究中经常提及的关键词，意为文化之间进行不断的直接接触之后发生的文化特征的交换。Andrew Beatty 从一个公共仪式入手，分析了墨西哥的混合主义，对于存在不同意识形态的时候，常常会采取强调其自身坚持的部分而忽视或者将其放在自己的阐释圈子中。"在爪哇，穆斯林的教义、苏非派还有印第安影响下的神秘主义以及祖先崇拜之间的相互作用常常不稳定，无论在群体水平还是个体实践水平上。根据背景的不同，参与者可能强调他们文化本身的某个或其他部分"（Andrew Beatty，2006）。而巴西通灵术（Spiritist 或 kardecism）于 19 世纪由欧洲传入巴西后，便促使基督教信仰和一种相信灵魂具有影响物质世界的效果的信仰相结合。（Luke，2006：173）这也是一种混合主义，也即是宗教信仰的结合或者混合。宗教混合主义的例子还包括加勒比海伏都教中非洲人、美洲原住民、罗马天主教圣人和海灵的混合，同样也出现在古巴人的桑塔利亚（Santeria）和康多姆布雷（Candomblé）信仰中，这是一种"非洲巴西式"的信仰。当然混合主义的例子还包括美拉尼西亚和基督教信仰在船货崇拜的结合。（康拉德·菲利普·科塔克，2012）

混合主义并非所有信仰相遇时会出现的结果，也有研究举出了一些反例，例如杨凤岗在对美国华人福音派基督教会的研究中发现，当地教会强调儒家和基督教的和谐性，"多数华人不把儒家当做一个宗教，而是当做一个传统的生活哲学，福音派华人基督徒能够整合儒家的道德价值而不至于坠入混合主义"（Fenggang Yang，1998）因此，儒家传统作为生活伦理的一部分，而基督教超自然的教义也可以被吸收，两种思想被合理的放置于不同的框架内，使得华人基督徒避免了将其融为一体的结果。

从世界范围来看，似乎天主教的传教者也会针对不同地域的信仰特点而采取相应的传教策略，例如，天主教的传教学家和神学家介入"粗野"考察非洲的宗教，以便从中发现"福音的种子"（即可以和基督教相容的文化因素），并以此为手段转变其信仰，或强化皈依者的信仰（Bowie，1999）。这种做法与利玛窦初入中国传教将中国传统文化的"天""上帝"与天主教的"天主"相对接的方法有异曲同工之妙。混合主义显然是一种能够兼顾不同信仰和文化的方式。中国天主教的传入和传播也借用了许多中国本土的文化元素，但是究竟是否就如同以上的例子一样可以归为混合主义的范畴，这个还需要后面的进一步研究。

（二）冲突和镇压

不仅仅是借用和转移，冲突也是常见的现象。国外天主教的长期传播历史中充满了对异端的残酷镇压，墨西哥两个转而皈信天主教的印第安人 1700 年揭发了自己所在社区的异教活动，15 个印第安人因此被处死并肢解，而这两个人也因此遭到杀害（Chance 1989：164-165）。中国清代的教案中也屡见天主教徒砸民间祠堂而引起的矛盾冲突。明末天主教初入中国时，利玛窦曾同意中国的天主教徒尊孔祭祖，但是却引发了天主教内部关于礼仪的争论。1704 年罗马教皇定出"禁约"，不准祭拜祖先，禁止用原有的名称"上帝"和"天"称神，只许使用后来通用的称谓"天主"，否则将受到逐出教会的处罚。直到 1939 年，教皇庇护十二世才修改了那些教皇的"绝对"禁令，他发布了宽恕谕令，允许敬奉祖先，允许使用原有的名称称呼神。"礼仪之争"让天主教很难得到"高层"的承认，中国儒家思想在士大夫阶层根深蒂固。天主教在后期的传教中，不断改变自己的宗旨，允许文人祭拜祖先，敬拜孔子。

（三）渗透与融合

刘志军通过对张店镇的调查研究发现，现在基督宗教已经开始与当地农村民俗信仰相互渗透和融合，主要表现在"民俗的兼容"，即原有的民俗中加入基督教内容；"价值伦理的比附"，即将类似的基督宗教理念与中国传统伦理价值观相比附，还有"信众的流动"，即二者互为彼此提供了可供选择的信仰对象，这主要表现为传统信仰为基督宗教的发展提供了后备的人员队伍，也有少量的基督徒在放弃对上帝的信仰后回到传统的信仰上来。文章还认为由于教籍多元现象的存在，儒释道三教合一的文化仍是当地信仰的重要基石（刘志军，2007a），这就引出下文第四种存在状态。

（四）多重宗教参与

爱丽丝（Ellis）在文中描述了一种多重宗教参与（MRP）的广泛分布的现象。"向多种宗教表示忠诚的现象很常见，人们经常同时出入于好几个宗教社团之间，或者履行多种宗教仪式，这些仪式在西方人看来，是属于不同的或者相互竞争的信仰系统的，诸如基督教和伊斯兰教，或者基督教和'传统'宗教"。（Ellis，2004）这里所讲到的案例可以分为两种不同的情况，一是我们上文提到的混合主义，也就是不同的宗教仪式融合在一起；另一种是多重宗教参与。在中国多重宗教参与（MRP）是一种普遍的行为，这是不同于折中主义的一种信仰形式。菲茨格兰德认为"新教和天主教的传教士都发现他们事业进程的最大障碍，不是对中国的某些异教教义的热诚信仰，而是他们的包容"（Fitzgerald, C.P., 1964）。中国的民间宗教并不存在一种终极的关怀，而是将信仰和生活紧密的结合在一起。然而，西方宗教却是一种单一委身的宗教，至少国外的基督宗教是这样。李晨阳提出了中国的儒释道三家的同时参与是因为中国精神中存在的和谐准则。他认为，正是佛教愿意参与这种不同而和的进程，佛家才在中国取得了成功，他还补充说，与此相反，这种和谐意愿阻碍了基督教在中国的发展（李晨阳，2005）。

基督宗教与中国传统民间信仰的互动时常呈现出多重参与的状况，孔汉思等学者对此就有着关于"双重教籍"或者"多重教籍"的讨论，指的是既是基督徒也同时信奉佛教、道教或者民间信仰。对此学术研究者中批评者有之，宽容相待者有之。孔汉思提到，"只要真正认真对待两种宗教就可能在宗教信仰上既是基督徒又是佛教徒或者其他教徒"（秦家懿、孔汉思，1990：244）。这些学者秉持着只要宗教态度虔诚，便有可能实现宗教多元，而不是急功近利的骑墙派。

我国历史上儒释道三者能够融合并存，形成我国信仰者依着务实有效的原则针对不同的背景需要而向不同宗教摘取所需的局面，于是我国乡村民众要么没有什么信仰，要么就供奉多位神灵，他们或许有观音菩萨，太上老君，也会有关公，毛主席。分散在不同村落聚居地的小庙也常常"麻雀虽小，五脏俱全"。这样的共生与共存已经融入到中国人的信仰思维中。

第三章　附魔、驱魔及其文化背景

一、田野点宗教概况

（一）天主教献县教区历史沿革

天主教献县教区（或称沧州教区）具有比较悠久的历史，据称最早如《资治通鉴》记载：唐代景教"于诸州各置景寺，法流十道……寺满百城。""河北道"乃十道之一，辖现今的河北省大部分地区及京、津两市。明代末期，天主教再次传入中国的奠基人利玛窦神父两次（1598 年与 1600 年）北上，沿途传教，途经吴桥、东光、泊头等地。据民国 21 年《交河县志料》："天主教之入中国，献邑最早，交与比邻，故乡民信奉者自明代有之"。[1]

献县教区原名"直隶东南宗座代牧区"，成立于 1856 年 5 月 30 日，法国耶稣会士郎怀仁为代牧区主教。1863 年 10 月 2 日，在献县东张庄建中国首座耶稣圣心教堂，有"华北第一堂"之称。1864 年，教区有 10 位司铎，28 位修士，164 座教堂，32 所孤儿院，22 所学校，教徒达 11367 名。1900 年即光绪二十六年，献县教区遭遇庚子之变，义和团"扶清灭洋"为号召，杀神父和教民、烧教堂，这一期间 4 位神父与 5153 名教友被杀，600 余座教堂被毁。之后教区进入繁荣阶段，教友增加。张庄总堂于 1937 年事变前后发展鼎盛，占地七百余亩，6 座圣堂、14 座楼房，平房数百件。总堂机构分东西两大院。东大院有主教府、大修院等，西大院有外籍宝血会、医院育婴

---

1 泊头原称交河，现在交河是泊头市的一个镇名。文中"交与比邻"中的"交"即泊头。《泊头市志》，河北省泊头市地方志编纂委员会编，北京：中国对外翻译出版公司，2000 年，第 627-628 页。

堂等。[2]

1949 年，教会大约五分之四的教产被政府占用，用于医院、中学、粮库，这些在宗教恢复之后被有序地归还给教会。1954 年，献县教区在北京的修院解散，院长刘乃义、刘景福及赵元俊等神父被捕，其他人遣回总堂。此后，又经历了 1955 年，子牙河决口造成总堂房屋损毁，教产被占用等事件。1958 年 4 月 20 日，河北省献县教区赵振声主教在献县张庄天主教总堂为永年、永平、宣化、西湾子四个教区以无记名投票选出的第一批 4 位正权主教（王守谦、蓝柏露、常守彝、潘少卿）举行了隆重的祝圣典礼。祝圣典礼后，赵振声在庆祝会上说"中国天主教会自选自圣主教是天主教传入中国 300 多年以来的创举。我们要饮水思源，没有共产党的领导就没有今天的光荣。"（林瑞琪，1999：108）"1958-1964 年期间，主礼者及被祝圣者都必须宣誓脱离罗马教廷，这无疑使许多被祝圣的主教感到极大压力。1981 年之后，这种压力逐渐减少，宣誓不再成为强制性的了。而且，不少自选自圣的主教已经得到教宗认可。"（何光沪，2006）关于天主教爱国会和罗马教廷的关系同样是值得关注和研究的重要主题。

在文革期间，献县张庄教堂被砸。据有关资料纪录，献县教区被毁圣像 1.5 万尊，书籍 45000 余册，祭衣 4000 余件，圣牌 1 万余枚，主教座堂被拆毁，大量神父修女入狱。在文革过后，曾在文革期间遭到迫害的天主教人士被平反。主要是河北省宗教事务局为河北省天主教界人士平反冤假错案，对在"文化大革命"中被迫害致死的中国天主教爱国会发起人之一献县教区主教赵振声平反昭雪，1981 年 3 月 17 日河北省天主教爱国会在石家庄召开了关于赵振声和另外两名神父的追悼会。

1980 年 8 月 4 日，政府声明退还教区公学的一座小教堂和 49 间房子（即原总堂公学南院），政府拨款 5 万余元进行修缮，11 月 20 日开始施工。同时展开天主教的复苏与重建工作，活动场所不断开放。1981 年 10 月 22 日，河北省天主教代表会议召开，会议决定按照行政区划分，献县教区改名为"沧州教区"。但是因为献县教区历史比较悠久，在国外的影响力也比较大，而沧州教区的叫法很多人并不知道，因此当地神父和教徒仍然更习惯自称献县教区，只是在政府官员和带有官方色彩的相关研究中会使用沧州教区的说法。献县教区下辖沧州地区 1 市 14 县，其中包括原景县教区的吴桥、东光两

---

2 这些历史资料引自献县教区编，2003，献县教区：我们共有的家。

县和原天津教区的沧州、南皮等六县。目前，献县教区还代管廊坊地区。1981年12月25日，总堂修缮完毕重新开放。1980年献县教区复兴时，有神父21位，修女17位，教徒5万。"据1990年统计，沧州教区共有教徒44580人"[3]。1981年献县教区14位神父参加河北省组织的座谈会，刘定汉被选为主教，于1982年10月6日在吉林市祝圣。刘定汉于1983年任河北省教务委员会主任。1998年侯经文由助理主教任正权主教，与翌年车祸去世。1999年11月李连贵神父被选为候选人，与2000年3月20日于总堂祝圣。

现在的主教座堂于2003年建成。同年庆祝教区建立180周年，为他举行了大型的庆祝活动，规模庞大，同时还举行了相关的宗教与和谐社会的学术研讨活动，许多国内的学者参加。

（二）天主教献县教区基本现状

1、天主教徒

献县目前有天主教徒约16800人，献县教区在2003年左右拥有神父近百位，教徒7.5万人，教堂206座。献县教区仍然算是农村教会，天主教徒主要分布于农村地区，少数教徒生活在市区或县城。总体教徒的增长发展相对缓慢，每年进教人数不多。教区现有福传事业主要在于维持原有教友数量，教会发展仍然主要靠自然的人口增长。相比而言，河北省许多其他教区（如邯郸教区）教徒数量增长迅速。当地大多数教徒是从祖父、曾祖父甚至更早就开始信仰天主教，世代信教的家庭通常信仰都比较坚定，他们在当地被称为"老教友"。然而，沧州泊头地区在近年来新入教人员有所增多，与当地民间看香的传统以及附魔现象有关，基本上每年有几百人入教。

当地天主教传承家族式的特点明显，也就是说通常是一个家族都是天主教徒。这是因为自西方传教士入献县传教以来，因为无法得到上层人士的认可，只好转为发展农村教区，约定教徒的后代必须入教，从而代代相传。当地教友家庭的信徒占绝大多数，多是一辈甚至三辈以上的教友家庭。天主教教义中有相关规定，子女后代必须8天内领洗，鼓励教友与教友结婚，如果对方不是天主教徒，结婚后应争取让其入教，子女必须领洗。经田野调查发现，随着青年一代接受更多世俗以及现代婚恋观念、父母权威在决定子女婚姻能力上的减退以及交际范围的扩大等原因，目前教徒与非教徒结婚的现象

3 河北省地方志编纂委员会，1995，《河北省志：宗教卷》，北京：中国书籍出版社。

越来越多，个别案例也出现双方因为信仰上的分歧而产生的婚姻问题。

就地理和宗教结合来看，献县有 151 个宗教村。所谓宗教村，一般指拥有百人以上天主教徒的宗教聚居村。同时因为历史原因，献县教区还有一些全村信教的天主教村，他们在教友内通婚，以家族相互依托。例如，河间境内的范坨垯村，还有邻近的路德庄。路德庄是个献县教区知名的朝圣地，每年的五月份（2008 年是 5 月 4 日）会举行朝圣，场面宏大，基本上沧州各个县的天主教徒都会在条件允许的前提下齐聚那里朝圣。期间会有献县教区主教主持弥撒，举行圣体游行，共同祈祷的仪式。

献县教区实行自主管理和组织，下辖 21 个堂区，堂区之下又包括许多具有天主教徒的村庄。每个村庄都有会长，会长负责联系神父以及内部的教堂维护以及组织各种堂里的活动工作。会长虽然不属于政府行政体制内，但是却在许多地区能够有利于政府处理与信教群众有关的宗教事务。河北省任丘市 79 个天主教徒聚居村 2006 年成立了宗教理事会，引用官方的说法，"进一步健全了市、乡、村三级宗教工作网络。理事会由一名思想觉悟高、政治素质好、爱国爱教的信教群众任会长"，[4]这无疑也是政府宗教管理采取的灵活性手段。就笔者观察，献县教区十分重视对教徒的培训，这种培训既包含了教义的释义、信仰的传递，也包含劝人向善的讲道和实用性的生存技术，调查发现，当地时常举办针对不同对象的培训班，既包括针对管理者或教徒中的精英人物的会长培训和教友代表大会；也包括针对广大农村妇女，以及仍然还在接受天主信仰道路上的人们而开设的慕道者培训班；还包括针对大学生的大学生联谊会培训等。献县教区从 1996 年始共办了十几期培训班，培训会长、骨干、传道员，总人数达 2000 人（何光沪，2006）。大学生联谊会主要是在每年的暑假举行，为期一周时间，沧州地区的各个堂区神父会推荐自己堂区的大学生参加联谊会，每个人都会发一张通知单，通知其在某一时候到献县总堂参加培训。在培训期间，组织方会开设针对宗教仪式、婚姻恋爱观、梵二会议、信仰培育等方面的课程，由神父或修女讲道授课。

2、宗教活动场所和宗教神职人员

按照 2003 年献县教区统计资料显示，献县有教堂（后各县数字均包括祈祷所）70 座，任丘 40 座，河间 62 座，泊头 23 座，肃宁 5 座，吴桥 6 座，东

---

4 任丘：79 个天主教徒聚居村建立宗教理事会，四川统一战线，2006（1）。

光 4 座，沧县 3 座，黄骅市 5 座，共计 218 座。

根据 2008 年的调查，献县教区有神父 101 位，[5]修女 46 位。献县教区属于河北甚至整个华北地区拥有神父数量较多的教区，这些神父中 32 位（包括主教）在献县服务，赴国外留学的神父、修士、修女有十余名，最后的大部分神父则是援助献县地区以外的教区。这些神父多数为 1960 年以后出生，绝大多数（除个别年龄偏大的神父外）毕业于河北神学院，接受过系统的神学教育。修女分别居住在修女院、周庄诊所、东双坦诊所等处所。

献县教区保持比较深的信仰，而成为在国际上都很知名的老教区。而且，当地圣召很多，所谓圣召指的是天主的"召叫"，也就是促使教友立志修道当神父或修女的那种精神力量。其中经济也是不得不考虑的因素。一位教区圣望修女会的修女也这样讲道，"老教区比较贫穷，曾经在这付出的人挺多的，以前我也弄不清，我觉得这是一个贫穷的地方，他容易吸收那些贫穷人的福音，他容易看到内心的真正的根。有的时候人太富了，每天都知道忙了，顾不得考虑深处的东西。"

3、宗教活动状况

在日常宗教活动上，天主教徒每到主日和瞻礼均会到教堂中参与弥撒，听神父讲道理，这在天主教教义中是教徒的义务。张庄总堂在周日会在大堂举办两场弥撒，早上五六点钟一场，下午一场。平时神父会在小堂举行小型的弥撒。就笔者所走访的几座教堂来看，大多数教徒都只是参加周日的仪式，而在平时忙于农活或其它工作，平时在教堂中念经的大多数是妇孺还有老人。除了弥撒，人们最常参与的集体仪式是在圣母山前念玫瑰经。

每个神父负责的堂口里会包含几个教堂，由于不同教堂分布在不同的村落，有时候会距离较远，因而大多数神父会骑摩托车或自行车代步。基本上每个教友家庭都会在墙上贴上瞻礼单，挂上公教年历，他们对于时间的规划也与宗教生活相联系，但是更多时候也与普通家庭的日历和月份牌没什么差别。2007 年的瞻礼单和公教年历纸质优良，印刷精美，分别印有耶稣像和教皇像。相较于吴飞在段庄看到的 1994 年那较为朴素的瞻礼单，我们发现拥有实用性的天主教装饰也在悄然发生变化。不仅如此，仪式及称呼仪式的方式也有不同程度的改变"望弥撒是原来的称呼，梵二改革之后，不能总是望啊，

5 原来有 102 位，在 07 年 9 月份刚刚圣了两位新的神父，然而刘定汉主教去世，因此只剩下包括主教在内的 101 位。此为 2008 年的调查数据。

—31—

现在叫参与弥撒。"一位神父曾这样跟我解释。只不过，笔者在跟教友接触和交流时，他们仍然还是在说"望弥撒"，原因究竟是在教徒眼中，仪式没有明显的不同，还是他们认为不必纠结于几个字的差别，又或者是已成习惯记更的这还需进一步调查。

一年内当地天主教比较重要的大型宗教活动主要包括四大瞻礼（包含圣诞节）、路德庄朝圣。圣诞节在各个天主教堂的庆祝活动规模都很大，许多教外人也一起参加，张庄教堂广场会涌入熙熙攘攘的人群，除了教徒之外，掺杂不少一起看热闹的人群，有时甚至连大门外的公路上也常常堵车。张庄村的会长会组织教友维持秩序。路德庄是位于河间市的朝圣地，那里的教堂也有多年的历史，曾经历过义和团的大炮轰炸。每年朝圣人数都有几万人，但是每年的情况略有不同。

近些年来，献县教区经历了几个不属于每年例行的大型活动，包括庆祝教区成立一百五十周年庆典，祝圣李连贵主教，刘定汉主教去世。每次活动都规模浩大，在一百五十周年庆典上，沧州市向献县派了五百警察维护秩序，同时献县本地有三百警察维护治安。参加者除了本地人士外，还包括众多外县和外省甚至外国的宗教人士。

（三）泊头天主教简介

泊头市位于河北省东南部。东临南皮，西接武强、武邑，南连阜城，北交献县，东南隔运河与东光相望，东北与沧县接壤。泊头市是一个县级市，由沧州市代管。市境内宗教活动始于东汉，以佛教、道教为主，元、明时期，随着回民的迁入，始有伊斯兰教。清代，天主教传入。"天主教，基督教的一派，也亦称罗学公教。明代以后传入中国，明末清初，由献县传入市境。"清初曾在交河县城里修天主教堂一座，后咸丰年间在肖家留信村、西郝村（均属郝村镇）又修天主教堂各一座。民国 20 年（1931 年），有天主教徒约 1200 余人。解放初期，市境天主教堂大小 28 座。1950 年，天主教会向政府登记的教产有 200 余间，教徒千余户，约 4000-5000 人。新中国成立后天主教活动渐少，1966 年前，市境教堂 25 间。"文革"中，宗教活动停止。1979 年后，随着国家宗教政策逐步放开，对宗教控制程度的减弱以及社会的发展，宗教活动逐步恢复。1990 年，境内宗教门类有：佛教、天主教、基督教和伊斯兰教，其中天主教徒 5600 余人，分布在 18 个乡镇 84 个村。除此之外，泊头也广泛存在丰富的民间信仰（泊头市志，2000）。

　　泊头现今属沧州（献县教区）管辖，2003 年有教堂 23 座，虽然不如献县河间等地信教历史基础深厚，但现在仍然处于快速发展状态，信教人数不断增加，每年都会有新的祈祷所建成。B 镇是泊头距离市区较近的一个乡镇。自教会开放至今 20 余年来，B 镇堂区教友人数由原来的两千发展到八千[6]。同时，笔者在 B 镇教堂时调查发现，在 2007 年一年领洗入教的人有上千人，而其中因为附魔原因而导致由民间信仰皈信天主教的约占五分之一，而且这种改教现象仍然还在持续。

　　结合沧州地区各县市的地图，铁路穿过沧州地区，把其分成了两个部分。铁路以西包括献县 70 座、任丘 40 座、河间 62 座、泊头 23 座、肃宁 5 座，铁路以东包括黄骅 5 座、南皮、东光 4 座、吴桥 6 座、孟村回族自治县、海兴、盐山，跨越铁路的有青县、沧县 3 座。B 镇邻近泊头市，正好处于铁路线上。献县教区虽然下辖了沧州各个县市，并代管廊坊地区，其主要教堂和教友却都是在铁路以西地区。这从教堂数量就能够得到印证，因为教堂的建造与否是根据当地教友数量和需要的基础上做出的决定，因此对于当地天主教发展状况有重要的参考意义。从数字中能够看到，铁路以西的天主教较之铁路以东的更为发达。在笔者访谈一位 74 岁的老神父时，他这样解释，"铁道东过去归天津管，天津解放后神父回来了，教友四十年没见神父都忘了，神父再去，老一辈都去世了，下一辈没有信仰。这儿呢？因为神父就是这里人，在这劳教或者劳动改造常和教徒们在一块，所以这边教徒多。"如果我们按照铁路线将其分为东西两部分，那么 B 镇正处于分界线上，成为东西部交流的联结点，西部天主教与东部民间信仰恰好在 B 镇相遇。这或许能从一个侧面反映出该地区民间信仰与天主教之间的冲突为何到达一种激烈的程度，以及为何当地天主教近二十年来发展迅速。

　　该地区因为独特的地理以及文化历史原因而具有较强的民间信仰的传统。如果说这是一个温床，民间信仰是土壤，而后来传入的天主教就如一粒种子落在这种已有的信仰基础之上。我们是否可以提出这样一个命题？在其上生长出来的天主教的根苗吸收了民间信仰的养分，可能会带有民间信仰的特征。中国人是普遍具有信仰的，只不过有些是有组织有形式的，有些是无形的存在于人们的无意识与行为中。泊头地区的民间信仰盛行，而同时又是

6　献县教区主编，2001，《主爱遍洒人间》（内部资料）。由于是内部资料，所以人数知识只是一个大概，在真实性上也只是作为参考。

一个教友热心传教的地方，这两个特点促成了这样的一个研究事实，沧州 B 镇地区是研究民间信仰与天主教关系的典型田野点。

（四）民间信仰状况

民间信仰大多是松散的，并不具有严密的组织，大多数民间信仰也崇拜多神，而且因不同地域的文化差异而在崇拜对象、宗教仪式以及信众特征上各自存在差异，例如东南沿海以及台湾地区妈祖崇拜，近来也有研究者关注辽宁沿海地区的相似信仰，多是处于保佑渔民海上安全为目的。随着发展，所谓的"迷信"也才逐渐被"民间信仰"一词取代。虽然如此，其共同特点在于渗透到日常生活的各个方面，换句话说宗教生活与世俗生活深深交织在一起，而这一点也将突出表现在许多关于当下乡村天主教的研究之中，因而构成了乡村天主教民间化的论据之一。

相较于天主教的发展，泊头的民间信仰或民间宗教历史更为悠久，分布更为广泛。这表现在不单单是那种没有组织的个体性的信仰形式，还有组织性比较强的民间宗教和会道门。泊头地区一直以来都有着求神、上供、拜鬼，请巫婆等民间信仰传统，解放前尤其繁盛，解放后一段时间，政府"破四旧""破除迷信"等清除运动使这些信仰在解放后遭到强制的限制，随着中国内地 80 年代的政策宽松改革开放等等因素，这些民间信仰又重新回归到各个村庄的生活构成中。"解放前，泊头境内的会道门，大约始于元、明，兴于清末、民国。影响较大较深的有一贯道、圣贤道、万字会、万国道德会、清帮（清礼、家礼）、长毛会、红枪会等。另有清礼教、会元门、九公道、打磨教、老人会、天地门、白莲教等道门会 10 余种，分布于境内城乡"（泊头市志，2000：630-633）。

以上的文字可能很难给人对当地民间信仰深厚性的直观感受。笔者希望借清代纪昀在其《阅微草堂笔记》卷四滦阳消夏录中有这样一段话帮助理解。

女巫郝媪，村妇之狡黠者也。余幼时，于沧州吕氏姑母家见之。自言狐神附其体。言人休咎。凡人家细务。一一周知。故信之者甚众。实则布散徒党，结交婢媪，代为刺探隐事，以售其欺。尝有孕妇，问所生男女。郝许以男。后乃生女，妇诘以神语无验。郝嗔目曰!汝本应生男，某月某日，汝母家馈饼二十，汝以其六供翁姑，匿其十四自食。冥司责汝不孝，转男为女。汝尚不悟耶？妇不知此事先为所侦，遂惶骇伏罪。其巧于缘饰皆类此。一日，方焚香召神，忽端坐朗言曰!吾乃真狐神也。吾辈虽于人杂处，实各自服气炼形，岂肯与乡里老妪为缘，预人家琐事。此妪阴谋百出，以妖妄敛财，乃托其名于吾辈。故今日真附其体，使共知其奸。因缕数其隐恶，且并举其徒党姓名。语讫，郝霍然如梦醒，狼狈遁去。后莫知所终。

纪昀是沧州献县人，清朝大学士，其著《阅微草堂笔记》中不乏这种狐仙及鬼怪附体的描述，上文只是其中一例。这是一本文学著作，可能包含很多戏说虚构的成分，然而，从文学来自生活的角度考虑，必然从一个侧面反映出沧州当地民间信仰的发达与普遍程度。

同时，文献资料显示，泊头周边地区县市也同样早有"邪道迷信"。

1953 年 4 月 15 日，黄骅县[7]政府发出紧急指示，要求动员起来，迅速解决迷信讨药活动。当月，黄骅县部分村庄出现迷信活动，每天有数百人带着馒头，鸡蛋等供品，到齐庄、卅十二集焚香烧纸，求取"神水"、"仙药"治病。

1975 年 3 月 17 日，孟村回族自治县石桥公社杨村大队发生一起反动道会门——狐仙道——复辟杀人案。在反动道首孙希周的煽动下，张刘氏（刘坷）伙同其子张兴福、其女张文贞以及张兴治、张兴杰、张兴俊等，妄想与某月某日上天成神，说其孙张国栋是上天的"障碍"，唆使全家将张国栋活活打死。案发后，公安机关当即将上述罪犯逮捕归案。[8]

笔者的田野调查也印证了上述古今文献，泊头尤其是当地的乡村地区有着比周边其他地方都更加盛行的民间信仰，供炉看香者数不胜数。而且这种民间信仰虽然外在看来和其他地区的烧香磕头并无异处，但是却在当地的医疗上有着民间权威的作用。[9]

二、附魔、虚病与皈依

（一）民间信仰中的香头和供炉

泊头当地早有"看香"的传统，由于现代医疗手段的缺乏以及人们对民间香头的信仰，老百姓若有身体不舒服，体弱多病或者孩子发生怪异啼哭的时候，或者在经过正常医学途径仍然无法治愈疾病时，人们会寄希望于民间医疗者，而这些所谓能"治病"的人的治疗途径则是通过宗教手段。在当

7　黄骅县现在已经改名为黄骅市，为沧州地区东部的一个县级市。

8　《沧州地区大事记 1949-1985》，河北省沧州地区档案馆，河北人民出版社，1990。

9　究竟那种威信是怎么建立起来的？他们是否有治病的本事，这些都是需要另外撰文讨论的问题，本文暂时不作赘述。

地，这些专门从事民间信仰活动的专职人员被称为"香头"，也有称女的为"巫婆"男的为"神汉"。香头在当地人的眼中是可以治疗这些疾病的人，在他们的家里供有形态各异的神龛和香炉。神龛表现在各种崇拜的偶像，包括观音菩萨、关公、弥勒佛、财神等。但是他们对这些神像的解释并不是如表面看来的这些人物，这些神像只不过是能够购买到的有厂家生产的一些成品。真正供奉的是一些从动物幻化成的"仙"，主要是黄仙（黄鼠狼）、白仙（刺猬）、长仙（蛇）、狐仙（狐狸）等。不同地区的民间信仰几乎都表现出"万物有灵"的特征，自然界中的动物、植物、山石都可能带有神秘力量，成为信奉的对象。他们的信仰方式是在家中供奉这些神仙，设炉烧香。炉是平时民间烧香用的香炉，多是瓷制品。这些百姓每到阴历初一、十五就会烧香用祭品供奉这些神仙保佑。如果遇到了当地所谓的"虚病"或"癔病"，他们便找香头去帮忙给他们治病。一般来说，各个村子都有香头，可能会有一个至几个，香头有男有女，但是女性居多。

看香用的纸钱　　　　　　神父从皈依者家中扣掉的"炉"

　　当地看香供炉的人常常要为此花费很多金钱，除了平时买香及烧纸的花销，如果得了病，请香头来看病需要支付很多看似是需要交给神灵的供品。例如，有些情况，香头会要求看病的人在自己家里设炉，当然炉是由他提供的。请炉与设炉的过程都需要举行一定的仪式，这其中的花销对于当地的普通农民来说可能是一笔不小的支出。此外，有时候香头会以明示或者暗示的方式要求找他看病的人给一些物质或者金钱的回报。当地许多香头也就是神婆巫汉以此为业，如果在当地比较"有名"，看病比较"灵"的话，一年有一两万块钱甚至更高的收入是很容易的。至于为什么看病需要花钱，平时也要供炉上香不时供奉呢？按照当地百姓的解释，如果不供奉，这些仙就会给你捣乱，"如果你不给他上供，他们就会让你得病，浑身难受。"而这种结果必然导致再次去找香头看病，也就意味着花更多的钱。

香头也时常会在自己家里举行一些仪式，比如某些初一、十五的日子就会"上大供"，很讲排场，需要一些信众帮忙摆酒服侍。其本人首先是信奉这些长仙、白仙的人，可以说是他们的"代言者"。在香头的话语休系里，他们所拥有的治病本领源自各个供奉的神仙之力，并非其本人之力，在私下里也需要像其他普通的信众一样照例供奉上香，付出代价，如果不这么做的话，那些神仙也不会因为其是香头而不会"折磨"他。

在香头和向香头看病的人之间存在一个共同点，也就是都相信有那些各种神仙的存在，他们必须得到侍奉，每每发生附魔现象时，香头常常的解释是"该换童子，上大供"等等。正是这种对于相同现象的一致阐释，让人们之间达成了共识，一遇到类似现象就会给出一定的解释，然后采取找香头的行动。

这些神仙具有普通人没有的神秘力量，能够治愈疾病，只要给他足够的供奉，心诚则灵，但是若违背或者忤逆其所求，没有供奉或者没有给予足够的供奉，也会遭到惩罚。因而，这决定着对民间信仰的信奉，一是来自有所求，二是来自有所惧。于是，信仰者很可能求而不得，却陷入一种需要不断投入金钱、精力，同时又唯恐得罪仙家的恶性循环之中。

然而，事实例子表明，似乎香头有时候并不能彻底地根治病症，这些让那些找香头看病的人渐渐对其失去了信心，花了很多钱却没有瞧好病的失败与其心中功利性的目的发生了冲突。恰是这个时候，天主教的传教给了他们一个希望，通过和信教者的接触或者恰好神父传教到这个村庄，又或者是听到了神父驱魔的事迹而到教堂里面找神父帮忙。这部分人通过多种途径接触到了天主教，为自身后来的皈依奠定了基础。

（二）实病、虚病与宗教治疗

医学多元主义是医学人类学研究领域的重要概念之一，指的是在大部分文化中存在着多元的医疗选择，这样的现象也存在于那些通过政治支持和国家管理使一种医学系统占统治地位的文化中（Nichter, Quintero, 1996）。一般学者把一个社会中所有与疾病和健康有关的信仰、实践、技术、习俗、仪式等看做一个医学系统。克莱曼（Kleinman，1980）给医疗系统的定义是一个社区中关于病痛和健康的观念和实践，包含了人们行为的信仰和模式，而且这些信仰常常是作为整体的系统并不被人们所察觉。这些研究均传达出这样一个信息，除了西医、中医、民族医学等治疗途径外，还存在着一类宗教治疗手段。而且以上方式构成医学的不同层次，且各自在相应层次上发挥作用。前者针对一般疾病，后者针对与鬼神相关的疾病。在笔者调查点，这两类被当地人分别称为"实病"和"虚病"。当地人把说不清原因而引起的疾病称为"虚病"，与此对应的是"实病"，乡民认为，"实病"是打针吃药能看好的病，而"虚病"则需要求神拜佛才能痊愈。从某种程度上可见，人们既怀有身体与精神的二元分类体系，也将身体、疾病、信仰这三者联系起来，相信精神层面的信仰会影响实质的身体与健康状况。

宗教治疗广泛存在于世界不同国家、民族、地区以及多种普世宗教与地方信仰中。宗教治疗者包含萨满、灵媒、魔法师，以及巫婆神汉等，在各个地方信仰和宗教治疗体系中或许存在不同的称谓。例如我国云南纳西族地区的超自然病因的医疗资源是"看因果"，通过抽签和解读对应的东巴文字的方式来占卜病因并给出解决问题的建议（和柳，2009）。

一般说来，民间关于疾病（健康）的观念不符合科学传统，但是它通常会在科学无法给出解释的病症或现象面前给出一个解释，哪怕事后证明是错误的解释，格尔茨对于宗教的研究认为，人们有时会因为面对未知而陷入无序、焦虑的状态，为了摆脱这种痛苦状态，便会寻找一种解释（格尔茨，2002）。民间信仰或地方性知识通常承担着这一任务。现代人在面临重大疾病时通常会选择既进入医院寻求治疗，也走向民间找寻巫婆神汉、香头、或者能通阴阳的人，以求神灵保佑。按照庄孔韶对科学与宗教关系的看法，对于中国农人来讲，宗教和科学分属于不同的范畴，彼此间不会发生冲突（庄孔韶，2000：373）。

人类学家 Murdock 针对病因的说法划分为几个类别：首先：医学分类包括感染、应激、器质性、意外等[10]；民间信仰中关于超自然神秘因素如宿命论、不好的感觉（做梦、错觉）；与不祥之物（接触经血、尸体等）[11]；报应

---

10 这些专业词汇属于西医领域，中医对于病因另有一套分类体系，包括外因：六淫，疫疬；内因：七情，劳倦，饮食；其他：外伤：金石，水火烫伤，虫兽。
11 人类学也将这种因为接触某一个东西而会受到或好或坏的影响的情况称为接触巫

（践踏戒律、食用特殊食物，看、听、触摸或梦见某些事）；泛灵论，包括灵魂丧失或灵魂侵犯；魔法说（magic theory）：疾病是由于妖术或者巫术所导致，如诅咒、祈祷、施魔法、偷取获得他人灵魂等（Farazza A.R.1985）。

（三）对附魔的叙事

具有多元化、多样化、多神性特点的中国民间信仰可以与诸多事项发生联系，例如在农村发挥着精神抚慰的功能，或许是非物质文化遗产，又或者提供市民社会产生的土壤，有时也能给病患的治愈提供一定的助力。很长时间内，在 B 镇地区的广大农村，看香、供炉、找香头治病在日常生活中是再寻常不过的事情，有专门以此为业的人为仪式精英，也有继承这一职业的后来者，更有大批怀着各种心态的信奉者。在那时，当地的有些村民，也会无端表现出体弱多病、无端乱闹、控制不住自己的情绪、胡言乱语等症状。只是，那时这还不被称之为"附魔"，占据统治地位的是民间信仰的解释体系。但是，天主教的介入赋予了这种现象一个新的名称，即"附魔"，也打破了原有看似宁静的状态。在这些所谓"附魔"的案例中，妇女居多，原本信仰"香头"的居多，原本体弱多病者居多，农村人居多，望教者[12]居多，已入教但却信仰不深的人居多。

附魔虽然通常是一种历时多年的情况，然而发病却是间歇性的，清醒时与常人无异，一旦发病则产生类似神经错乱的症状或其他病症。发病的地点也很多，除了在家中，最为常见的是发生于当地教会举办的学习班上。学习班指的是慕道班，这是希望加入天主教的人参加的由神父上课传授关于教会知识的教理教义学习的培训班。当神父在课堂上讲的时候，台下时常会出现这样的一幕，一位妇女突然吵闹起来，失去理智，又或者忽然异常的安静，目光呆滞，什么也不说在教堂里坐着。当地的神父也常常试图用声像记录下附魔以作为传教的资料，但是据当地神父讲，录到最后，附魔的人说一句话，"我以我头儿的名义你录不上"。果然最后磁带是空白带子，而且录音机还坏掉了。这些异闻给附魔蒙上了一层神秘的面纱。

附魔和驱魔治病在各地的天主教传播过程中都存在，对于驱魔传教的过度宣扬是否违背了天主教的正统性，改变了原初的信仰，或许在有些地区，

术。与之对应的基于相似律的巫术称为顺势巫术或模拟巫术，可参考〔英〕J.G. 弗雷泽著，《金枝：巫术与宗教之研究》，商务印书馆，2013。

12 望教指的是有志于加入天主教，但是仍然在接触和学习阶段，未正式领洗。

传教士或神父们还会纠结和不安，但是在当今的 B 镇，这种"神迹"已经被看做一次次印证天主是唯一"真神"的论据，并且融入到整个教区神父和教友的日常叙事中。

相较于外部视角或解释性进路，人类学的研究从方法论上而言，更为强调以本土的视角去看待问题，重视本土文化对这一现象的阐释。也就是说，当地人自己是如何看待附魔这个现象的。更为重要的是，他们为何会因为附魔而转而信仰天主教，又或者他们是否因为见证并创造了驱魔神话而坚固自己的信仰，这些重要议题都有赖于本土阐释为我们提供线索。因此，虽然针对附魔或附体现象总是有各异的看法，但是不可忽视的声音来自当地人，而当地人又包括了附魔者本人、天主教神父以及当地信教和不信教的人，他们正是对附魔的解读者和对驱魔的文化塑造者。

本研究很大一部分与驱魔有关的访谈资料并非笔者有意提起或引导，实际是他们主动向我这个外教人聊起，其中既荡漾着对天主信仰的自豪感，也传达着希望这种福音被我这样的外教人接受的期冀。大多数提到附魔与驱魔的人都没有亲历或亲见，但是当不断有人在不同的时间将这些事件在各种场合，如教堂、祈祷所、聚会、培训班，甚至田间地头、床头炕尾、饭桌上提起并引起回应和共鸣时，集体意识和集体叙事便在无形中被创造出来了，而且超越个人，甚至是超越一部分现实。

我们不妨先听听神父是怎么说的。

B：泊头的传教神父没有文化，天主就在里面启示很多东西，小学没毕业就圣神父了，开始是地下，上这边是公开了传教，时代和那个时代不一样了，他是文革以前的老修士，一开始在地下那边偷着圣的，挺热心，天主真正帮助他，到哪里去先画十字，骑着自行车念经，每天去串堂口，数他那边新教友多，一年好几百。

A：为什么呢？

B：你大概听说了，附魔的多，魔鬼帮助传教。

A：这是什么挺有意思的。

B：香门管这个，看香头的，烧香的。他们管这个。

A：那块烧香的挺多的？

B：中国民间习俗有民间的宗教礼仪。你是城市里的，纯农村的人，外教人有个佛龛，供炉上香，有的不在屋子里面，在个破房子里面。

E：比方这个小孩，咱小孩不奉教的吧，有了病了，虚了，得供炉。

B：不许香头不愿意，让他附魔。附魔受不了。

A：香头管什么啊？

B：他是魔鬼帮助他一部分能力，能够视远见的能力。听说有个半教友吧，家里奉教，他不奉教。你看香头不看好不了啊，到香头那里拿着礼拿着钱，"行我跟你问问去了"。半个小时，"我问了回来了"，说得一套一套的，不得不相信，说的有鼻子有眼的，说了不相信他，哪一天你家里得供着香。你不供你全部生活都得毁在身上。

E：俺们奉教的要去了，画十字，落不下台来。祷告阿，这些小鬼，俺们奉教去了，大人有罪的，告了罪，特别小孩不会说话不会骂街的小孩，给小孩划十字，他祷告也祷告不了，他们知道。

B：你看街面上算卦的这个不敢跟教友算。

A：如果个跟他说我是教友呢。

B：他知道，有的靠着真正魔鬼的帮助，有神灵帮助，书上说你个要轻易进入灵界，作为人就踏踏实实过世俗生活的日子，个要轻易进入灵界，进去就走不出来了，会毁在里面。很多 B 镇 J 神父教友，很多外人已经走进去了，出不来，进入那种灵界出不来，香头也处理不了，我问了在你身上的神比我还大呢，比我的能力还大，知道天主教，就说你找天主教 J 神父去吧。J 神父比较热火，文化低，但是天主帮助他。

A：香头说附在他身上的是神？

B：鬼灵。他的说法很奇妙，凭着灵界的东西看着一些东西。香头已经进入灵界。

A：香头自己不会附魔吗？

B：比较少。

E：这边俺们有个表姐她烧香乱了炉了，自己都处理不了了。

B：灵界不要轻易进入，供好多佛，一烧烧乱了，不愿意了，供我还供他神不愿意了。

A：您觉得他们附魔是因为什么原因阿？

B：多种原因，有一次 ZSH 神父，H 神父他们村，B 镇小郭庄，两个小女孩听说邻村离她们不远有附魔，说神父我们看看去，神父说，你们别去把魔鬼带过来啊，跟我年纪差不多，前年发生的事，小孩没听去了，回来之后两个小女孩教友开始闹，真带回来了。她闹耍，说谁谁谁有大罪，谁谁谁做事不行。

A：小女孩怎么知道？

B：魔鬼，附魔嘛，不是她两个自己知道的，魔鬼知道每个人的状态阿，这两个小孩不知道自己了。

A：多大了？

B：十七八了，两个小女孩，也都是这个年龄吧。不是多大，女孩能多大吧，谁谁谁，指名点姓，哪个方面做的不好，她怎么知道。魔鬼知道，都露出来了，吓得教友都去办神功[13]去了。

A：也是督促他们赶紧去做。

B：真的发生这些事情很奇妙。

A：她们去看什么来着？

B：她们去看附魔。有撞客的，河间那边有撞客，之后说那猪，一百多斤的猪上来，下去，三个小伙子摁不住他，怪病。

E：也是魔鬼的。

B：他们这个香门，在家里比医院还忙。

A：好多周围找他们看病吗？

E：一年七、八万啊。

B：看好了一个谁不感激啊。经常去上礼，不上礼又出事。

E：跟俺们信天主教不一样。

A：香头有组织了？

B：不是组织，他自己愿意，香头不是组织性的，自己做的。

E：小孩病了找你看来，许下你了，下边这个孩子，再接去干这个下面的事，你不去，你脑袋疼。

A：这些人自己怎么成香头了呢？

B：跟着香头，比如说他们家一个孩子得了病了，找香头，告诉他你必须得负责神的一些事务，不负责不管，这个人因这孩子就慢慢成了香头，这样引导起来的。接受之后，香头告诉他，你必须为神服务才能

---

13 所谓"办神功"即告解圣事，教徒领洗之后所犯的罪一一如实告出，神父根据情况劝告、补赎。

保平安。

E：俺老奶奶那时候在老院，她爷爷出现什么毛病呢？这是真事。熬大锅菜盛半小锅菜送给她爷爷吃，结果老送老是半小锅。（我们一般）把小锅菜吃了，剩下一碗倒回大锅里，为的是和好是吧。结果，半小锅送过去回来还是半小锅，这是真事。

B：人不能轻易进入灵界，真是走不出来了。《正视人生的信仰》中间那部分。在小字上，标题上，鬼，神，关系，人鬼还有这么一片，小字，人不能轻易进入灵界，踏踏实实过你的日子，供天主是正当的，向神祈祷是正当的，不能进入天主之外的鬼神，进去之后会把你拴住，永远困在里面。

（A：作者；B：神父；E：教友。时间：2008 年 1 月 3 日，上午 9：30-11：30；地点：老周庄教友 E 家中）

再听听不同教友如何来描述附魔。

A．李修女了不得，根本不普通，她在 B 镇也会傅手[14]。她经历了很多，年龄在这里。B 镇太多太多附魔的人啊，神父不在，给他们傅手，也害怕啊，人就不正常啊，感觉阴森恐怖的情景。有天主的力量，人性的力量。B．上教堂就去不了，浑身哆嗦，门口都进不去，害怕，奉教就没事了。（2007 年 10 月某天，A：45，男，河间某厂长。B：A 的妻子，地点：教友家中）

那会要教堂的时候，没什么大事。不像她们那边似的，闹鬼啊，附魔的，魔鬼上到人的身上去，它什么都懂。开车接神父去，车到半路上没电瓶，这个人回到家里，电瓶丢了都知道，跟人脸色不一样，说话语气也不一样，很异常。咱们这边没有。（23 女，无业，已婚，文化程度：初中；时间：2007 年 10 月 1 日，上午 9：30-11：00，地点：河间市访谈对象家中）

对于附魔，吴飞在《麦芒上的圣言》中虽然没有专门的论述，其一段文字却也可以借来参考。

广文向我讲过这样一件事。在段庄附近的大官厅，有位叫小英的女孩子，她本来并不奉教，但有一天，她突然发起病来，口吐白沫，胡言乱语。广文说："外教里管这叫撞厕了。俺们就说是着魔鬼附体了，魔鬼就是撒旦。"……

---

14 傅手礼是天主教的重要礼仪之一。一位神父曾跟我解释说，"傅手最直接的意义，表示天主的降福，圣神的标记。" 对于那些附魔的人也可以 "给他傅手，求耶稣基督把邪魔赶走，恢复健康恢复心灵"。

好了后，小英自己却丝毫不知道刚才发生的事。后来又有过这么几回，小英终于奉了教。（吴飞，2001：135）

文中描述了小英在被附体之后指着不同的教友指出他们做过的亏心事且句句确凿。广文还专门录了音，说小英的声调全变了，就像是魔鬼在说话。吴飞从三个方面对小英的附体以及广文告诉他这些事进行了分析。从空间上，这种指摘别人过错的表现一般不会在个人独处时发生。从功能上看，广文之所以讲到此事，一方面证明天主教义的真实性，另一方面劝诫别人不要作恶事。"暴露私人隐私仿佛神功圣事的公共化，形成了对个体生活的绝对权力。"同时吴也表达了这种通过魔鬼来劝善，体现了教徒的宗教观念中，圣俗之分是根本，善恶二分是次要。天主和恶魔都是尘世之外的，天主与恶魔的善恶差别则可以忽略不计了。

（四）附魔与改教人员的关联与分类

曾有许多研究提及皈依的程式，例如在张店镇，有这样一条皈依模式，"自己或家庭成员生病→求医问药或求神拜佛，没有理想效果→受人劝说尝试信主或主动参加礼拜试探→病情有所好转→正式信主"。（刘志军，2007b：172）在 B 镇也有许多原因皈依天主的，就如笔者访谈泊头的 G 神父时，得到这样的回答。

A：泊头有很多人新信教，这些人都是因为什么原因而入教？

B：原因很多，有的是追求信仰，这是第一种；第二种看到教友的善表，助人为乐，帮助有信仰的人啊，这是一种；第三种就是有附魔现象，开始找香头、神婆巫汉赶不走，或者赶走又回来了，老是不好，找教会的神父，给他圣房子，把炉子扣掉，插香的地方，把那个扣掉，房屋通过洒圣水祝福一遍，魔鬼不在了；第四种得病了，希望天主显奇迹，信得特别虔诚，他的病果然就好了，这是一种；另外一种就是说父母信教，孩子还没有信仰，通过附魔改变很多，这一种，子女奉教了。

（A：笔者，B：G 神父，泊头的传教神父）

下面根据搜集到的文献以及影像和访谈资料，笔者决定将因附魔而改信天主教的人员分为以下几种类别，包括附魔者本人，附魔者的家人以及旁观者。

首先，附魔者本人。每个附魔的人所经历的具体情况不同，但是他们的进教历程都有一些共同点，基本上可以总结为以下几个过程：1、身体虚弱，疾病缠身——2、行为怪异，判得异病——3、先找香头，其次医院，最后天主教——4、香头治病反复难愈——5、教友介绍，认识天主——6、神父驱魔，身体治愈——7、皈信天主。这一流程是当地因为附魔而后驱魔皈信天主教的人在作见证时最常讲述的过程，对其真实性和可靠性的讨论我们在这里并不想多谈，每个人在作自我经历的讲述时都可能为了某个目的而有刻意的强调，如果我们仅仅只是关注其阐释的过程，就不难看到，这样一环扣一环的过程揭示了整个事件的起因、发生、发展和结束。总之，这些过程的讲述本身作为文本的阐释过程，掀开了这种特殊的皈依过程的一角。

其次，除了附魔者本人之外，另外一部分与此相关的进教者，那就是这些人的亲人，他们可能因为家里有附魔的人而倍受折磨，身体和心理都很痛苦，在得知天主教能够有此作用的时候，第一反应是，"如果能够治好，那么我们全家都奉教。"这种允诺史像是提出谈判的条件，说明可供交换的资本，又或者说是感情上的表达谢意的一种方式。这种信教者把神父和其背后的天主当成救世主。他们了解神父传教的目的是为了更多的人奉教，便将神父的驱魔和自己的领洗入教作为一种交换的条件。可见，乡民不仅仅是以功利性和求福避祸来主导自己的信仰行为，还有亲情和感恩。

第三，旁观者。在当地出现了这么多附魔而皈信的新教友之后，当地堂区形成了一个传统，每年都会举行一次证道大会，请那些因为各种原因而入教的人来讲述自己的进教经历，同时由教区主教神父来为其施洗。笔者很遗憾没能参加这一年的证道大会，然而却得到了当地人录制的实况光盘，从光盘上看，整个教堂的院子都挤满了人，场面非常壮观。来自献县教区各个地方的新教友当着众人的面讲述了自己的信教过程，其中因附魔而入教的人占绝大多数。他们讲述天主显奇迹的故事，影响了不信教的人，实现传教的目的。不仅采取作见证的方式，当地的神父、修女和教友还搜集了各个附魔的个案，让当事人讲述自己的信教历程，编写成册，作为当地实际的传教材料对外教人发放。这种记录传教历程的做法并不鲜见。赵星光对洛杉矶一个主要由华人非基督徒皈信者组成的台湾基督教小教派的研究发现，他们出版了很长的教会通讯，详细记录每个皈信者的信仰之旅。（Chao,Hsing-Kuang，2000）

可以说，一个驱魔的事件从某种意义上讲是给人们提供的谈论的很好素材。附魔现象在各个地区都有出现，尤以 B 镇最多且历史很长，但是在整个沧州（献县）教区，其他各县均对其有所耳闻，笔者去过的献县、河间等地的神父和教友均对其有所知晓，可见影响之广。附魔与驱魔中民间信仰与天主教的交锋也成为各地天主教徒引以为豪之处。教徒之间的不断传颂形成的集体叙事也成为教会传播福音的一种工具。

文献综述部分曾经提到，有研究认为，改教者绝大多数来自那些缺少先前的宗教委身的人中，或者来自那些对于一个宗教群体只有名义上的联系的人中。据此，附魔的人在经历教会驱魔后的改教可能源于他们与原有信仰的委身并不深刻，因而将较容易接受一种新的信仰，不需要付出太多的宗教资本。然而，也可能在于，新的信仰与旧的信仰之间在宗教资本的表现形式上存在很多类似的方面，使得人们不需要重新习得一套新的宗教文化。换句话说，天主教的民间化使得乡村天主教与地方民间信仰之间的相似元素使得附魔而改教者能够较容易的转变信仰。随之而来的另一个相对于天主教的不利因素在于，如果教会没有及时地向这些新教徒传达教义、仪式和文化来加深和巩固他们的信仰，换句话说加强其宗教委身，提升其宗教资本，那么很有可能会出现信仰的反复。这一点也得到了调查的印证。通过调查和访谈发现，当地也存在一些领洗入教之后重新供炉的情况。这些人原本认为神父能马上治好她的病，然而反应和效果却并不那么快，因此对天主教失去信心，重新回到原来的信仰中。这种情况虽然并不是非常普通，可是也正是这种情况让我们能够看清乡民的信仰选择本质，那就是功利性以及实用性倾向，也表明这种传教方式虽然迅速有效，还需要后续的很多工作才能巩固自身的成功。

三、天主教驱魔历史

民间信仰或者具体到当地的"香头"对于各种病状以及各种怪异表现早已形成了一套阐释体系。经过了长期的互相引介与传播之后，已经很难分得清谁是最初创造出这些阐释的人，以及为何成为当地人共有的地方性知识。或许在这一问题上我们还需要有进一步的研究和探讨。

（一）天主教经典中的驱魔

在天主教中曾公布一套专门的法典，名为《驱邪礼典》（*De Exorcismis et Supplicationibus Quibusdam*，1998），在第一页中写道：

"在圣仪中，教会服从主的旨意，自古时起就已仁慈地提供方法，使基督信徒藉热诚祈求天主，能自一切危险尤其是魔鬼的陷阱中，被释放出来。在教会内特别设立了驱魔者，他们效法基督的爱德，医治被恶魔所困的人，以天主之名也命令魔鬼远离，使他不得以任何理由再陷害人类。"

天主教有着悠久的驱魔历史，在圣经中就有大量关于耶稣驱魔的文字，大多分布在福音中。圣经中有四部福音：玛窦、马尔谷、路加、若望。四部福音都是记载耶稣生平，所以在这个角度来说，它们是大同小异的，但是也有不同的地方，里面记载耶稣驱魔的片段很多。

"然后耶稣对他们说：'你们往普天下去，向一切受造物宣传福音，信而受洗的必要得救；但不信的必被判罪。信的人必有这些奇迹随着他们：因我的名驱逐魔鬼，说新语言，手拿毒蛇，甚或喝了什么致死的毒物，也决不受害；按手在病人身上，可使人痊愈。'"（马尔谷福音16:15-18）"他们就出去宣讲使人悔改并驱逐了许多魔鬼且给许多病人傅油，治好了他们。"（马尔谷福音6：12-13）"在会堂里有一个附着邪魔恶鬼的人，他大声喊叫说：啊，纳匝肋人耶稣，我们与你有什么相干？你来毁灭我们吗？我知道你是谁：是天主的圣者。"耶稣叱责他说："不要作声！从这人身上出去！"魔鬼把那人摔倒在人中间，便从他身上出去了，丝毫没有伤害他。遂有一种惊骇笼罩了众人，他们彼此谈论说："这是什么事？他用权柄和能力命令邪魔，而他们竟出去了！"他的名声便传遍了附近各地。"（路加福音4：33-37）"日落后，众人把所有患各种病症的，都领到他跟前，他就把手覆在每一个人身上，治好了他们。又有些从许多人身上出来的魔鬼呐喊说：'你是天主子'他便叱责他们，不许他们说话，因为他们知道他是默西亚。"（路加福音4：40-41）[15]

（二）天主教内部学者对附魔的阐释

对福音中耶稣附魔的案例，曾有天主教内部的研究[16]分析出魔附种类的

---

15 《圣经》（香港思高圣经学会释读本），1992年印。

16 针对「附魔与驱魔」相关议题的探讨，在辅大神学院的资助下，交由赖劾忠神父、李若望神父及陈怡萱小姐，经过一年半的学术研究，分别以《天主教的附魔与驱魔》及《附魔与驱魔-以安平旧聚落为例，试谈天主教与民间宗教的对话》二书出版。另有闻道出版社赖劾忠所著《附魔与驱魔》。

由于这些书都是台湾地区出版，笔者也只是从网站上找到一些书内容的相关资料。http://www.catholic.org.tw/windowp/I543065.htm，http://www.xianxiancc.org/

差异性。魔附的分类大致可区分如下：

1、附灵（Ancestral Spirits）

先灵、游魂在天主的许可与安排下，附在一个人身上，以完成他求助或求安息的心愿，有着人世间很通俗的名字，会对被附者造成惊吓或不安，对人甚少伤害。这类的魔附很容易驱逐，只要为他们祈祷或施以较简单的圣仪，即可使其如愿安息。

2、恶魔（Spirits of Trauma）

Infestation：约占魔附比率的2/3。是颇为凶残无情的一种，常伤害案主的身体及主动攻势他人。肉体伤害在驱逐成功后大多会豁然而愈。至于心灵的创伤，则需其后的牧灵事工的复健。被附的对象，可以是任何人，多次是与案主本身的修为无关，甚至小孩也不放过，而无端受害。

3、罪魔（Spirits of Sin）

Demonization：是由人的罪行或罪的诱惑所引进的，如：仇恨、谋杀、愤怒、淫乱等。

4、魔鬼附身（Spirits of Occult）

Demonic Possession：一个或一群具体有着他们自己专用的名字附着在一人或多人身上。属于较高级的魔鬼，最为顽强难缠，比率很少（不到10%）。须要专门的驱魔者，及隆重的大驱魔仪式，才能驱离。

对于附魔的原因，该文也有比较全面的总结：魔附本身是一个奥秘，人是无法完全了解掌握其原因的。有些学者将其综合归之如下：1、外在非关己责的社会氛围或他人作为的结果，或恶魔毫无理由地主动侵犯；2、个人本身的因素：信奉邪神歪教、占卜问卦、使用符咒，从事或接触祭邪仪式或用品等；弑逆父母，违反伦常等；欺压弱小（如堕胎）等；非法及不正常的性行为。

（三）驱魔的仪式

然而随着天主教的介入与传播，这种阐释圈逐渐被打破。看香的人发生了附魔的现象，他们在经过多次的求助于香头无果之后，天主教给他们找到了解脱的办法，这就是神父的驱魔。神父通过傅手、祈祷、念经，圣房屋、

daxue/showart.asp?id=10

扣炉，以及令附魔者喝圣水，亲苦像、戴十字架等一系列的举措来达到对其驱魔并治愈疾病的目的。在 B 镇，当地神父与修女等神职人员常以圣经中耶稣的驱魔治病的章节为依据，把自己看作耶稣的接班人，在现代世界延续当年耶稣的使命，传教神父把被附魔者家中供奉的香炉打烂或者收集起来集中销毁，在家中各个角落边念诵边洒上圣水，在醒目的位置悬挂圣母像。圣经、圣水、苦像、十字架这些天主教的器具承载的神圣性可以压制邪恶的力量，它们均被赋予了超出其原本物质的重要象征意义，变为更富魔力的事物。挂在每一个天主教徒家中的圣母像就如同传统民间社会中门神、观音菩萨像、关公像一样具有治病、辟邪、保平安的作用。人们对待这些外在物的方式更像是以同样的逻辑来面对不同样的物，原本是香炉及其背后的各路神仙，现在是圣像、圣经、十字架及其背后的天主和圣母玛利亚。严格来说，这似乎还是逃脱不开偶像崇拜的嫌疑，但是，人与人，以及人与神的交流有时候逃脱不开物的中介。

值得提到的是，在驱魔仪式完成之后，神职人员通常会以天主教的立场向附魔者解释其附魔的原因和解决的办法，"迷信"、"拜邪神"、"拜偶像"或者"信仰不坚定"才会得"虚病"，"信了天主教一定会好"。有研究认为，萨满教仪式之所以会有疗效，一个重要的原因在于萨满将巫术运用到治疗活动中，一方面起到心理暗示的治疗作用；另一方面为萨满治疗那些不可解释和无法治愈的疾病提供一个解释（李媛，2010）。从这个意义来说，驱魔及之后的解释也具有类似的逻辑。

很令人惊异的是，很多附魔的人在皈依了天主教之后，在当地神父的指导下会纪录下自己的附魔及进教经历，以整理成册供传教使用。这些附魔与驱魔的事件进一步成为见证圣经、天主和耶稣临在的证据。在当地的附魔案例中，许多得怪病附魔的人在接受了当地传教神父的各种驱魔仪式之后，不再犯病且认识到天主教的好处而皈信。这就造就了前文天主教概况中介绍的新领洗者众多的局面。附魔与驱魔的人像那些大病因此而痊愈的人一样到各种聚会中讲述自己的故事。然而，据说他们在驱魔成功后会不记得自己的附魔经验，但是周围的人会对这样的事件和场景进行自己的阐释，将意义在谈话中传递给其他的人。另外，他们也会在当地教会举办的证道大会上亲自讲述自己的故事。其中一位就这样说道："自己的附魔是受到魔鬼的控制而不能自己，在接触到了天主教之后才遇到了真正的神，那些邪神被打败了，不敢再来烦扰我。"原本可能是某些世俗功利的原因而导致其接受新的信仰，然而其皈信之后却又加以另一种神圣层面的阐释，使其获得或构建一种新的意义。就如当年义和团教案中的著名显圣事件，河间的朝圣地范圪塔村发生的抵抗义和团大炮事件，圣母显灵事件，在这些事件的叙述中融合了圣经中的相关描写。

对皈依过程中的宗教体验加以叙述、解读、进而演绎、归纳，最后传播，这是一套成熟的生产和再创造的过程，文本、声音、图像、视频多种媒介组合在一起能够发挥出比原来更好的效果。见证是宗教尤其是基督宗教传教的一种非常普遍的方式。

宗教看待世界和解释世界的方式终究与科学不同，按照格尔茨的看法，科学对日常生活的探究乃是处于习惯性的怀疑，它把日常经验转化为可能性的假设，然后再自下而上地对其进行培根式的哲学归纳。但是相比而言，宗教却是以完全相反的进路预先给定一个关乎世界的普遍秩序，它自上而下地解释世界并塑造着这个世界，没有什么现象是宗教无法解释的，因为所有的经验都变为了它的例证而非证据。（格尔茨，2002：134-138）

四、双方的姿态

历史悠久的民间信仰对于附魔自有一套解释体系，天主教驱魔以在其宗教经典中广布存在成为耶稣神迹的证明。这两者交汇在了中国这样多元文化汇集的地区，在中国那种能够将很多宗教共同存在的互不相悖的信仰传统内，这两者会以怎样的姿态来对待对方呢？儒释道三家还有民间信仰能够共同存在中国汉人的信仰中而不发生冲突，对于天主教，农村的普通民众是否也是采取变通的思维进行应对？究竟是民间信仰将外来宗教"吃掉"，或者"拉入自我阵营"，还是双方平手，还是"外来的和尚会念经"，又或是其他别的共存和博弈状态，这就是个值得思考和分析的问题。同时站在另一个角度，天主教到了中国之后想要融入中国汉人的信仰体系会做出怎么样的改变呢？我们在下文中尽力对其进行文化比较和对照分析，得出相关结论。

第四章　共通与差异：乡村天主教与民间信仰的比较

这一章，我们将主要以附魔和驱魔现象以及乡村天主教和民间信仰在对日常现象和问题的处理方式和解释模式为中心，比较这两种看似内容与形式均完全异质的宗教之间的某些相同点和各自特征，以期为本研究的最终结论提供论据[1]。人类学认为，文化具有不同的层次，包含宏观的文化模式、中层的文化丛、微观的文化特质等。不同的宗教体系也可以看成一个文化整体，并且包含仪式、教义、语言、器物等多个文化要素。当然把其划分为不同的部分并不代表我们会将其孤立的考察，文化是一个统一的整体，最终各个部分的相互关联性在文中会作出具体的阐释，以及他们如何在整个文化及具体而言的信仰体系中发挥什么样的作用也将在文中加以传达。

一、天主教与民间信仰的相似点

（一）阐释上的辩证

当附魔事件牵扯到了两种不同的信仰体系时，那么冲突与交锋首先表现在对这类现象的界定和阐释上，在不同的话语里。他们的阐释就是他们应对对方的重要武器，特别是在农村地区，亲戚朋友和邻居口口相传的经验以及营造出的舆论氛围常常比正式的宣教更为让人信服。香头的话语代表的是民间信仰，而神父以及天主教徒的解释代表的是天主教，除了信仰层面的这两

1　由于天主教与民间信仰之间的异同并非一章一节所能阐明，故而本部分的论述主要探讨与附魔和驱魔改教相关联的方面，因此只会强调二者异同的某些方面。

种解释外，科学的解释也同样存在，三者共同构成了这一现象的多层阐释体系。我们希望通过对这些不同立场上的解释的比较和分析来挖掘出中国乡村天主教与民间信仰类似可比的一面。

尼采曾讲过这样一句话，"没有事实，只有解释。""我们的需要是解释世界"（尼采，2000：507）。而格尔茨也认为自己所做的是"建构理解他人的理解的解释"（saying something of something）（格尔茨，1983），重视地方性知识的必要性，批判以往的那种沉溺于把自己封锁在"框架结构"里视为至上目标的现代社会科学的封闭性。格尔茨认为离开了地方性知识就不会有什么发言权，一种解释又必须建立在另一种解释基础之上（罗红光，1996）。笔者作为研究者所能做的也只是记录和表述当地人的解释，从而在此基础上用学术化的语言尝试解释其内在的本质。虽然不断的阐释有可能会导致离事情的原貌渐行渐远，但是坚持严格的尊重当地人的观点能够最大限度的帮助我们区分自己的理解与当地人的解释。

怎样看待附魔以及驱魔呢？从前文的文献综述中我们就不难得到各种各样的解释，包括心理学家的解释、精神病学的解释。这些我们暂且称之为"科学的解释"。所谓"科学的解释"是从"客位"的角度，站在研究者的立场的观点演说。这些观点自有其理由与可信性，然而，基本反映出学术界对于这类现象的久已存在的一种大卫·哈弗德（David Hufford）所讲的"怀疑的传统"（Tradition of Disbelief），这一传统牢固的位于社会科学传统上采取的宗教研究方式中。哈弗德认为阐释宗教功能的视角有他们的"有用之处但是也有……〔他们的〕局限性，这些局限性基本上来自在大多数基本意义上一定存在种族中心主义。""有两件事一直以来妨碍了我们（包括科学家和那些非专业人士）对世界上所发现的多种宗教的真正理解：首先，我们不信什么的传统，第二，我们自身深深持有的宗教传统"（David Hufford，1982）。或许在听取了上文那些众多"科学的解释"之后，我们有必要听听当地人、当事人以及在场的人的看法。只有尊重本土的观点，我们才能全面而恰当的看待这些事件。

这里，又有了另外几种声音的解释。[2]下文主要按照香头的解释（民间信

---

2 既然是作为他人理解之上的解释，那么我在对他们的解释加以描述的时候可能已经加上了自己的理解。人的认知的不同是难以避免的，因此我希望能够尽量做到用他们自己的本土的话语来讲述。

仰），附魔人的解释（改教者），以及神父的解释（天主教）的阐释顺序进行。

1、香头对"虚病"的解释

让我们再重申一遍，香头是以为人消灾祛病为业的，或者说至少是靠此赚钱的。因此，在他们和得这些怪病的人之间有种信任的关系，他们设香给人看病，在这一过程中，病人或其家属消费世俗世界的金钱来获得神圣世界的回报，香头付出神圣世界的解释从中收取世俗世界的金钱。他们能够靠某些"神力"与"神仙"沟通。在他们的话语里也称并不是靠自己的力量来给人看病，而是仙家给了他们这种给这个人看病的能力，并且决定谁能够得到治愈。那些去找香头看病的人得到的病因解释大多是："安个座儿""你该上大供了"，"该换童子了"，"你得开道"等等。无论是上述何种原因，种种阐释的潜在引发的就是这些"病人"金钱的继续投入，而香头借着仙的名义治病，付出的是自己的灵界的解释和力量，得到的是现实的金钱。

所谓"安个座儿"意思是，对于那些原本没有烧香供炉的人而言，想要消灾解难的方法就是恭敬地从香头那里把炉请回来，多多烧香上供。只要能够坚持供奉这些"大仙"们，"大仙"就不会来烦扰，人与仙也就能够各自享受平安和供奉。"上大供"指的是得罪了仙家，必须开展大型的供奉活动，一般是香头面对那些家里已经烧香供炉的人会采用的说辞，意为怠慢了仙家。"换童子"在民间信仰中也十分普遍，民间所谓的"童子命"指的是小孩子是天上的仙童因为犯戒而下凡，必须经历人间的诸多坎坷，还可能夭折。于是只有以纸人为替身来代替人承受种种痛苦。对于青少年和儿童的求助者，香头时常会报以这一原因。例如，在《主爱遍洒人间》中有这样一个来自泊头市教友自述：我家小波从一周半的时候就得了一种奇怪的病。……先是带小波去泊头市医院做了脑电图，但是没查出啥毛病……我想到孩子可能是有异病，便找了本村的香头去给他看病。香头说你家孩子是童子。可是换了童子后一年仍然没有见好，于是又去天津儿童医院看病，仍然查不出来。香头说："换一年还不行，需要换三年童子。"又换了一次，仍不见好转。"开道"则是必须自己设坛开炉，成为各路"仙家"的长期供奉者，同时自己成为香头为别人看病。这是香头对那些可能有所谓通灵力量的人的一种说法。

具体而言，对于附魔，香头会按照民间信仰的一套体系加以套用，供奉的神灵在他们眼里是带给他们"灵力"（spiritual power），也就是意味着带给他们"治病"能力的神；然而，同时在那些长期供炉的人眼里，这又是一个可以祈求任何东西的对象，前提是必须供奉它。

导致那些供炉者世代相传，欲罢不能的是已有的群体共有观念、功利上的获得、以及害怕被惩罚、家庭的要求等。供炉的人们之间有个共同的意识，那就是不再供炉就会遭到神仙的惩罚。对于这一点的害怕让这些人不得不持续地烧香磕头，定时上供。同时，由于供炉也是延续家族式的，上一辈供炉，那么下一辈也必须如此。因此，除了那种害怕遭到迫害的原因之外，家内也有相应的约束。香头看病有时也不仅是烧香、磕头、神仙附体，有些人也会结合民间医疗，例如扎针等方式治病，有时也能显示出其"灵验""管用"的一面，若从科学的角度解释则或许这暂时的效果来源于心理安慰、或"针灸"发挥作用。总之，如果没有效果，香头会以一套说辞搪塞，如需要换三次童子，上三次大供，或拜神者不够虔诚等等，如果有效，则也会在周围乡邻创造良好的口碑，推动看香人继续坚持自己的信仰。

2、附魔者的独白

在那些附魔人的眼里，这些得的病可能是没有缘由的，他们当时是无法控制自己的，之后也对当时的记忆很模糊。皈依天主教的过程也并不是很短时间就可以，往往要经过几个月的时间，在这个过程中，附魔的人可能会比较两种不同的信仰带给他们的不同的利益。有一个例子是个十八九岁的男孩，他继承得来了香头的那种特殊的能力，然而自己也承受着魔鬼附体的折磨，他曾经求助于当地神父，希望获得帮助，然而后来还是重新回到了香头的职业上。香头也会附魔，因为他们本身便是这种仙的信众，他在给人设炉，治病的同时也要自己供奉各种仙。

当然现象表明，很多附魔的人在得到神父和教友的帮助后，获得身体的治愈和心灵的平静，进而皈依天主教。用他们的话说，"自己的附魔是受到魔鬼的控制而不能自已，在接触到了天主教之后才遇到了真正的神，那些邪神被打败了不敢再来烦扰我。"[3] "自从我与丈夫慕道和领洗后一年多的时间，邪魔显得乖了，也不再兴风作浪了。"（泊头市 Q 镇李某，2002 年 5 月 4 日）[4]

---

3 来自 B 镇堂区 2007 年举行的证道大会视频。
4 献县教区主编，2001，《主爱遍洒人间（内部资料）》（第三辑），p78。

这样的说法在得到神父驱魔后改信天主教的人中间很普遍，这显然是在信教之后的说法，已经跨入另一个阐释体系。就如宗教本身的特性一样，人们常会用另一种逻辑来解释自己的皈依的过程，原本可能是某些世俗功利的原因而导致了接受新的信仰，但是皈信之后却又加以另一种神圣层面的阐释。

3、神父的理解

若是按照上一章天主教内部学者的分类与解析，在泊头的附魔案例大多属于恶魔，而附魔原因更多是上文所言"信奉邪神歪教"。在传教神父的眼里，这些看香的人显然是在拜"邪神"。天主教认为，天主是唯一真神，除了天主之外的各种崇拜、偶像、神仙等等都是邪神，不能参拜，甚至是中国传统文化中的龙在天主教徒的眼里也是邪神，因为他有着蛇的身子，而《圣经》中蛇是诱惑亚当夏娃偷吃禁果的象征邪恶的动物。关于"邪神"这一称呼在不同的人那里还有不同的变化，比如"邪魔"、"假神"、"魔鬼"等等。

"魔鬼是变坏的天使"。"我们并不进入灵界，灵界的东西我们不懂，只有那些香门进入灵界，他们进入的灵界不是进入我们天主层面，他们不是那些最高的神，而是低下的神，不是最高的神。"（H 神父）

同样的，神父把这些教友的皈信看作找到了真正的信仰，找到了唯一的真神。或许我们从他们的传教册子里能够看到他们的态度。其在序言中这样写道：

"伟大的上主实在应受赞美，上主的伟大高深不可推测（咏一四五 3）。他借着多种方式召叫人来认识他，而在 B 镇一带尤其借着邪魔被逐和病人痊愈来彰显他的大能，从而是原来拜佛的香客弃邪归正弃暗投明，使痼疾缠身的病患者康复如初，体验到天主之爱的温暖和天主大能的无限，从而认识天主加入教会。"（献县教区，2001）[5]

这个解释将附魔与驱魔的过程理解为一个人得医治，蒙恩典，"弃暗投明"的过程，在这种对之前与之后，疾病与治愈，黑暗与光明，魔鬼与上帝的一系列对照中，当地天主教不仅获得了新的信徒，更使得这一信仰体系成为当地民众社会生活的一种救赎可能，或者说一种需要。

如果仅仅从阐释角度来看，或许我们可以把二者看做一种语义的对接与

---

5 献县教区主编，2001，《主爱遍洒人间（内部资料）》（第二辑），p3。

转换，就像是两竖排抽屉，二者在很多层面上具有类似性，而改教背后信仰体系的转换就如同把水平一线的东西从左边挪到右边。上面所探讨的对于"神""仙""魔"三种被广泛使用的不同灵性的语汇之间就在不同的解释体系之间得到了共通。阐释上的胜利是天主教在与民间信仰争夺信众中打赢的第一仗。这或许可以称之为"师出有名"。可是仔细分析，又不得不看出其中相似的痕迹，阐释上的区别不过是神圣层面的符号意义转换。同时，"奇迹般的治愈"虽然在《圣经》中有所描绘，却在国外的天主教中并不十分强调，然而，在中国乡民社会中这一点却被当地神父发挥到了极致。

事实上，单从名称上便可管窥中国传统宗教文化与西方天主教文化的差异与交融。中国传统文化对个体异状和发疯这样的表现大致是两类解释思路：一类是离开，即其"魂"离开了"魄"；一类是进入，即有外在的神灵或鬼怪进入到人体内。孔飞力在《叫魂》中曾提到，"一种非常古老的传统看法是，在一个活人的身上同时存在着代表精神之灵的'魂'及代表躯体之灵的'魄'。"（孔飞力，1999：131）如果魂离开人体的时间延长，就会产生各种各样的异状和反常情况，例如人会生病、昏昏沉沉、发疯或者死去。中国许多神怪小说中也很少见"附魔"这样的字眼，比较普遍的是"附体"。相反，"魔鬼"一词来自圣经。根据圣经记载，魔鬼诱惑人类的祖先亚当和夏娃，使其偷吃禁果被上帝赶出伊甸园。因此，魔鬼在西方基督教文化中一向是邪恶与丑陋的象征。而"附魔"一词在圣经中也时常出现，尤其是在福音书的一些章节[6]。从这个角度来说，"附魔"基本上并非中国本土的词汇，而是天主教词汇。

另一方面来看，假使"附魔"在中国古文中有所提及，那么此"魔"从本质上来说，也非彼"魔"。在笔者所调查的田野点，附魔的人回忆声称无法支配自己的身体，并且在醒来后对发生的事情一无所知。他们口中念念有词，有时身体像蛇一样在床上扭来扭去，有时撒泼乱骂，有时又沉默不语。对于这种现象，当地民间信仰者并不会将其同"魔鬼"联系在一起，更加倾向于认为是鬼神附体，这些鬼神指的是长仙（蛇）、白仙（刺猬）、狐仙（狐狸）等神灵。

中国的乡村天主教已经在其与民间信仰的两种语义两种解释体系之间建立了一种桥梁，附魔与驱魔的过程中，信众所经历的只是阐释的对换，形式

---

6 《圣经》（香港思高圣经学会释读本），1992 年。

的改变。按照阐释人类学的看法，不同的人有不同的解释，可能同样的行为在不同的人看来意义完全不同，这是其核心的观点，格尔茨曾经举出一个"眨眼睛"的例子加以解释，"挤眉弄眼"可以背后有意义支撑，试图传递某些想法或意图，也可能仅是单纯的模仿。我们这里则是需要分析"附魔与驱魔"中人们是如何对其加以解释，又是如何体现中国天主教与民间信仰之间那种形不同而神似的特点的。

（二）仪式上的对应

如果说阐释是观念层面上的对应，那么我们按照这种符号分解式的思路继续将两者加以对比，行为上两者又表现出虽然形式不同，然而意义相似，功能类同的情况。天主教教义反对偶像崇拜，然而在调查中发现，圣母玛利亚在当地老百姓尤其是女性中具有很高的威望，显圣迹的现象也时常由女性教友讲出。

B：我八九岁的时候正式上学，那个时候奉教的没有神父，没有教堂呢，神父只能到各家去只能念经做做弥撒，也只能那样。关上门，都不让别人知道，那个时候神父还有做牢的呢，奉教那个时候没有那么公开，宗教没有那么自由。小时候，有一天吃了傍黑的饭，那天傍晚吃的比较早，我有个司有个姐有个妹子，我是中间的，我本身吧吃饭挺快，也不爱跟他们磨。不经意的，从后院吃完饭了吧，从门出来上前院去，也没人告诉我，也没听到什么声音，不由自主往西边一望，我看见的时候倍儿痛快啊，云彩啊从来没有这么亮的。云彩啊多白，没法形容，那个白特别纯，倍儿好看。一边有个小天神吧，都带着翅膀。那是我个人亲眼看到，倍儿好看，不是幻想，那绝对不可能是幻想，我个人亲眼看见的，那时候小孩子怎么能想出那个来，毕竟还是小。

A：多大？

B：不是八岁就是九岁，我记性相当好。我从西边，往西边一望，那片那么亮，一边一个小天神，提着灯笼，红灯笼。灯笼不是那么亮。

A：有蜡烛吗？

B：有。中间是圣母，衣裳不像咱们这个似的，衣裳比这个还漂亮。

A：什么颜色的？

B：有白，有蓝，那个颜色，那个白特别纯洁倍儿好看，多少有五分钟，慢慢云彩随着她走。我长那么大就没见过这么漂亮的，她就是再有气质吧，她也没有圣母那么有气质。几分钟的事，回去喊叫，我说：
"哥，你们快出来"，出来就没了。一直吧，我内心圣母，有烦事的
时候我就到堂里祈祷去，我高兴的时候我会不由自主的从内心圣母，
特别好。

（A：笔者，B：女教友，32岁，时间：2007-10-3 地点：河间市）

"纯洁""美丽""善良""慈爱"是这些词语常常在我和当地的人聊
天中听到的对于圣母玛利亚的评价，他们并不称圣母玛利亚，而是在日常生
活中称其为"圣母娘"，就如观音菩萨转换为"观音娘娘"一样的对其加以
转变。田野中发现，天主教传入中国之后发生的变化不仅仅是词语及解释的
变化，还有形象以及声音、观念等的改变，现今也是如此。在北京平房天主
堂的一间会议室，就悬挂着一张身着清朝太后及皇子服饰的圣母玛利亚和圣
婴耶稣，虽然体貌特征与身着的服饰看似格格不入，但是这种"混搭"并没
有令人产生厌恶感，而是感到熟悉与亲切，就仿佛圣母和圣婴是中国文化本
来就有的一样。而在献县教区下的各个教友家中，墙上必然会贴两样东西，
除了能够充当日历的瞻礼单，便是圣母像。

以上关于圣母的文字看似同我们所讨论的附魔事件并不相关，然而却是
殊途同归。许多附魔的人（尤其是女性居多）常常在接触了天主教但是仍受
附魔困扰的阶段内，向圣母玛丽亚求助、祈祷，以此来作为自己感情的寄托。
挂在每一个天主教家庭的圣母像和看香的家庭中供的炉具有同样的保佑的作
用。传教神父把其家中的炉扣掉，挂上圣母像，这成为了仪式上其舍弃民间
信仰，转信天主教的第一步。当地神父在传教驱魔的时候，常常会针对附魔
或者供炉的家庭进行这样几个仪式，包括圣房屋、送圣像、送苦相（即十字
架）等。这代表着用各种实物所带有的神圣的力量来压制他们眼中邪恶的力
量。因而，圣水与圣像成为具有魔力的东西。就如神父所言，"判断一个人
是不是附魔，就看它会不会排斥这些圣物，精神有毛病的人他是不会怕的，
但是魔鬼怕这个，所以附魔的人也会怕。"

只是笔者也发现一点，当地神职人员和教徒在做附魔传教过程中也会向
慕道者讲解《要理问答》、《进教须知》和基本的经文，但是圣经以及具体的
天主教教义被提及的次数远不及圣像和圣水。推测可能是有这样几个原因，
一是因为当地农民文化水平普遍比较低，读圣经的比例比较低，经文远没有
形象化的圣像与圣水好理解；二是当地天主教牧灵工作中更为强调圣事也就

是做弥撒，望弥撒；三是恰好泊头当地主要的传教神父本身的教育水平不高。当地的本堂神父是 J 神父，也是许多被"魔鬼"附体的人的拯救者，其原本是地下教会的修士，后来转为地上[7]，本身只有小学文化水平，但是却极为热心，也擅长驱魔。或许正好是这种的背景和出身以及教育水平让他采取这种方式传教，却取得了意向不到的效果。

美国社会学家奥格本提出的"文化堕距"理论认为，由相互依赖的各个部分所组成的文化在发生变迁时，各部分的变迁速度是不一致的，总是物质文化先于非物质文化发生变迁，就非物质文化的变迁而言，又总是制度首先变迁，其次才是风俗，最后才是价值观（奥格本，2012）。宗教也是这样一个由不同部分组成的文化体系，其中宗教用具的变换如十字架、圣像代替神龛是最快速方便的，其后是仪式、信仰和价值观的变迁，最后才是生活方式。中国乡村的天主教徒在宗教文化体系的大部分方面仍然是正统的，与非信徒具有较强的区分度（特别是在自我认同上），但是在日常生活中与教外人的区分度较弱。

不单单是说两者同样性质的仪式的对应，在笔者的田野调查中还看到了，天主教不仅吸收了民间信仰的崇拜方式，突出了圣母崇拜的特质，同时也有些仪式上的吸收和采纳。

举例来说，在 2007 年 7 月底至 8 月初举行的献县教区一个大学生的活动中，某一晚举行了全体学生和相关带队神父以及修女修士共同参加的大型祈祷活动，名为"泰泽祈祷"。每个参加者都分发了一个纸条，上面可以写自己祈祷的话，例如，希望世界和平等等。在祈祷仪式举行到后期的时候，大家轮流走到周围摆满蜡烛，由几把椅子、几块红黄蓝不同颜色的布以及由十字型的木条制成的十字架共同组成的祈祷中心前面，把自己所写的纸条放在前面的一个小盘子里，在全部结束之后，令笔者感到很惊讶的是，神父拿出打火机把这些纸条烧了。烧纸是民间社会祖先崇拜以及其他各种民间信仰沟通神鬼世界的一种方式。笔者认为当地信众这种将愿望烧掉的方法也是把天主或者那唯一的真神看作了可以由这样方式沟通的神灵。而下图中由于拍摄

---

7 地上教会指的是国家承认的已登记注册的宗教团体，而地下教会指的是国家不承认的未登记注册的宗教团体。B 镇所属献县教区目前没有地下的神父。在国家力量与宗教组织的不同关系的分析中，也可以参考杨凤岗根据宗教管制状况划分出三个宗教市场：合法的红市，非法的黑市，以及既不合法也不非法或既合法又非法的灰市。杨凤岗，《中国宗教的三色市场》，《中国人民大学学报》，2006（6）。

技巧而导致的光线也被教徒们视为神迹的展示。

重视魔力的举措、崇拜圣母、吸收民间信仰中的仪式、重视圣像圣水胜过圣经教义，这些同民间信仰中拜物、偶像崇拜相比较，就为我们得出两者具有可比性的论点提供了依据。

大学生联谊会在进行泰泽祈祷 　　　　　被烧掉的祈祷纸条

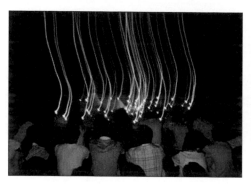

（三）信仰传播方式的共通

除了阐释层面以及仪式层面的比较，笔者认为这种香头的传播方式和当地天主教的传教方式之间也同样有类似之处。或许有人会认为在此将这两种拿来比较不恰当。因为香头的存在一定是早于天主教的，其早已经拥有了广大乡村的民众的信仰者，而天主教传教工作的顺利开展仅是近几十年的事情。但是从附魔驱魔案例来看，两者传播信仰的方式具有几个共同点。

首先，建立威信和影响力。如果说在政治生活中，村长、村支书是权威，决定着很多事务；在经济生产中，行业能手是地方精英，那么在处理涉及怪力乱神、邪魔虚病上，香头和神父则充当着"专家"的角色。而且，他们成为"专家"依靠的是普通村民口口相传，以及曾经的神威。

"到了94年，听说来我村传教的 J 神父有降妖除怪的本领，便把神父请到家里。先是把我曾焚香十年的炉扣了，又祝福了房屋，发了圣牌，但当时并没有把邪魔制服，结果反得更凶、闹得更甚。既然神父的方法没有能够立竿见影人到病除，我错误地认为神父没有能力为我治好，便对教会失去了信心，于是重新立炉、再度供妖。"（泊头市 Q 镇杜某，女，2000 年 11 月 11 日）

"我们先是请来了本村的'小法师'大华，之后又在 H 庄请来了他的老师'大狐仙'。……第二天，一直在关心孩子的大嫂为我们推荐了一位'高明'的香头。"（泊头市 w 镇宋某，男，2001 年 5 月 5 日）[8]

类似的叙述在众多个案的自述中很常见，除了一部分人属于自己决定找香头求助外，"听说"、"推荐"、"介绍"是接触仪式专家的主要途径。而且"专家效应"在这些案例中相当明显。

第二，治病满足实用功利性的需要。李亦园曾在台湾民间宗教研究的基础上提出了功利性的特点（李亦园，1991），同时，高师宁在对中国基督教的研究中发现宗教传播，尤其是乡村传教中具有明显的功利实用性倾向（高师宁，2005）。在本文的案例中表现的就更为明显。给人看病，治愈成为两者共有的特征，表面层面看来，之所以这么多受到附魔的人从香头的信仰转而到天主教的信仰中，其比香头的办法有效是本质的原因，也就是说它真正能够发挥到实际的作用。两者都利用了乡民的信仰功利性的特点而传播自己，扩大自己的信众范围。

第三，发动甚至要求教友传教的做法与香头的要求"开道"具有很多类似性。前文案例中讲到的"开道"，指的是附魔人自己做香头为别人看病，同时也有义务给别人设炉，按照那些后来加入天主教的原香头的话，是"给魔鬼作代言"。而基督宗教的教义中也讲道，每个人都有传教的义务，这是作为一名基督徒的责任与义务。就田野调查来看，这种大规模的教徒由于驱魔成功而入教的现象显然并不是一人之力，而是发动教友传教的结果。当传教神父的威信得以确立，直接与附魔的人以及供炉的人接触的广大教友将这种驱魔本领加以传播。笔者通过对一位神父的访谈得知，"神父是不可能没事跑到人家家里的"，一般来说会有教友作为中间人。而教友本身能够给出的解释也是基于其自身知识水平的，可能他也只是因为附魔而后才皈依天主教的。因此，我们可以说，这种解释体系的形成是团体构建的结果。虽然前者更加带有强迫性的倾向，然而，两者仍具有相似之处。

（四）治疗方式上的类似

对于得了怪病的人，香头和天主教的神父和修女充当的是"医生"的角色，只不过不是用中医或西医来治病，而是依靠神灵的力量治疗。"众所周知，宗教的功能在于提供对心理痛苦的缓解。不奇怪在一些宗教仪式和一些

8　献县教区编，《主爱遍洒人间（内部资料）》，2001。

形式的长期心理疗法存在重要的相似性"（Richley H.Crapo，2003）。E.Fuller.Torrey（1986：59）研究非洲宗教治疗实践，相信由宗教治疗者和西方心理学家和医疗工作者实施的成功治疗都涉及一些相似的因素：定义过程、医生的人格、患者的期望以及治疗的特定技术。香头和神父的治疗过程，也不例外。

首先，定义过程（这同时类似于我们上文的阐释方式的比较）。附魔被指称出现一系列异常表现的人，如神志不清、无法控制自己、言语怪异，甚至包含攻击他人的行为。他们有时会说"别赶我走"等话语，或者有附魔者自称被魔鬼占据身体。这在别的地区可能被看作精神病，但在当地看来却有一套概念和定义体系对其进行分类。不同的是，两种文化对这些现象的定义不同，原因解释也不同。

其次，医生的人格。宗教治疗者是否能够成功，与其权威性（至少是表现出来的或被建构出来的权威性）有直接关系。前文提到"专家效应"就是很好的表现，当一个人被宣传成为"专家""圣手"，背后是众多成功经验和案例，身上还背着来自神界或灵界代言者的光环，病人的信任度都会随着一项项的加成而不断提升。而信任带来的安抚功能也属于治疗精神问题的重要手段。不同的宗教治疗自然有差别，天主教语境下，附魔这套体系里神父的表现显然不同于非洲宗教治疗实践，神父和修女等神职人员充当着医生的角色。其权威性在信教人中是代表着耶稣，他们会显示关爱。而香头是利用其分布广、人员多、影响大等特点，创造自己的威信力。

第三，病人的期望被治愈。病人的期望很大程度上取决于对治疗者的信任程度，因此会因治疗者的特殊的技巧而加强。例如特别有给人印象深刻的布置，使用不寻常的工具，高费用等。相似的，神父施行驱魔的地点越神圣，病人对成功治疗的期望就越大，治疗效果就越好。神父经过念经处理过的圣水、十字架、圣牌、圣像等物事也被赋予了保平安驱病魔的神效。香头给人看病常常会大摆供奉，烧纸燃香，有时候自己也会突然倒下，很久才醒过来，说明自己去到另一个世界去问神仙，怎么样才能治疗对方的病症。这些神妙的技巧都为其提高自身在病者心中的说服力和信任程度增加了帮助。

第四，世界上许多宗教治疗实践者都会用药物或休克疗法，让自己的治疗有感染力，且影响病人更加相信能够成功。傅油中所使用的圣油从某种意义来说，可以称之为药物。在天主教中"傅油圣事乃七件圣事之一。它的作用是藉傅手、傅油即司铎的祝祷，赋圣宠于身患重病和面临死亡危险的基督信徒"（徐锦尧，1996：231-232）。在许多文化中，都有用不同的油来医治疾病的医疗实践，例如：欧洲人惯用橄榄油，而亚洲人则用白花油、万金油等。在香头看病的过程中，也常有扎针等具有中医性质的治疗手段的使用，从这个意义上说，香头从某种程度上也发挥着类似乡村医生的作用。

二、天主教与民间信仰的区别

天主教与民间信仰毕竟一个是西方传入的舶来品，一个是扎根于中国文化的本土信仰。在两者共存的地域文化环境中，他们虽然在阐释逻辑、传播方式与仪式治疗等方面存在共通性，但是在许多教义上存在明显不同，双方信众在内在心理上也具有较大的差异。

（一）"一神"与"多神"的区别

众所周知，中国传统的民间信仰已经杂糅了来自佛家道家以及各种民间偶像崇拜的各个信仰对象元素在一起，这些成为深植于广大乡民心中的既定的信仰基础。各个神灵在信仰者心中占据并不冲突的位置，他们并存，甚至在信仰者眼里各司其职。一般情况下，中国人（主要是汉人）的信仰世界中，所有的神祇都能友善而有序的并存，并能以其各自法力排列地位的高下。参拜什么神，均依实际目的和方便而定。李亦园曾经把传统中国人的超自然世界分为三个系统，其一是自然崇拜，包括天公、上地、山神等；其二是神明崇拜，例如妈祖，关公等；其三是祖先崇拜，其核心是相信祖先灵魂不灭（李亦园，2004b：115-135）。按照这样的分类方法，那么我们所探讨的这种看香的民间信仰是属于第一类别。

但是这种多神并行不悖的信仰传统与后来传入的天主教强调恭敬一神而其他属于邪教异端的排外性极强的教义发生了很大的冲突。天主教最初传入中国时极其强调自身的正统性（orthodoxy），反对任何中国信徒崇拜祖先和敬拜孔子的行为，认为会遭到绝罚。早期的耶稣会把佛教和道教的庙宇活动都看作是"迷信"、"异端"、"偶像崇拜"，但对儒家允许的"祀孔祭祖"活动加以容忍，尽量把儒家的祭祀活动解释成非宗教性的家族宗法活动。虽然中国祭祖礼仪受到所谓"迷信"侵染，但是如果能够去除净化掉这些"迷信"，中国的基督徒可以尊拜孔子和祖先。可以说，早期耶稣会的基本态度是：把儒家和佛教、道教区分开来，采取拉一家、打两教的"补儒易佛"的策略（李天纲，1998：22-23）。

美国宗教人类学家魏乐博在进行中国宗教的田野调查时曾说，"一个深刻印象是，一神论与多神论是多么不同。在美国，一个摩门教的传教士会对他说：'你不要相信其他的宗教，那些都是骗人的东西'；长老会的传教士则会对他说：'其他的宗教，比如摩门教，是不对的，不要相信他们'。而中国的老百姓会说：'所有的宗教都是一样的，都是教人做好事的'。"如果去除"多神论"相对于"一神论"的贬义成分，可以认为，中国宗教传统是兼容并包、多元通和、多元一体的。（张志刚，2014）中华文化是个大熔炉，能够集百家之长。这种传统的儒、释、道家的思想已经融入了中华民族的血脉中，成为能将一切为我所用的根源。之所以历史上的佛教转化为各种偶像，以至于民间很多崇拜偶像都有其佛教或者道教的对应，或者从这样的体系转化到那样的体系，甚至两种体系在乡民眼中无本质的不同，不过是以我为主，为我所用，按照我心中的图式进行安排。然而，如果说民间信仰与佛教两种不同宗教文化之间的涵化最终是以民间信仰吸收了佛教的众多神仙而移植到自己的崇拜体系里，佛教同时在民间的传播也极大地借用了民间信仰的崇拜方式；那么民间信仰与天主教之间，中国广大乡村民众是否也是采取同样的应对策略呢？

按照前文吴梓明用宗教市场论看法，"信徒没有因为'委身'与某一神祇而不能同时信奉另一神祇的宗教包袱"，这些看法看似同样适用于在泊头各个镇所发现的众多信仰香头的人们，他们的信仰体系里（如果存在的话）包含了众多的仙家，这按照宗教人类学的分类来说是"多神信仰"；相反，天主教是一神教。然而，实则正是这一点成为当地附魔人可能经历的矛盾与挣扎的所在，也成为天主教徒所诟病的焦点和紧握在手的把柄。

> B：现在新教徒也很多，我们 B 镇每年都有千数口人，是一个镇，多少村，还有一个区好多奉教的，好多没有信仰，有了灾难啊，好多找香头、供炉、供佛，供那个长仙、白仙、狐仙。他请到家里去，他去烧香磕头，烧香引鬼，你越烧香，你供他，好多的神你不供他，他不愿意，就打仗，打仗之后就跟这家主人没完，附魔闹撞客，闹异病，好多这样的，疯啊，好多这个疯啊跑。上医院一看也不行，不行以后活着就得死，拿三百块钱走到那扎河去死，看到一个教堂，上到教堂去了，在教堂有神父修士给他讲，这以后给他祈祷傅手，好了，他说真

是天主拯救了我，要不是天主我已经早死了，我死了上哪去啊。人在世界上魔鬼很厉害，不愿意让人去走正路，让人走邪路。天主不喜欢这样，每人有一个天神，天神让你走正路，好好走人生道路正道，魔鬼让你打架，不让你家庭和睦，天神呢和睦彼此相爱。他那边有的时候一个也是，他家也是供着好多，以后扣了香炉不相信了，天主给他治好了，他真的很感激。

A：你说的那个闹狐仙，那是多少年？五六十年代？

C：现在还有，前几天我们这有个附魔的。

A：被附体了？

D：你要看见，她也亲身经历过，附魔的说话，魔鬼借着她口说话，丈夫给她领来的，还有一个教友。咱们修女给她傅手给她祈祷，她就害怕了。

A：她说什么啊？

B：它不走，"我好容易找到了一个好人，我不走"。因为魔吧借着人的口，我不走。

D：本人哭的不行了，说话好好的，其他不懂的就说是精神病，其实跟精神病是两码事，不一样。

C：她不是想奉教嘛，魔鬼不让她认识真理。

D：就像癔病，修女给她做的，没事了再没事了。

A：修女给做的？怎么做的阿？比如说我。

B：我为你祈祷，给你傅手，她很害怕，魔鬼在她身上，不是她害怕，是魔鬼害怕，"我因耶稣的名字，你在这个人身上出去"。我给她傅手，"我不出去不出去"，"我以耶稣的名给她划十字"，扎死了扎死了地喊。

C：我们给她喝圣水，她就咽不下去，这块鼓一个大包（喉咙），不往下咽。

A：给她一划，"扎死我了，我好不容易找着这么一个人。"

D：后来说，"我走我走，后来就走了。"

A：这是啥时候的事啊？

C：有一个月吧。

A：是个女教友？

C：还不信教呢，正在望教呢。

D：她丈夫在跟前的，开始也不信啊，看到他媳妇那样可虔诚了。

（A：笔者，B：L 修女，C：L 修女的侄女，D：从黑龙江来这里学足疗的中年女教友；时间：2007 年 10 月 2 日下午 3：00；地点：河北河间教堂）

民间信仰是一种包容性强的宗教，人们是具有能动性的可以通过使各个来源不同的神仙各归其位，形成合理的秩序，从而满足自己不同类型的功利性需求。在日常生活中，人们有什么需要就求什么神灵，这个没有效果就求另一个更高更大的神。所以，人是主导者。宗教社会学认为，多神的委身削弱了转而皈信天主教的所需要花费的宗教资本，可以称是皈依的一种有利的因素。

我们再来分析上述访谈资料，天主教认为，民间信仰供奉的多个"神灵"可能会因为得到好处的多少而打架进而折磨没有供奉自己的人。多神的利益不均导致遭受精神折磨。这是"一神教"对"多神教"的贬斥。这一点实际和上文的"神""邪神""魔鬼"等争论也存在一定关联性。这些可以说都是属于阐释上的胜利。然而正是这些解释上的话语上的巧妙胜利却为很多因此皈信天主教的人提供了心心向往及笃信后者的理由。

对于泊头因附魔而皈依的人们而言，多神的崇拜对改教行为终究是有利的。一方面，在慢慢接受天主教中，民间信仰的多神性迎合了人们在选择信仰中的功利性心理，提供了可以不受自我苛责地接触天主教的机会。人们可以抱着试试看的念头，看看这个神父和教徒口中的神是否比自己原来拜的神更有效更"管用"。另一方面，一些案例又表现出因为接触天主教和神父的驱魔仪式而遭受到所谓"魔鬼"的进一步折磨，这又为改信天主教提供了一种强迫性力量。

（二）赏与罚的区别

有学者认为中国文化是"乐感文化"，表现为乐观、务实；基督教是"罪感文化"，表现为深沉、惨烈（卓新平，2013）。同样的，本尼迪克特将西方文化定义为"罪感文化"，日本乃至中国是"耻感文化"（本尼迪克特，2012）。不同类型的文化对文化之下的人拥有不同的约束形式和力量，不同信仰在对信徒的约束和引导上也是通过赏与罚这两种不同的形式完成的。

赏与罚的观念在天主教与民间信仰之间，尤其是与看香这种信仰之间，存在着较大的差异。乡村天主教虽然因为各种原因而并不表现出人们信仰生活与世俗生活的深层的结合，分离现象普遍存在于各个天主教村庄。乡村天主教存在伦理上的教化的不足，而只是流于表面技术层面的信仰（吴飞，2001），然而其在善恶上仍有比较明确的提倡，天主教对于信徒的道德约束仍然存在，符合赵文祠在其著作中的市民社会的建设目标。

基督教虽然强调"原罪"，但是也施以"救赎"。对于赏与罚，按照笔者的田野经验，中国乡村天主教的宣传是比较重视信教的优势，对于人们违反教义的惩罚并不如前者看重。"信教是为了什么？"这是笔者与访谈对象们聊天的时候最常问到的问题，他们大多回答"死后可以进天堂"，而不是担心如果不信教死后会下地狱。天主教徒也更开放的看待那些仍然没有接受天主信仰的人，即使是曾经烧香供炉的人也被施以援手，"只要信仰天主，你的病就会好"。天主教的教会内部约束是通过《天主十诫》以及还有比这更为庞大的教会法。对于那些可能犯的错误，教徒可以采用办告解的方式来缓解自己内心中的愧疚感和寻找补赎。

再看当地民间信仰的约束逻辑。看香的信仰也有"惩罚"，但是标准显然不同于天主教。虽然都是因为害怕受到惩罚，但是天主教的惩罚是因为做坏事，犯《天主十诫》，而看香的惩罚是因为不继续供奉炉，或者对于各路仙家的不敬。有些供炉的家庭是世代传下来的，在其内部也有一些不成文的规定，妈妈供炉，孩子也要供炉，否则会有不好的事情发生。在天主教中，也同样有这样的一条不算强制的条款，父母信教，孩子必定领洗入教，但是却没有那种如果不领洗会带来什么厄运的说法。

但是对于背叛教会的人，我们称其为背教者，其"罪"显然被认为应当受到相应的惩罚。在 18 世纪的下半叶，虽然天主教也遭到当地政府的镇压而不得不处于地下，但是却发展迅速，18 世纪整个中国教徒人数下降时，该省信徒却增长 10 倍（鄢华阳，2010：12-13）。四川一位名为李安德的中国籍神父在"礼仪之争"之后那段时间，相信中国本地的宗教实践不能与基督教相容，并毫无保留地执行罗马禁止中国礼仪的规定。在他的日常工作中严格禁止信徒从事于他认为的偶像崇拜活动。这里要强调的是，他并非现代的怀疑论者，会相信魔鬼和魔力的真实存在，而且背弃信仰供奉排位会引发超自然的不良反应，甚至包括导致致命的疾病。文中提到这样一个案例，四川当地名为秦西蒙的背教者因为移去并烧掉基督教图像并烧掉它们，而代之以摆放"迷信的"排位，还禁止家人祈祷斋戒，因而得了致命疾病，从而受到神的惩罚。只是颇具讽刺意味的是，他最终回到天主教的信仰，来自一个被魔鬼操纵者的敦促。通灵人说，"秦某曾经崇拜过至高神，但是后来将神丢弃一边，在自己的房子里树立起迷信的排位，这是最严重的罪过。"（鄢华阳，2010：60-61）

总之，求福避祸是许多中国人选择信仰的最基本的出发点之一。"召之即来，挥之则去"的信仰已经逐渐消失了。虽然多重宗教参与的实践在实质上可能仍然存在，然而在当地，无论是民间信仰还是天主教都逐渐强调单一性质的委身。

（三）自我认同

吴飞在《麦芒上的圣言》的导言中引用了赵文祠的一句话，"天主教作为一个相对独立的群体，并不是体现在信仰上，而是体现在身份上。"（Madsen，1998：53）或许这句话点出来了乡村天主教群体的实质，也解释了为什么天主教村和一般的非天主教村很像，天主教徒同不信教的人拥有差别不大的生活方式和习惯。他们对自身与不信教人的差别更大的表现在自我身份的认同上，这一点也是笔者在调查中得到的众多体会之一。

当地的天主教徒对于那些看香的人是一种嘲笑和鄙视的态度，认为自己所信奉的是宗教，而那些烧香的人是迷信。"宗教"和"迷信"是颇具有官方色彩的话语，也被拿来为自己的信仰证明。他们眼中，所谓一正一邪，自己是正，对方是邪。在和当地的老人们聊天的时候，他们谈起来附魔的人都是在拜邪神，信奉那些妖魔鬼怪，而为自己所信奉的唯一真神天主而感到自豪和优越感。

然而，虽然他们可能很不同意接下来的说法，但是按照列维－施特劳斯结构主义的观点，不同的文化表现形式例如神话、图腾禁忌还有亲属关系等其实反映的是这一族群人内在的思维结构。而这种结构是二元对立的，一方的意义并不在于其本身的特点是如何，而在于它和其对立面的差异。民间信仰与天主教之间的相似性同样反映的是其中广大教徒和非教徒的内在信仰体系或者观念图式中的内在的一致性，而之所以在本质相似的情况下表现出认同以及其他各种阐释的差异，是因为按照族群理论来讲，强调差异性才能彰显出自己的正统性，凸现对方是异端或者邪神崇拜。可以说二元的对立统一表现在当地的宗教信仰上就是民间信仰与天主教的表面阐释的差异性和在乡民心中本质的一致性。

三、结语

天主教和民间信仰的冲突和融合自明末清初就开始了，但是对现在二者关系的讨论仍然还在继续。当下泊头地区出现的附魔事件为两种类型的信仰的比较提供了一个平台，使我们可以借此管窥二者在中国乡土社会的互动关系。

我们可以用下图来较为直观的把看香、附魔、驱魔、改教这几个现象的原因和分析展示出来。

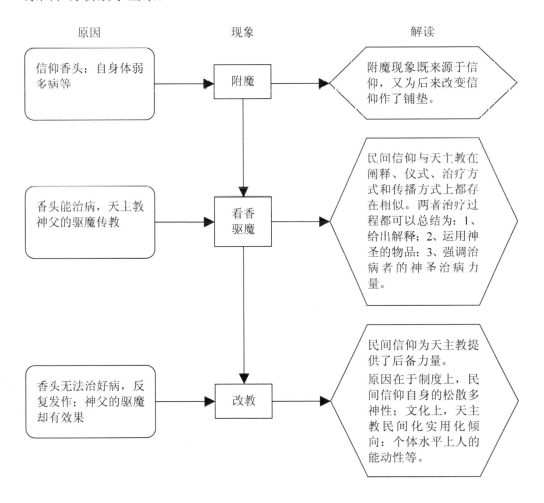

在对现象进行整理描述和分析的基础上，我们通过运用格尔茨的阐释人类学理论、马林诺夫斯基的文化功能论以及宗教人类学研究中的相关理论，

尝试得出了如下一些结论。围绕附魔和对附魔的不同处理方式以及由此而产生的皈依现象的分析，我们发现天主教和民间信仰在阐释方式、仪式、传播方式、治愈疾病的本领和手段上都存在一定的相似逻辑；二者的各种差异性表现，如一神教与多神崇拜，对于赏与罚的侧重点不同以及自我认同，其背后也蕴含着两种信仰的你争我夺。在此基础上，我们在分析当地天主教与民间信仰的关系时似乎不能完全套用混合主义的分析模型，虽然其本身也采纳了很多民间信仰的元素，也不符合折中主义的特点，因为从附魔案例看来，信徒很难采取宗教的多重参与策略，即既信仰天主教也在家中烧香供炉，这为两种信仰所不允许。中国乡村的天主教由于其本身生长在一个具有丰富民间信仰传统的土地上而逐渐具有了民间化的倾向。但是我们只是尝试得出以上结论，要使结论具有推及力还需要更多其他方面案例以及分析比较资料的补充。

第五章 固守与变通：信仰的承续与传播

一、基督教的本土化

基督教历史上的本土化策略大略可以分为两种路径，一类是努力保持自身的独特性，强调自身与其他宗教信仰的差异；一类是强调与本上文化的适切性，以其亲和性吸引信徒（黄剑波，2008：186）。Latourette 早在 1929 年指出这一问题的实质是基督教如何一方面保持自己的独特性质又能够在中国人中获得文化认同。基督教对于中国而言作为一种外来宗教，只有既能满足实际需要，又能与既存的哲学、宗教和观念体系契合的情况下获得"合法"进入。而其潜在风险在于，被已有文化体系融合而失去独特性，甚至白己的身份。（Latourette，1929）

回顾基督教的本土化研究，国外经历了不同范式的转换，20 世纪二三十年代，国外学者从基督教这种强势文化怎样向中国传教的视角研究在华基督教传播史，属于站在外来文化的单一角度分析；之后的冲击—反应模式注意到了文化的传播和接受涉及双方的互动，兼顾基督教的传播和中国人对基督教的反应两个方面，但是仍然没有重视中国人的主体性。此后学术圈对传教活动的关注点又转为后殖民批评，将宗教的传播置于西方发达国家和第三世界国家的关系探讨中。最后人们从对传教士的影响转变为探讨传教运动与中国社会文化之间的互相影响，并且从对"中国"的关注转变为对"中国人"的关注，从宏大叙事调整为对教徒个体和群体的关注（尚海丽，2012）。中国基督教本土化的类型可分三种：语义的采纳、观念的折中与价值的完成。唐逸认为，基督教自传入中国以来，"便已启始其漫长而不见成功的本土化进程"（唐逸，1999）。是否"不见成功"还需考察具体的本土化实践。

通过对现有国内一些研究的梳理发现，单一传教视角和冲击反应视角并不多见，许多研究基于调查资料从各个微观层面考察基督教与地方文化互动，并且这种互动也呈现出地域差异。例如，黄剑波在对甘肃天水的乡村基督教以及地方社会传统的研究中认为，伏羲的多重形象与乡村基督徒的信仰实践中，可以看到对同一文化符号的不同理解，当地基督教本身已经是一种被糅合、建构过的文化体，既有对地方原有文化系统的断裂和改造，也有对原有资源的借用和沿用（黄剑波，2011）。王莹（2011）从灵歌、基督教春联、基督教葬礼分析豫北地区乡村基督教发展状况，基督教是从西方传入中国的宗教，基督教本土化的过程必然是与中国传统文化相遇、冲突进而融合的过程。宋德剑（2012）以广东樟村为研究重点，揭示基督教在一个具有悠久传统文化积淀的客家乡村如何与当地的民俗文化互动中的碰撞与交融，在自身的发展过程中寻求与中国传统的民间宗教信仰等本土文化的契合点，不断实践着从冲突走向融合，从而实现基督教文化的自身变迁。

（一）天主教的本土化历程

天主教本土化是一个曲折的过程。耶稣会士利玛窦是将天主教带入中国的先驱，其在华传教28年，通过学习中国语言和文化，跨越了中西文化间的鸿沟。天主教传入之初被视为"夷教"，于是利玛窦采用众多本土化路线和"适应"策略，主动吸收一些儒家文化思想，注重结交社会上层人士，并且将祭祖祭孔与宗教活动相区分，获得很好的传教效果，当时的士大夫们对此表现出极大的兴趣，不但在于利玛窦尊重中国祭孔祭祖的习俗，同时还以西方的科学技术、宗教和伦理思想吸引士大夫们的兴趣，于是士大夫们不但推动当时清朝政府给予其传教互动以支持，还减少各种限制，这种通过变换解释和理解避免宗教冲突的"适应"策略促其成就了中学西渐和西学东渐的文化交流，同时这些名流人士的拥护也为民间提供了示范作用，当然也收获了许多中国的天主教徒。到1644年明朝灭亡时天主教徒已经达到十万以上。

然而没有到过中国，对中国文化和地方特点并不了解的天主教其他教派如多明我会和方济各修士则极力反对耶稣会士这种适应变通的传教策略，认为其放弃了基督信仰，并上报给教皇。教皇采取了强调基督教独特性而放弃本土文化适应的做法，即使当时清朝康熙皇帝再三试图解释也并未回心转意，这触怒了清廷，康熙于 1721 年下令驱逐反对中国传统的传教士，并指天主教为"异端"下令禁教，天主教的传教活动从此转入地下，成为"邪教"。这是天主教在华传播的一个转折阶段，直接影响到天主教在华的本土化取向，在禁教之后的 120 多年间，天主教逐渐呈现出三个基本特征，即传教的底层性、习教的自立性、仪式的民间性，"礼仪之争"使中国天主教从传教之始利玛窦的主动本土化转变为被迫本土化之路。

"礼仪之争"如果除去政治因素，其内容和实质是"怎样传"和"传什么"的问题。利玛窦的传教方式通过"求同"很好地解决了"怎样传"的问题，但是他的继任者龙华民（N.Longobardi）却指出利玛窦在传教意向和方法上的不当，认为其所传失去基督教本真，信仰发生嬗变和蜕化（卓新平，2013：20）。在后者及相关的传教士看来，明清文人士大夫阶层对天主教的教义并未弄清，而只是比照儒家思想，将儒家与天主教这两个本不相同的思想和信仰体系混合，他们本质上仍是儒士，只是有着天主教的外观，没有真正皈依。现在的西方天主教会仍然对利玛窦的做法存疑，认为这样做只会歪曲、亵渎天主教的信仰。故而，礼仪之争的根本矛盾症结其实存续至今。

自禁教开始，相较于明末清初，天主教在华境遇发生翻天覆地的变化，一方面政府的禁教使其合法性缺失，另一方面，儒学士大夫阶层也与天主教会脱离。然而，天主教会在之前的积累中已经成功拥有了大批教徒，除上文提到的明末 1644 年 10 万以上的数字外，另据史料记载，1700 年大约已有 20 万，由于禁教的后续影响，1793 年为 15 万左右，1810 年为 21.5 万人，1815 年 21.7 万人左右（Nicolas Standaert，2001：383）。环境的变化，催动着天主教会转变传教策略，由于无法获得上层的认可便只好转而把目光投向平民阶层和乡村民众，与民间信仰的接触也逐渐增多，开始了交互影响的文化接触过程。天主教的民间化倾向也在此时开始逐渐明显。

由于从"地上"转向"地下"，外来传教士和神父的活动受到限制，而普通教徒的宗教活动却还在继续，他们自发组成了宗教团体，时常采取隐蔽的方式开展宗教活动，以躲避政府的追查。因为缺乏与上层神父和天主教区的正式联系，自立宗教组织的领导者也只是资深教友或者拥有较高地位的教内人士，没有正式的天主教堂可供祈祷弥撒，人们只好在家中各自祈祷，或不定期聚会。这种传教方式与当时民间宗教结社很类似，可见其从其他民间信仰的组织形式中吸取了经验，保证了福音的传递。（张振国，2008：97）许多学者的研究发现，"禁教"之后天主教徒的人数是不降反增的，"地下教会"也成为反对清朝统治和对抗政府权威的聚集地。

到了 1846 年，道光皇帝降旨宣布解除基督教在华传教禁令。北京条约后，天主教在中国由弱势转入强势，但是却沾上了西方列强殖民主义的色彩。天主教会受不平等条约保护。此时，全国各地涌现出此起彼伏的"还堂事件"。加之庚子年间（1900 年），义和团打着"扶清灭洋"的旗号，打击教会和教民，此时，天主教作为"洋教"，其所代表的西方侵略者的印记，已经深深刻在中国不同阶层人士的心里。为了摆脱"洋教"形象，天主教会开始主动地自上而下的调整。1919 年教廷下令在中国的天主教各修会要尽量启用中国籍神职人员，此后又采取建立国籍主教区、召开全国主教会议、祝圣国籍主教、建立大修院、修建中国式教堂、大量祝圣国籍神父、培养国籍修女等一系列"中国化"措施，1946 年在中国实行"圣统制"，本土化进程得到明显推进。

新中国成立至 1954 年，外籍传教士、修女全部撤离大陆，大陆各教区均由国籍神职人员管理。中国天主教会于 20 世纪 50 年代初开始自立革新和爱国爱教运动。在此背景下，1958 年 3 月，董光清当选为汉口教区总主教，这是中国第一位自选自圣的主教。虽然当时罗马教廷对中国持有较强的敌意，声称要对自选自圣的神职人员处以"绝罚"，但是随着改革开放的发展，国内天主教神职人员开始恢复与罗马教廷的非正式联系，这种紧张关系逐步缓解。当然，中国天主教的本土化还在继续，在华基督教的"中国化"也在继续。

（二）梵二会议与福传本土化

在考查天主教内部的组织和理念的变化时，不得不提梵蒂冈第二次大公会议（Vatican II）（简称"梵二会议"），其于 1962 至 1965 年召开。这次会议之后，天主教内部进行了一系列的改革。从原来并不接受任何所谓"异端"而到提倡福传的本土化，因此带给中国的不单有礼仪上的改变还有阐释意义的中国化。然而，由于文革期间的影响，虽然梵二会议于 1965 年召开，真正对中国内地的天主教产生影响是起始于 80 年代。也是从那时开始，献县当地的神父才开始逐步学习梵二的精神。一位神父的福传培训文章呈现出梵二会议以后中国福传遵循的宗旨的一个缩影。文中这样写道：

"信仰也参与文化形成与转变的过程，使文化能从中受信仰的熏陶，和按人类真正的理想去发展。这过程就是所谓的'场合化'（contextualization），是配合现在化的过程，而'本地化'（inculturation）或（相反与全球化的）'地域化'（localization），则比较注意到一个地方的传统文化和现在的习惯。

本位化（inculturation or 'identification'）由于较重视传统的文化背景或根源，关心一个族群的定位，尽管现在人的生活方式与文化，与传统的文化大不相同，但是现在文化仍然保持一些根深蒂固的传统文化的理想和渴望。这些文化深层的理想和渴望，是教会应该面对之处，为此以基督信仰的理想与当代中国人交谈有关大同世界、正义与人的尊严、四海皆手足与博爱等理想，是以共同寻找在现实社会中落实的管道。"[1]

基督教神学研究者认为基督信仰的道理内容不单能够被各种文化吸收，而且基督信仰本身也可以在不同文化之内找到更多的发展。

最近的大公会议清楚指出救恩潜伏在各个民族及各种文化的"哲学"与"智慧"、"习俗、生活的意义观以及社会秩序"、"天赋与特别性情"、"独特的传统"和"个别的传承"之中（传教工作法令 22 号）；并且要求传教工作应努力迎合各个民族的特殊思想及生活方式（传教工作法令 16 号）。（Z. Alszeghy, S. J. 2003）[2]

基督教具有超空间性的维度，地方性（local）与普世性（universal）是并行不悖的（黄剑波，2007）。天主教强调圣统制，也即是与教宗的共融，这种同中国本地的文化相结合的阐释神学同固守古老的阶层制和普世教会的概念成为当代天主教既矛盾又统一的两个方面。

所谓本地化，指的是将信仰与当地的文化生活相结合，表现在一系列形式甚至内容上的本土化，包括语言、仪式、祈祷方式的改变，甚至体现在对地方文化现象的解读上。而在中国献县这样一个老教区，当地的神父与教友常常把天主教中最高的神"天主"同中国本土文化的"老天爷"相比较而论，有一定学识的教徒似乎担心笔者不明白，把基督教的"上帝"和伊斯兰教的"真主安拉"也拿来类比。很多年龄大的老年人常常担任福传工作的热

---

1 摘自葛刚义神父，《RQ 市培训班讲义》（未刊稿），2007 年 12 月 6 日。
2 这是两位不认识中国的学者以系统神学的方法写的文章，名为《适应当地文化是信仰的内在需求》，印自张春申等著，《教会本位化之探讨》，天主教上海教区光启社出版、发行，2003.

心人，他们对笔者这样的外教人讲道的过程中，必然会提到以上的内容。对于解释上的本土化，本文例子中提到的"附魔""撞客"等都是利用当地的现象同天主教教义和圣经故事中的对接加以解释的成果。"利用魔鬼传教"所表现的便是不拘泥于单一的传教形式，利用附魔的契机大力发扬天主教的传教精神。

当地神父认为，"福传工作，是把一种新的、崇高的人生目标与价值观，带入某个民族的生活方式当中，亦即，将基督信仰融入于教会所在的当地文化生活中，目的是希望这信仰能如酵母般在该文化中发酵，产生一种新的精神，更新当地文化与社会制度。"可以说他们正在实践着最后一句话，信仰和生活方式已经在 B 镇当地进行着重大的变化。

二、新形式的信仰传承

利用家族传教或者整村信教的方式一直都是我国乡村天主教传播的传统。这种稳定性有助于为所有生活在天主教氛围的信徒提供良好的信仰环境，然而在现代化和理性化不断推进的今天，教会的发展可能面临诸多挑战，众多青年人要走出去，不能固守自己的村落，也会有更多新的传教思想进入乡村和农村教会。

（一）青年一代天主教徒

除了极为少数接受教会教育以成为神父或修女为目标的青少年，在学校教育环境中，大多数青年一代的天主教徒可以说是在无神论思想的熏陶下成长起来的，他们的周围也可能围绕着众多不信教的人。他们中的一部分人会接受高等教育，同时也面对来自宗教之外的诸多诱惑，家族传统和儿时的信仰基础是否仍然坚定呢？笔者希望通过以一位大学生为个案，听听她在成长过程中的困惑以及对许多现实问题的看法。

（访谈对象基本信息：年龄：22；性别：女；职业：大学在读；就读学校：首都医科大学；访谈时间：2007-9-23；访谈地点：北京宣武门天主教堂附近）。

天主教徒身份的认知与迷惑：从小就接受这样的家庭氛围这样的教育，自然而然当作自己的一种特性，思考不是很多。直到中学的时候才开始思考为什么别人不信教，而我信教。之前都不会太多思考，对什么事情都是这样，有这么一件事情我就接受了，如果感觉很幸福很好的话就会一直接受下去，到初中时候，就会想些问题，很多自己想不通的问题。通过跟一些神父修士交流也好，思考也好，那个时候感觉就比较明白了吧。现在也不知道当时为什么发生的这些问题，然后自己通过看一些书，跟一些人交流，可能经过了几个月时间，后来就从迷惑到不再迷惑。

信仰之于人生：信教给我提供了很多人生的原则，为人处事的原则，我的底线肯定跟别人不一样。（笔者：是低呢还是高呢？）肯定要高，我觉得应该是高的。另外就是，这个信仰可以说从小在潜移默化中很大程度上改变了，也不能说改变，我是从小就信嘛，影响着我的性格，和每一步成长的方向。

基督教（新教）与天主教的比较：我觉得是基督教发展比较快，比较现代一些。天主教比较传统，比较古典，包括音乐方面，你在天主教堂听到的比较庄重的，但是基督教，今天我们唱的那个歌，那个就是基督教的，《这一生最美的祝福》，基督教音乐方面挺通俗，很现代。

天主教徒与非教徒：把信教的人群看成一个整体，不信教看成一个整体，比较的话，信教的人群他的为人处事的原则跟不信教的不太一样。举个例子来说，天主教有一条很难理解的这样一条的准则，爱人，不仅爱自己的亲人，还要爱自己的仇人。虽然不是说每人都做的很好，天主教徒大部分都在努力遵循着不管怎么待我，我都以正义的心对待别人，而且真心信教的人第一不会害人，第二对害他的人，他的对待方式不一样，始终有个宽恕的心吧。

教会：教会对我们来说，我感觉有一点第二家庭的感觉。因为都是教会里面的人，教友都是和你有共同信仰的人，生活准则是一样的，因而很容易谈得来，另外神父和修女，相当于这个家庭里面很慈祥很睿智的长者，要说表面上的影响，除了每周弥撒肯定到教堂里参加，而且教会会有一些活动，促进你的信仰，也丰富人的这种心灵。

婚恋对象：不一定要找教友结婚，但是我个人来讲，跟我认识的时候，可以不是教友，但是希望他结婚之前领洗，怎么也得爱屋及乌。

如果说老一辈的教友们是不假思索地延续着自己父辈的信仰脚步，那么新一代的教友们他们走出了自己的宗教村，开始了一种除了宗教生活外充满了其他许多丰富内容的生活，他们与非教徒的边界很多时候是在经历了迷惑和反思之后才跨入了自我认同的新层次，换句话说，由一种被动接受的习惯转变为主动的认同感。

（二）多元化的传教方式

现在的天主教会也在融合多元传教手段。首先是音乐传教。基督教的发展历史与艺术是分不开的。许多经典的乐曲、雕塑、绘画作品都蕴含着基督教文化的深刻内涵。音乐以其打动心灵的方式更是成为宗教传播的重要手段。在献县教区，当地教会所教的许多圣歌也为教徒们所传唱。2014 年 2 月13 日在河北任丘正式命名成立了天融合唱团。成立大会由献县教区主教参加并主持弥撒。其在讲道中提到，"当今社会充斥着全是靡靡之音，给人的是颓废和罪恶。现在天主在疾呼，我的子民，你们的声音在哪里？希望天融合唱团唱出的是悦主的声音，奏出的是最美的爱的乐章。""音乐与传教密不可分，用音乐帮助传教，可达到事半功倍的效果。"[3]笔者在调查中也在献县东留路教堂看到乐队在认真练习。其次是网络平台。现代化和科技的发展一方面带来是人们理性化，但是也为宗教的传播提供了诸多工具，网站、微信、微博、qq 群都给天主教的发展提供了多种机会。教会不再是封闭的传统的，现在乡村天主教会的实践已经表明，信教也可以很现代。

---

3 河北：献县教区天融合唱团献声路德庄朝圣活动 http://www.chinacatholic.org/html/2014/0519/28216.html 访问时间 2014-9-21。

第六章　拒斥与融合：天主教的民间化

　　天主教在不同地域采用的本土化方式有差异。天主教在与民间信仰互动过程中产生的各种文化融合和采借是否也属于本土化的策略？这是主动的调整与适应还是被动的妥协和变异？为什么天主教到了中国就会带有民间化的特点？[1]带着种种疑问，研究这种情况出现的原因显然并不是单独考察某一个方面就能得出结论的，各种内在外在的因素，经济、政治、社会、文化、历史等各个方面的原因共同促成了中国乡村天主教的这一具备一些民间信仰元素的特点。

一、天主教民间化的表现

　　在中国大陆的广大农村，基督宗教受到民间信仰的影响已经是众多学者讨论并认可的观点。中国基督教的民间信仰化在当今农村已经成为不可忽视的普遍现象。在许多信徒的眼中，上帝不过是自己原来信仰的神仙菩萨而已，民间化了的基督教具有实用性与功利性，中国农村广大的基督徒或许不太理解和注重教义，他们更关心的是基督教的实际作用，更关注是否有奇迹发生。高师宁在调查中也发现教徒在选择宗教时的功利性倾向，"有一些人身体不好，巫婆神汉认为是鬼附身，并为他们赶过鬼，结果是花了钱没治好病，听人说耶稣是'更大的神'，能量超过一切神仙，又不必花钱就能治好病，也就信了教。"（高师宁，2005）

1　根据尼尔（Stephen Neill）的研究，诺比利在印度的传教也与中国的利玛窦有着相似的经历，当然也遭到来自教内和教外的敌意。详见尼尔，诺比利：印度的利玛窦、宗教对话的先驱者，刊于〔美〕鄢华阳等著，顾卫民译，《中国天主教历史译文集》，广西师范大学出版社，2010：p102-121.

当下乡村天主教的民间化有许多表现，通过田野调查与深入访谈，可以总结为如下几个方面。

首先，强调圣母崇拜。基督宗教原初的教义中并没有强调圣母崇拜，甚至极为反对偶像崇拜，但是在平民信徒的推动下，圣母崇拜逐渐成为天主教中的一个重要的宗教传统。天主教传入中国后，许多修会着力宣扬圣母崇拜，在乡土社会自发地与中国民间的女神信仰传统相接洽，使得中国教民的圣母崇拜表现得更为突出。因此，教民的圣母崇拜是天主教圣母崇拜的原义与中国民间女神信仰传统相互作用的产物（刘丽敏，2007）。而在义和团的恐怖残杀之下，诸多神迹也在许多天主教堂显现，赵文祠（Richard Madsen）和吴飞的文中都曾提及，笔者也在调查过程中听到了教堂灵光突现，圣母玛利亚帮助教友脱困的神迹。而且虽然义和团事件已经过去很多年，这种神迹故事还在教徒之间广泛流传，代代传颂。

其次，驱魔治病。明末清初天主教在传播方式、对象上发生变化，许多平民百姓加入教会。于是，这种在乡村社会的扩张，使得早期利玛窦时期依靠西方科技、文化为主的传教转变为利用民间社会中的满足民众功利性需求的驱魔、赶鬼、治病、求子、求雨等方式。于是教会和民间都流传着众多灵异故事，并在不断传播和被认同中增强天主教群体的信仰，巩固天主教群体的身份认同，实际上促使天主教进一步地"民间化"（肖清河，2011）。

"圣人没有经验过，泊头好多附魔的人真的经验得到，好多人好多经验感受到，不是说看不到。在教会奇迹里面，在1917年路德庄和1958年都有人见到了圣母的显现。不是说永远见不到奇迹，当然这种许诺还是在未来。除了证明的东西以外，告诉我们。你为什么相信同学的话，你觉得这话可信，对不对？反过来我们也是，告诉我们，爱他们，有天国，而且有一些人真的看到圣母，一些人用自己的生命感受到了神，后来我去齐齐哈尔，有人把自己的地方捐给教会做祈祷，问他为什么把自己的地方捐出来？他曾经去哈尔滨医院检查，说马上不会超过一个月（就会死），回去告诉教友让做祈祷，做弥撒。再去检查，医生都奇怪病好了。我告诉你光我经历的事太多太多。在河间有个地方小店，有个教友得的脑瘤，第一次说不清，到任丘总部医院，看了大夫也说没办法啊。后来到北京天坛医院检查，然后做祈祷做弥撒，后来自己也慢慢好了。医生都奇怪，这个教友回来后到好多地方做见证。这些人真正在教区里有。"（性别：男，职业：神父，访谈时间：2007年10月9

日下午三点至五点，访谈地点：献县张庄天主堂牧灵委宿舍）

"南庄二分村，孙教友，从建国以来就当干部，曾任支部书记多年，他为人正直，待人平等，深受群众好评，年迈后，他主动认识天主。他信天主之前是个体弱多病的老人，在河间中医院有他的病历：肺气肿，十二指肠溃疡……等病。初信时去教堂念经，路上歇两次，信了天主后，身体十分健康，从 75 岁信天主至 78 岁这三年的时间，从没吃过一次药，从没打过一次针，现在走路如同小伙一样，一百斤重的袋子胳膊一夹就走，尤其在他身上，发现如同两千年耶稣在世时传教显得奇迹，让死人复活；聋子听见；瞎子看见。孙东川在他信天主前头全是白发，现在已有很多黑发出现，这难道不能说明死而复活的证明吗？除了天主外，谁有能力转白发变黑发呢？他的耳朵信天主以前时时刻刻如蜘啦（错别字，实为"知了"）在叫，现在不叫了，这还不证明聋子听见了吗？他眼花视力到 450 度，现在是 150 度，这难道还不证明瞎子看见了吗？"（献县东留路教堂宣传板报）

第三，物性的强调和对魔力的重视。相较于宗教思想、体验和教义，大多数当地教徒相信实在的宗教仪式活动（如祈祷、弥撒）和圣物能够给自己带来更多的帮助。圣经能够保佑，圣水可以治病，圣物有助辟邪，看似不同于民间信仰的圣物、圣仪等都带有同民间信仰的类似功能，其魔力的一面更为突出。天主教对物性的强调也是曾经推动宗教改革的重要原因，加尔文教派传教士眼中，天主教甚至也被印上偶像崇拜的标签（Webb Keane，2007：67）。被赋予圣物上的魔力来源于神父的"祝福"，被用于治疗疾病的圣水在未经过祝祷之前就是普通的水，而它要在驱魔治病时发挥作用，既需要神父的祝祷，这种添加"灵力"和"魔力"的过程，也需要病人相信天主教能够助其脱困甚至虔心入教。

二、传教历史与现在：教会角度的分析

回顾中国天主教发展的坎坷历史，由于在祭祖祭孔礼仪上的不同意见，罗马教廷与清政府的冲突导致传教士以及天主教信仰没有得到国家以及上流社会的支持，甚至遭到沉重的打压。于是，天主教转而发展位于底层的农民，由于外籍传教士的活动受到诸多限制，许多乡村天主教群体缺乏受过正规教育的神父的管理和传道，进而缺乏经院的传统。从宗教传教由上而下的角度考察，由于没有高素质高知识水平的信众也就无法真正从官方统治教化的手

段进行传教，而只能由下层民众开始，将天主教在民间百姓中传播。但是乡村地区诸多特点给天主教的传播提供优势，与当时农村教会发展比城市要好，天主教徒的总体数量是在不断增加的。

献县教区在当年耶稣会士传教的时候也出现了各种方式的传教手段，传教士到达中国时携带大量的金钱，他们在这里购房置地，收养那些穷人家养不起的孩子，从小对其进行天主教教义的教育，这些人长大后成为了虔诚的天主教徒。在河北河间市的范坨塔和路德庄地区是朝圣地，当地几乎全村人都是天主教徒，而最初到达这里传教的人是采用信教给米的方式，所以也有"米买教徒"之称。据一些历史资料显示，光绪三年，亢旱成灾，颗粒无收，当地非常贫穷，乡村妇人向传教司铎借驴耕种，如果神父答应，便十来家人一起奉教。神父于是便给当地百姓一些钱，让其买驴耕田种地，由此十几家人奉教。不仅如此，传教神父还在当地购买地基和农田，开办男女学校，信教的孩子能免费到那里上课，购得的土地租给教友耕种，收入以作传教之资（黎仁凯，2001：313-315）。这种利用知识资源和物质资源优势来传教的方法并不鲜见，在台湾原住民阿美族人地区也同样有类似情况（黄宣卫，1986：429）。这样的传教所带来的是坚定不移的天主教徒，然而却不一定是了解自身信仰内容的宗教信仰者，因为其很难撼动其原来固有的民间信仰体系所占据的位置。

到现在，献县教区一直都是将自身定位在农村教会上，其百分之九十以上甚至更多的教堂和祈祷所都是设立在农村地区，信众也多是农村教友。当然也存在很多原来是务农后来因为自身创业奋斗而经商成功的人士。如果说进堂参与弥撒听神父讲道是一种宗教资本的投入的话，那么他们由于自身工作等原因而无暇顾及，但是教会给了他们另外一种获得宗教资本的方式，他们信仰的实现便转化为奉献，通过捐献给教会金钱这种经济资本的投入来提高自己在教徒群体中的地位，不管是信仰上的地位还是社会意义上的地位。

神父和修女作为宗教神职人员能够接受比较高等的神学教育，关于神父和修女的一个不成文的规定是其必须来自老教友家庭，这才能保证其真正成为神父或者修女之后能够坚定地执行自己的职责和义务。而老教友家庭大多是可能通过上面所讲的接受传教士的恩惠等多种传教方式而开始奉教的，也就意味着对这些农村家庭的孩子而言，从父母一辈就不能很好的理解教义，到了现在也延续上一辈的做法。泊头的传教神父在当地的传教成果很高，这位老神父只有小学的教育水平，但是在当地传教却很"热火"，他不会讲太多年轻神父所讲的道理，大概也对教会的仪式改革等诸多词汇理解也不深，但是却能够很好地利用附魔现象展开驱魔传教，使大量的人因这一最初的动机而领洗入教。这位神父原来是地下教会的修士，20世纪80年代后转为地上后被圣为神父，并没有接受系统的神学教育。地下神父在中国实行驱魔和治疗仪式对于经院化的西方天主教来说看起来存在正统性的可疑（Charbonnier，1993；Richard Madsen，1998）。在现在的献县教区，由附魔而传教的方式虽然仍然显得并不那么正统，但是却得到上层教区主教的支持，现任主教曾参加B镇堂区的传教大会并主持为新教友施洗的仪式。据称，现任的教区负责实质事务的主教神父把重点放在传教上，神父的主要工作也是在下面服务教友，并不是很重视教区其他事务例如神父的除神学水平之外其它水平的提高。可以说，自第六任主教赵振声主教开始由国籍主教管理教区，这之后的天主教传教也大多是延续了非常传统的方式，直到20世纪80年代，传教本身并不重视对《圣经》的阅读和学习。

此外，中国因为特殊的历史和政治原因，在国家相关的法律政策中不允许教会开办教会学校，不允许在课堂上传教，这一点已经同国外有着很大的区别。当然，没能成为在教育中占据一定地位的宗教，不仅仅是国家政策的原因，在资金以及其他条件准备上也存在着一些制约因素。正如一位神父所言，中国的天主教是"保留了圣事，丢了圣经"，很多新教的教徒对于圣经读的是比较多的，而在中国农村的广大天主教徒最主要的宗教实践是到教堂中望弥撒，或者如梵二改革之后是"参与弥撒"，但是人们最初对于圣经是采取一种敬畏的态度，认为不是普通人有资格阅读的，更加对其中内容了解不多，而参与弥撒的过程中人们只是跟随着多年的传统仪式而进行，对其中所蕴含的释义也不甚清楚，大家怎么做，自己也跟着做。或许能够体现思想层面的一点是神父在弥撒的中间会讲道理，这是穿插在读经过程中，神父将圣经中所传达的对于人生以及信仰的内容讲述给下面教友们听。然而，这一过程本身就是神父对教义加以自我阐释的过程，受到神父自身文化背景以及教育素养的制约。随着经济的发展，广大农村地区的青年都随着打工的热潮流动到了城市，即使留守在家中也因上班、上学等时间的冲突以及自身对于信仰的缺乏而无法按时参加弥撒祭仪，因此就出现了台上神父对着台下众多年迈的不时打着瞌睡的老人以及看顾孩子的中年妇女讲道理的画面。

这时不得不提，当地附魔案例的特点之一表现在农村相对于城市附魔的多，妇女相对于男性附魔的多。前文提到的很多宗教研究中都曾提到妇女对于宗教实践的投入性比男性要深入，这里也不例外。在对年轻一代进行宗教教育的过程中，发挥作用最大的是修女。在历史上，当地的修女时常充当着教育孩子学习要理的角色，妇女在当地传教中是处于辅助的地位。在献县教区就有三百位修女，她们通常被"长上"分配到下面各个幼儿园、养老院等福利机构工作。在泊头的爱心幼儿园服务的修女就有很多。其次在家庭中，通常母亲扮演着督促子女进堂念经，参与弥撒领圣体的角色，而母亲又作为一种女性的弱势群体而无法得到更高的教育，这对于下一代的对于天主教真实意义的了解又造成了障碍。而在本文所调查的新教友众多的飞速发展的新堂区，人们对于教义的学习并不多。在开办学习班中，对于既有的民间信仰体系的深信以及新接触的天主教教义的接触和学习过程令这些妇女处于无所适从的状态。由此，妇女在应对信仰层面的冲突以及受到关于信仰方面的困扰的时候更加容易"附魔"。

从宏观上看，天主教的民间化倾向有着深刻的历史原因，也深受不同时期政府对于教会的态度和政策的影响；从微观来看，传教神职人员对于福传的理解和实践以及教徒对于信仰的认知和理解程度也是重要原因。

三、文化背景与能动性：信众角度的分析

笔者所调查的这个附魔现象频发的堂区并没有献县教区其他堂区的天主教信众人数多，然而以上所说的中国乡村天主教的特点更加明显和典型。为什么 B 镇地区会有更多的附魔现象？这是与当地更为浓烈的民间信仰传统分不开的。而为什么看香会在当地农村地区如此发达？这也是我一直思考的问题。上文曾经讲到当地在地理位置上正好处于东西部连接处，东部天主教信仰丢失，而西部因为各种原因而在十年文革中保留了信仰。除了这样文化地理学方面的解释之外，我们似乎还能找到经济方面的原因。

沧州地区处于河北的中部，经济发展迟缓，而献县更加是国家级贫困县。泊头虽然是县级市，然而广大乡村地区的生活水平仍然很低下。就当地神父所说，泊头地区的农村是比其他地方的农村地区更加"迷信"的。

"现在泊头的年轻人，至少我感觉比泊头以外的人，至少我知道的沧州

地区的这些教外人，河间任丘献县，因为我去过很多次，教外人与教外人相比的话，比他们还要迷信。我的考虑原因可能是物质条件比较落后，泊头相对任丘河间相对比较落后的。……就是在市里也有这种现象，市里不是很多，多数都在农村，是落后的迷信的愚昧的，别的地方的教外人是想方设法去挣钱，而那个地方是神保佑一些，老的传统啊，父母信的这一代必须信，不信不行，那边饭店有的很多供着，有钱人也是这样，有的不明着供，后面有个小房间，暗地里供。（G 神父，访谈时间：2008-1-15 上午 9：00-10：00）

从来自中国大陆各个地区的调查和研究来看，农村地区相较于城市拥有更多民间信仰者，经济的不发达、教育的落后、传统的思想观念，文化生活的匮乏都是形成这种现象的原因。但是，经济发展程度和宗教发达程度之间并不存在明显的反向相关关系，一些人越是有钱越是相信神灵的存在，例如一些富商对于风水十分重视。韦伯对宗教改革和新教教义的分析认为，经过宗教改革，通过教会、圣事而获得拯救的可能性被完全排除，但是世俗的劳动和财富的积累也成为完成上帝的旨意的表现，所以新教教义客观上推动了资本主义和西方文明与经济的发展（韦伯，2009）。我们在这里单独列出来经济因素的考量，是想要说明，经济的发展可能更容易导致文化交流和冲击的增大，而相对经济封闭的环境更容易保留自己原有的文化和信仰。全球化的深入渗透已经让传统文化变体或者丢失，经济的冲击直接带来的价值观念的改变对于信仰的传承和坚持具有比较大的影响。沧州一直都并不是一个高度发展的城市，尤其献县是国家级贫困县，并不对外开放，外国人到这里需要到公安局进行备案，泊头等地的发展较之献县要好一些，然而广大农村仍然比较封闭。

在这种深厚久远的民间信仰传统的地方文化背景下，神父和教徒的传教一方面可能引发香头和看香者的抵制，另一方面却又能够借用许多乡民已经形成的基本信仰和思维模式。在皈依这样的一个转变过程中人们采取了一种意义的平行置换方式，使得改教变得很简单。人们只需要将这一套器具，包括供的炉、买的香、果盘、还有要烧的纸，改成另一套天主教意义的器具，包括圣像、苦像、十字架等等；只需要由原来找香头，改为找神父；只需要把原来求助长仙，白仙等改为向天主求助；而在看香过程中就有的祷告可以直接换成天主教的祷告。仪式和供奉对象的变化，并不因为对新的神的深刻理解（至少最开始不是），而在于其能够真的有效的解决问题。对于当地的民间信仰而言不幸的是，依靠各种"仙"来解释人们的虚病，不但不能很好的解决反而有加重病情的表现，只好在这场信仰的战争中一步步失去阵地。

尽管当地的天主教徒的认同上是强调自己同民间信仰的本质的不同，贬斥看香者是拜邪神，而自己是正统天主教，但是他们所处的这种中国的大的文化背景对于经典的天主教教义来说就是异端的环境，这种外在文化和环境的压力以一种无形的力量推动着天主教的改变（Richard Madsen，2001）。曾经布迪厄提出了"惯习"这个概念，认为"所谓惯习，就是知觉、评价和行动的分类图式构成的系统，它具有一定的稳定性，又可以置换，它来自于社会制度，又寄居在身体之中（或者说生物性的个体里）"（布迪厄，1998：171）。布迪厄将习惯和惯习做了比较，习惯是由传统传递下来的缺乏能动性和创造性的行为方式，而惯习则不同，他虽然有受社会因素规定的一面，但更重要的它具有生成性，它能不断地把场域或周围环境中的新因素纳入自身，在调整和重构自身的同时重新建构实践的对象（刘少杰，2002：212）。

宗教信仰的改变也会受到惯习的影响，改教不是简单地向过去的信仰说再见，然后转身不带一丝影响地投入新宗教的怀抱，现实往往是信仰就如惯习一样是具有一定稳定性和持续性的。罗宾斯描写的乌拉敏人（Urapmin）虽然知道有罪，但是在改教之后仍然试图去祭祀自然神灵，于是便产生了道德上的困惑（Joel Robbins，2004）。在南印度一个渔村，基督教也与印度教有着惊人相似的宗教实践，耶稣圣心像本身并不是崇拜的对象，人们重视的是圣心像中具有的力量（沙克提），它只是"神力的储藏室"。这种能从画像中看到上帝，并献祭和安置沙克提的观念，同样是印度教中敬拜神祇的核心（Cecilia Busby，2006）。因而各地的改教现象都要面对的问题是，如何处理以前信仰的连续性，原来信仰的神灵和仪式可能会对现有宗教造成影响。"看来无辜的社会或文化形式会不会从过去走私灵魂或者魔鬼到现在呢？""传统成为亟待解决的问题。"（Webb Keane，2007）

不断认识到这种外在的环境压力，当地的信仰者却并不是完全被动的接受，他们并不是完全照搬式地接受天主教信仰，而是对其进行重塑和再造。外在的制度强加在人身上的推动力很大，但是我们不能忽视人的主观的能动性。我始终认为，当地人拥有自身的主体性地位，对于外来文化的传入以及自身原有信仰体系的维持怀着一种既保存原来文化要素，同时又融合外来文化的策略。塞维斯和萨林斯曾经提到了进化的"二律背反"，夏建中称文化保持现状的倾向为"稳定性原则"，即当同时一种文化因外部作用而不得不改变的时候，这种变化只会达到不改变其基本结构和特征的程度和效果（夏建中，1997：238）。这是文化适应性中创造性的主要结果。虽然这种理论仍然存在其进化论本身的局限性，即自然带有某种价值判断，然而，这样来看，我们就不难解释在上一章中提到的疑惑，佛教的传入转为了偶像杂糅的情况，而同样的外来天主教的传入成为了不同于国外的天主教而带有了中国本土的特征，是文化适应的本身特点，同时也是当地人主体性的体现。

第七章　总结与讨论[1]

　　从以上的关于附魔与驱魔的过程分析来看，当地乡村天主教的发展特点存在相互矛盾又内在关联的两个方面：一方面是自身不断受到民间信仰的影响，一方面则借用驱魔传教与民间信仰争夺信众。

　　首先，相关学者从历史角度和实用主义角度的分析都印证了这样的观点，中国乡村天主教不断地受到民间信仰的影响，同时乡村地区的许多天主教徒与民间信仰者的差异并未深化至信仰伦理的本质层面。赵文祠认为乡村天主教具有民间宗教的特点，乡村的民间文化影响着今天中国教会的精神（ethos）（Richard Madsen，2001：233-249）。吴飞提到，中国乡村的天主教徒并不能将信仰生活同世俗生活结合起来，天主教并未在伦理层面使天主教徒有异于普通农民。和那些烧香拜佛的人相比，他们只是在仪式和组织上有所不同，而在信仰和道德上并不存在本质的差异（吴飞，2001：160，340）。前文对附魔的应对和解释的比较和分析基本印证了以往研究者的观点。乡村天主教利用家族的延续性保持天主教徒数量的稳定和发展，重视神迹的仪式并把圣物等同于护身符。天主教徒在附魔和驱魔的阐释中还引用了许多民间信仰的词汇，并将其同教会理解进行了意义的替换。

　　其次，所谓"附魔"现象的大量出现为乡村天主教向民间信仰争夺信众提供了很好的机会，驱魔传教虽然在经院式的天主教也有案例，在中国乡村却被发挥至极致。这在一定意义上说明了在不同文化背景下，天主教必然会

---

1 本章部分内容引自黄剑波、王媛，地方文化与乡村天主教的发展——以附魔与驱魔为中心的探讨，刊于许志伟编，《基督教思想评论（第16辑）》，上海：上海人民出版社，2013.

对其传教策略做出调适与改变。张先清曾从疾病与传教关系的解释角度，探讨清代前期包括驱魔传教在内的天主教的医疗传教活动，认为传教士利用疾病的隐喻，在民间社会中与佛教、道教及民间信仰展开激烈竞争，从而达到拓展天主教传播空间的目的（张先清，2008）。可见，不管是通过"驱魔"还是"治病"实践，无非都是将身体与精神相互关联，再以信仰加以解释，体现出乡村天主教传教模式的民间化特征，而这又为其在多种信仰并存的宗教生态下更有竞争力提供了理据。于是中国乡村的天主教会虽然对民间信仰中的"邪神"抨击批判，却利用乡民这种固有思维习惯进行传教工作。普遍认为我国天主教民间化开始于禁教，这既是社会政治的推压促使教会不得不与民间信仰发生互动的结果，从某种程度上也是教会想要发展信众，权衡之后的自主选择。

我们在试图对中国信众宗教信仰提出宏大理论时是否需要先审视其是否具有基本逻辑或模式。民间信仰改信天主教的过程中，思维的基本模式不需要做大的更改，这为改教提供了便利，仪式供奉对象的变化，并不因为对新的神的深刻理解，而在于能够有效的解决问题，而这一问题又恰好可能是旧的神明带来的（至少他们是这么认为）。天主教通过施展"灵验"的驱魔实践满足信众的功利性需求，并借此批判地方民间信仰体系的"无能"与"欺骗"，然而两者之间契合的方面又反映出本质相似的一面。天主教在仪式上采借了许多民间信仰中的元素，看似不同于民间信仰的圣物、圣仪等都带有同民间信仰的类似功能，在传教技巧上也有类似之处，如通过治病传教、对神父等神职人员的神化以及发动信众传教。于是，由民间信仰改信天主教在许多情况下成为仪式的简单置换，信众不需要付出太多的宗教资本就能够实现改教。然而，"成本"的降低也可能带来信仰的不坚定，同时，是否能够实现更高精神层次的信仰追求也是一个值得商榷的问题。

就我们田野调查资料所见，这种驱魔传教的效果是显著的。这种效果不仅仅在于赢得了一些信徒，更重要的意义在于天主教神父在与香头的"斗法"中似乎取得了更大的优势，而这则进一步证明了天主教上帝之"真实"、"有能力"，而反证了香头所信之"假神"之虚假、"无能为力"。更为值得注意的是，这种"假神"被直接等同为天主教的"魔鬼"，从而在事实上又把当地原有的信仰体系纳入了天主教的信仰体系，尽管已经是经过了大量转换之后的借用。对于这一点，笔者在献县当地的一个天主教村庄教堂院内看到了一份绝佳的文本，是描述 B 镇的香头皈依天主教的板报，其中写道：

"B 镇，很多教外人，都认识了天主，体会到平安与喜乐，尤其很多大香头也认识了天主，他们是怎样认识的呢？他们听了基督徒的劝告，说世上只有天主是唯一最大的神，他能给人平安与喜乐和赐人永生，大香头和他们侍奉的假神对话时，问道谁是真神，谁是最大的，魔鬼不得不承认，不敢不承认，天主耶稣是唯一最大的神，所以他们都弃暗投明归顺了天主。试问：魔鬼虽能行超自然的事，他为什么对于信天主依赖天主的人无能为力，它为什么不得不承认，又不敢不承认天主是最大的神呢？值得深思。"

这是沧州（献县）教区天主教内部对于 B 镇的香头以及附魔的事件的一个带有其自身宗教特点的思考和回应。香头因为在民间信仰体系中起着仪式专家的作用而对于看香习俗的传承与传播发挥着极为重要的作用。香头作为民间信仰的代表者也因为许多原因而皈信了天主教，然而，有没有可能香头在天主教内部注入更加多的民间信仰的观念呢？这还不得而知，或许在经历了一段时期之后再去回访这一田野点，我们能够得到更多的启示。

对于附魔和驱魔，民间信仰者、神父和曾被附魔的人以及周围乡民站在自身立场给出了不同的解释。这样的多元化声音和解释体系的互动，成为天主教受民间信仰影响的外在表现。当然我们也可以理解为，在中国广大乡村地区，宗教文化的变迁是持续的，人们信仰的失去和重拾，对于传统文化的解构和阐释，以及对于外来新的宗教和信仰的阐释的本土化都反映出一件事，在民间信仰传统比较悠久的中国乡村地区，天主教正在寻找符合乡村文化的传教方式，而驱魔传教正是这种传教方式的典型例子。

虽然在河北 B 镇地区，天主教通过驱魔传教或者治病传教在与民间信仰的信众争夺中占了上风，然而对于这种满足了传教对象功利性需求的方式，似乎教会内部也没有完全乐观地看待此事，或者说并没有取得完全一致的看法。杨念群在《再造病人》中曾经描述过，清末在华传教士通过给中国人治病的同时传播宗教信仰，他们内心也经历过一些矛盾和挣扎，这样的信众能否真正秉持教义，会不会是简单的因为身体治愈而皈依呢？（杨念群，2006：25-28）就 B 镇来说，对于驱魔实践，当地教会采取的是支持态度，认为这是一个很好的福传机会。不过，一些当地神父也承认，因驱魔成功而信教或改教的天主教徒常有信仰立场上的反复，而无论从圣经阅读、进教堂做祈祷、参与弥撒的宗教实践到对教义的理解和对信仰的坚持程度都并不理想[2]。

此外，值得一提的是，经历过或见证过附魔和驱魔过程而入教的天主教徒也把自己原来信仰的思路模式带入到天主教群体中，这显然也会对天主教受到民间信仰影响的进程产生作用。这也就要求我们继续观察和理解天主教在中国的地方社会，如 B 镇这样的地方，是如何进入，被接受，并创造性地生发出新的可能性和意义。换言之，这样一种"地方天主教"，就算它还远不是一个成熟的体系，同时也不意味着它脱离或背叛了天主教的"普世性"，如何得以生成和发展将会有助于我们理解宗教（天主教）的本质，文化变迁的机制，以及中国（乡村）社会当下及以后的发展路径。

我们在这里对"附魔"和"驱魔"的讨论并不仅仅是将其视为一种传教策略，或作为一种改教原因的解释，而是将其视为一种"文化过程"，以其为中心，考察作为普世宗教的天主教是如何在 B 镇这个具体的地方场景中落实的。也就是说，我们关注的一方面是强调普世性的天主教会，特别是神职人员如何在当地的文化脉络中传达他们的信仰，另一方面则是地方社会，特别是当地的信徒如何领受和实践他们所见的天主教信仰（黄剑波，2008）。这样的讨论可以超越以往对于基督教与中国的"冲击－回应"解释模式以及由此延伸出来的种种关于所谓"本色化"的论述，避免对这一复杂文化过程的单方面的简化描述（吴梓明、李向平、黄剑波、何心平等，2009）。

天主教的驱魔实践到了中国找到了其意义的完美对接，阐释上的类似与差异、仪式上的对应、还有传教方式等所带有的中国地域文化特色都为天主教的传教以及中国乡民接受一个新的信仰提供了便利的条件，人们对于现象的理解和解释以及对于信仰意义的主动追求也是促成其皈依的重要因素。总之，这一系列附魔、驱魔、皈依现象应该归因于外在因素与内在因素的相互结合与相互作用。

现在，天主教和民间信仰对于神圣以及世俗生活的阐释仍然会继续下去，而两者之间的文化接触也一定会在广大的农村进行下去，附魔只不过是两者恰好碰撞时的一次激烈的爆发。可以说在很长的一段时间内，两者不会出现谁压倒谁的情况，而只是会用自己的解释体系包含压制甚至打倒对方。民间信仰不会因为天主教阐释上的胜利而消失在广大的农村地区甚至各种有

---

2 另一个相关的重要问题是这种深受民间文化影响的天主教形式是否存在信仰混杂，甚至有可能形成"异端"的问题，这需要另外专文加以探讨。

着这样信仰基础的人们的观念深处，即使他皈依了天主教；天主教也不会因为民间信仰的历史悠久以及与当地世俗生活的紧密结合而退却，他们利用民间信仰的元素进行自己的传教工作，虽然冒着被称为异端的危险，但是仍然取得了不错的效果，成为福传本土化的重要表现之一。作为信仰的持有者，广大的乡村天主教徒对于自己的信仰以及附魔、驱魔与信仰之间的关系也同时进行着文化阐释和塑造。

从我们之前的分析不难发现，外部的社会文化结构因素以及内部的意义追寻两者的共同作用形成了这样的一种局面。单方面强调哪一个都是不合适的。人的能动性并不能完全解释事件，也需要考虑到所谓的结构性因素，就如明茨在《吃》中所强调的，任何一种文化现象的产生都不是如表面那么简单，而是涉及到了内部意义与外部结构之间的关系（明茨，2006）。天主教的本土化表现在其自身产生各种类似于中国本土信仰特点的变化。这在天主教内部看成了一种普世性的表现，是传播天主爱德的一种方式，作为研究者从一个较为外部的视角得出其民间化的结论。这些不同的表达都试图想要体现的对象的本质。这就不得不令我们重新回到曾在上面章节提到的"怀疑的传统"，深入反思自己的研究视角和所持有的立场。

总之，乡村天主教徒融合了圣经经典和本土文化，在地方性话语背景下对附魔现象进行诠释，体现了天主教在乡村传播过程中对中国社会和文化的进一步适应。虽然中国乡村天主教与民间信仰之间仍存在许多观念和仪式上的差异，前者早已不同于国外那种经院化的天主教，而具备了一些中国乡土信仰的类似特征，具有民间化的特点。中国乡村天主教和民间信仰在很长的一段时间内还会发生类似的文化碰撞。

参考文献

中文书目（按作者姓名拼音排列）

1. 《圣经》（香港思高圣经学会释读本），1992 年印。

2. 《驱邪礼典》，圣礼及圣事部法令，2001（1998），台湾地区主教团礼仪委员会译。

3. 《徐州天主教祝圣事件调查》，《凤凰周刊》，2006 年 36 期。

4. 〔英〕爱德华·泰勒，1992（1871），《原始文化》，连树声译，上海：上海文艺出版社。

5. 〔法〕布迪厄，1998，《实践与反思》，李猛、李康译，北京：中央编译出版社。

6. 〔日〕渡边欣雄，1998，《汉族的民俗宗教：社会人类学的研究》，周星译，天津：天津人民出版社。

7. 傅安乐，1996，《当代天主教》，北京：东方出版社。

8. 弗洛伊德，1987（1923），"十七世纪附魔神经病病例"，载《弗洛伊德论创造力与无意识》，北京：中国展望出版社。

9. 〔德〕弗里德里希·尼采，2000，《权力意志》，张念东、凌素心译，北京：中央编译出版社。

10. 高师宁，2005，"当代中国民间信仰对基督教的影响"，《浙江学刊》，2005（2）。

11. 〔美〕格尔茨，2002（1966），"作为文化体系的宗教"，刊于《文化的解释》，韩莉译，北京：译林出版社。

12. 葛刚义，2007，《RQ 市培训班讲义》（内部资料），2007 年 12 月 6 日。

13. 顾邦文，1994，"我国少数民族原始宗教中的神灵附体现象"，《宗教》，

1994（1）。

14. 郭建康，2011，"农村基督徒的宗教皈依历程：以甘肃 W 镇天主教为例"，《当代教育与文化》，2011（2）

15. 〔美〕路易斯·P·波伊曼著，《宗教哲学是什么（哲学课）》，2014，黄瑞成译，北京：中国人民大学出版社。

16. 河北省泊头市地方志编纂委员会，2000，《泊头市志》，北京：中国对外翻译出版公司。

17. 河北省沧州地区档案馆，1990，《沧州地区大事记 1949-1985》，石家庄：河北人民出版社。

18. 河北省地方志编纂委员会，1995，《河北省志：宗教卷》，北京：中国书籍出版社。

19. 和柳，2009，《文化与经验：一个纳西村落在多元医疗背景下的疾病与治疗》，中国人民大学硕士学位论文。

20. 黄剑波，2007，"空间、时间与基督教的中国处境：以〈圣山下的十字架〉为中心"，《中国农业大学学报（社科版）》，2007（4）。

21. 黄剑波，2008，《地方性、历史场景与信仰表达：宗教人类学研究论集》，北京：中国戏剧出版社。

22. 黄剑波，2011，"伏羲的多重形象与乡村基督徒的信仰实践"，思想战线，2011（2）

23. 黄剑波、艾菊红主编，2014，《人类学基督教研究导读》，北京：知识产权出版社。

24. 黄剑波、王媛，2013，"地方文化与乡村天主教的发展——以附魔与驱魔为中心的探讨"，许志伟编，《基督教思想评论（第 16 辑）》，上海：上海人民出版社。

25. 黄娟，2014，"反思回访与再研究：历史、场景与理论"，《中国农业大学学报（社会科学版）》，2014（1）

26. 黄宣卫，1986，"奇美村阿美族的宗教变迁"，《中央研究院民族学研究所专刊》乙种之 16。

27. 何光沪主编，2006，《宗教与当代中国社会》，北京：中国人民大学出版社。

28. 〔清〕纪昀，1994，《阅微草堂笔记（上）》，天津：天津古籍书店。

29. 〔英〕J.G.弗雷泽，2013，《金枝：巫术与宗教之研究》，北京：商务印书馆。

30. 金耀基，范丽珠，2007，序言：研究中国宗教的社会学范式——杨庆堃眼中的中国社会宗教，载〔美〕杨庆堃著，范丽珠等译，2007，《中国社会中的宗教：宗教的现代社会功能与其历史因素之研究》，上海：上海人民出版社。

31. 金泽，2002，"民间信仰的聚散现象初探"，《西北民族研究》，2002（2）。

32. 〔美〕康拉德・菲利普・科塔克，2012，《人类学：人类多样性的探索（第12版）》，黄剑波、方静文等译，北京：中国人民大学出版社。

33. 〔美〕孔飞力，1999，《叫魂：1768年中国妖术大恐慌》，陈兼、刘昶译，上海：上海三联书店。

34. 夔德义，1990，《宗教心理学》（影印版），上海：上海书店。

35. 林瑞琪，1999，《谁主沉浮：中国天主教当代历史反省（第三版）》，香港：香港圣神研究中心。

36. 李晨阳，2005，《道与西方的相遇：中西比较哲学重要问题研究》，北京：中国人民大学出版社。

37. 李媛，2010，"新疆蒙古族萨满教医疗活动的人类学分析"，《内蒙古民族大学学报（社会科学版）》，2010（1）。

38. 李天纲，1998，《中国礼仪之争：历史、文献和意义》，上海：上海古籍出版社。

39. 李晓晨，2012，《近代河北乡村天主教会研究》，北京：人民出版社。

40. 李亦园，1991，"台湾民间宗教的现代化趋势：对彼得・柏格教授东亚发展文化因素论的回应"，刊于《李亦园自选集》，2002，上海：上海教育出版社。

41. 李亦园，1996，《人类的视野》，上海：上海文艺出版社。

42. 李亦园，2004a，《文化与修养》，桂林：广西师范大学出版社。

43. 李亦园，2004b，《中国人信什么教》，载于《宗教与神话》，桂林：广西师范大学出版社。

44. 黎仁凯主编，2001，《直隶义和团调查资料选编》，石家庄：河北教育出版社。

45. 刘丽敏，2007，"圣母崇拜在中国近代天主教民中的兴起与扩展"，《北京科技大学学报（社科版）》，2007（3）。

46. 刘安荣，2011，"民国时期乡村天主教徒的信仰状态与特征：以山西乡村教徒为例"，《宗教学研究》，2011（2）

47. 刘昭瑞，2011，"乡村基督宗教的走向与思考：以广东地区乡村教会的田野观察为例"，《世界宗教文化》，2011（2）

48. 刘志军，2007a，"传统信仰与基督宗教的冲突与融会：张店镇个案研究"，《宗教学研究》2007（3）。

49. 刘志军，2007b，《乡村都市化与宗教信仰变迁：张店镇个案研究》，北京：社会科学文献出版社。

50. 刘少杰，2002，《后现代西方社会学理论》，北京：社会科学文献出版社。

51. 〔美〕罗德尼·斯达克、罗杰尔·芬克，2006（2000），《信仰的法则：解释宗教之人方面》，杨凤岗译，北京：中国人民大学出版社。

52. 罗红光，1996，"克利福德·格尔茨综述"，载《国外社会学》，1996（1-2）。

53. 〔美〕鲁思·本尼迪克特，2012，《菊与刀》，吕万和等译，北京：商务印书馆。

54. 〔美〕路易斯·P·波伊曼（Louis P.Pojman），2006，《宗教哲学》，黄瑞成译，北京：中国人民大学出版社。

55. 〔英〕麦克·阿盖尔，2005，《宗教心理学导论》，陈彪译，北京：中国人民大学出版社。

56. 〔美〕明茨，2006，《吃》，林为正译，北京：新星出版社。

57. 秦家懿、孔汉思，1990，《中国宗教与基督教》，上海：生活·读书·新知三联书店。

58. 宋德剑，2012，"冲突与调适：粤东客家基督教信仰的文化人类学研究：以广东梅州五华县大田樟村为例"，《文化遗产》，2012（3）。

59. 尚海丽，2010，"近世基督教、天主教在中国内地传播的比较研究：以河北道为例"，《世界宗教研究》，2010（5）。

60. 尚海丽，2012，"中国天主教本土化进程研究的进路与思考"，《学术探索》，2012（6）。

61. 施琳，2002，《经济人类学》，北京：中央民族大学出版社。

62. 〔美〕苏尔、诺尔编，2001，《中国礼仪之争：西文文献一百篇（1645-1941）》，沈保义、顾卫民、朱静译，上海：上海古籍出版社。

63. 沈渔邨，2005，《精神病学》，北京：人民卫生出版社。

64. 唐逸，1999，"中国基督教本土化之类型"，《世界宗教研究》，1999（2）。

65. 王莹，2011，"基督教本土化与地方传统文化：对豫北地区乡村基督教的实证调查"，《宗教学研究》，2011（1）。

66. 吴飞，2001，《麦芒上的圣言：一个乡村天主教群体中的信仰和生活》，香港：道风书社。

67. 〔德〕马克思·韦伯，2009，《新教伦理与资本主义精神》，李修建、张云江译，北京：中国社会科学出版社。

68. 吴梓明等，2005，《圣山脚下的十字架：宗教与社会互动个案研究》，香港：道风书社。

69. 吴梓明、李向平、黄剑波、何心平等，2009，《边际的共融》，上海：上海人民出版社。

70. 〔美〕威廉·费尔丁·奥格本，2012，《社会变迁：关于文化和先天的本质》，王晓毅等，译，杭州：浙江人民出版社。

71. 〔美〕威廉·詹姆斯，2002，《宗教经验之种种：人性之研究》，唐钺译，商务印书馆。

72. 献县教区，2001，《主爱遍洒人间》（内部资料）。

73. 献县教区，2003，《献县教区：我们共有的家》（内部资料）。

74. 夏建中，1997，《文化人类学理论流派》，北京：中国人民大学出版社。

75. 肖清河，2011，"灵异故事与明末清初天主教的民间化"，《东岳论丛》，2011（1）。

76. 〔法〕谢和耐，2003，《中国与基督教：中西文化的首次碰撞》，上海：上海古籍出版社。

77. 徐锦尧，1996，《正视人生的信仰》，香港：公教教研中心。

78. 〔美〕鄢华阳等，2010，《中国天主教历史译文集》，顾卫民译，桂林：广西师范大学出版社。

79. 杨念群，2006，《再造病人》，北京：中国人民大学出版社。

80. 〔美〕杨庆堃，2007（1961），《中国社会中的宗教》，范丽珠等译，上海：上海人民出版社。

81. 曾志辉，2010，"传教士、山地民族与山区教会：立于广西三个区域堂点历史与现状的研究"，《世界宗教研究》，2010（4）。

82. 周普元、彭无情，2010，"宗教心理学视域下弗洛伊德的宗教经验观：兼论弗洛伊德理论的 X 模型"，《大连大学学报》，2010（4）。

83. 翟书涛，1987，"文化人类学和癔症有关状态"，《国外医学·精神病学分册》，1987（2）。

84. 张志刚，2014，"民间信仰：最真实的中国宗教文化传统"，《中国民族报》，2014 年 4 月 22 日。

85. 张振国，2008，《拒斥与吸纳：天主教对中国民间信仰的应对》，山东大学博士论文。

86. 张先清，2008，"疾病的隐喻：清前期天主教传播中的医疗文化"，《中山大学学报》（社会科学版），2008（4）。

87. 张先清，2009，《官府、宗族与天主教：17-19 世纪福安乡村教会的历史叙事》。北京：中华书局。

88. 卓新平，2013，《基督教与中国文化处境》，北京：宗教文化出版社。

89. 庄孔韶，2000，《银翅——中国的地方社会与文化变迁：1920-1990》，上海：生活·读书·新知三联书店。

90. 庄孔韶，2004，"回访的非人类学视角和人类学传统：回访和人类学再研究的意义之一"，《西南民族大学学报（人文社科版）》，2004（1）。

91. 庄孔韶，2004，"回访和人类学再研究的专题述评——回访和人类学再研究的意义之二"，《西南民族大学学报（人文社科版）》，2004（2）。

英文书目

1. Baker, H.D.R. 1979, Ancestral Images: A Hong Kong Album, Hong Kong: South China Morning Post.

2. Beatty, Andrew, 2006, Pope in Maxico, American Anthropologist, Vol. 108, No. 2, pp.324-335.

3. Busby, Cecelia, 2006, Renewable Icons: Concepts of Religious Power in a Fishing Villiage in South India.in Fenella Cannell. ed. The Anthropology of Christianity, Duke University Press.

4. Bourdieu, Pierre, 1977, Outline of a Theory of Practice. Cambridge University Press.

5. Bowie, Fiona, 1999, Witchcraft and Healing among the Bangwa of Cameroon. In Graham Harvey (eds.), Indigenous Religions: a Companion. London: Cassell.

6. Chance, John K. 1989, Conquest of the Sierra: Spaniards and Indians in Colonial Oaxaca. Norman: University of Oklahoma Press.

7. Chao, Hsing-Kuang. 2000, In Press. "The Converts in Taiwanese Immigrant Church." Soochow Journal of Sociology 9 (March 2000).

8. Charbonnier, Jean, 1993, The Underground Church,in Edmond Tang and Jean-Paul Wiest eds., The Catholic Church in Modern China: Perspectives. Maryknoll: Orbis Books, 1993.

9. Crapo, Richley H., 2003, Anthropology of religion: the unity and diversity of religions, McGraw-Hill.

10. Farazza A.R., 1985, Anthropology and Psychiatry in Kaplan HI et al.eds, Comprehensive Textbook of Psychiatry 4th ed.William and Wilkins Baltimore.

11. Fitzgerald, C.P. 1964, The Birth of Communist China, Pelican.

12. Flick, U., 1998. An Introduction to Qualitative Research, London: Sage, 1st edition.

13. Geertz, Clifford, 1983, Local Knowledge: Further Essays in Interpretive Anthropology. New York: Basic Books, Inc.

14. Gomm, Roger, 1975, Bargaining from Weakness: Spirit Possession on the South Kenya Coast, Man, New Series, Vol. 10, No. 4. (Dec.1975), pp.530-543.

15. Harrell, C.S. 1974, "When a Ghost Becomes a God", in Wolf, A.P. ed. Religion and Ritual in Chinese Society, California: Stanford University Press.

16. Hufford, David, 1982, Tradition of Disbelief, New York Folklore Quarterly 8.

17. James, William, 1929, Varieties of Religious Experience, Modern Library Edition. Random House.

18. Keane, Webb. 2007, Christion Moderns: Freedom and Fetish in the Mission Encounter. Berkeley: University of California Press.

19. Lassiter, Luke, 2006, Invitation to anthropology, Altamira.

20. Latourette, Kenneth Scott, 1929, A History of Christian Missions in China. London: Society for Promoting Christian Knowledge.

21. Madsen, Richard, 1998, China's Catholics: Tragedy and Hope in an Emerging Civil Society. Berkle: The University of California Press.

22. Madsen, Richard, 2001, Beyond Orthodoxy: Catholicism as Chinese Folk Religion, China and Christianity - Burdened Past, Hopeful Future, Stephen Uhalley, Jr and Xiaoxin Wu editors, An East Gate Book.

23. Madsen, Richard, 2003, "Catholic revival during the reform era" in Daniel L. Overmyer. ed, Religion in China Today, Cambridge University Press.

24. Nichter M., Quintero, 1996, G.A., "Pluralistic medical anthropology.", In: D. Levinson and M.Ember, eds. Encyclopedia of Cultural Anthropology. New York: Henry Holt and Co.

25. Redfield, Robert, 1953, The Primitive World and Its Transformations. Chicago: University of Chicago Press.

26. Redfield, Robert, 1956, Peasant Society and Culture. Chicage:University of Chicago Press.

27. Robbins, Joel, 2003, What is a Christian? Notes Towards an Anthropology of Christianity. Religion, 2003.33 (3).

28. Robbins, Joel, 2004, Becoming Sinners: Christianity and Moral Torment in a Papua New Guinea Society. Berkley: University of California Press, 2004.

29. Standaert, Nicolas, 2001, Handbook of Christianity in China: Volume One. Leiden; Boston; Koln; Brill.

30. Torrey, E. Fuller, 1986, Witch Doctors and Psychiatrists, New York: Harper & Row. Wiest, eds. The Catholic church in modern China: perspectives Maryknoll, N.Y.: Orbis Books.

31. Yang Fenggang,. 1998, "Chinese Conversion to Evangelical Christianity. " Sociology of Religion 59.

附　录

附录一：附魔改教者自述[1]

附魔案例一：

我叫 A，今年四十七岁。我愿意和大家谈谈我是怎样加入天主教的。从前，我对天主教没有丝毫认识，却误入歧途相信魔鬼有二十年的历史。

早在 1980 年，因为我的身体太虚弱，并且无端地感到寒冷，继而全身发抖，并且想哭就哭、想笑就笑，完全不由自己控制。更有甚者，有时还会停止呼吸，请大夫打强心针来救急。这种病总是好好犯犯无法根除。这样，就连自身的生活也没法保障。出于无奈，我请了本村的四姊子（香头）帮我"看看"，她告诉我说是该换童子上大供了。回家后，我依照四姊子的吩咐做了，但还是不见好转。此后，我又到了附近陈庄的大姐家看了看，仍然说是该换童子上大供，我再次抱着一线希望如法炮制，病仍然是时断时续不见起色。满桌的鸡鸭鱼肉和频繁的叩拜祷告，也没有感动那无端生事的邪灵。

常言道：有病乱投医。我为了治好自己的病儿换童子前后共八次之多。然而，旧病未愈，新病又添，又加上了吐血的症状，这更使我面色苍白体力不支。我们全家对我的健康都极为担心，于是我又被送到 B 市医院接受检查。出乎意料的是，大夫居然查不出病来。此后我又到了 C 市地区医院，检查的

1　以下三个附魔案例的叙述均引自献县教区编印的内部资料《主爱遍洒人间》。虽然并非研究者第一手资料，但是仍然有助于我们了解当地民众因为附魔而从民间信仰改信天主教的历程，所以附录于此供读者参考。

结果仍然是"没病"。回到家后不久又添上了腹泻，这使我本来虚弱的身体更是难以支撑。……

慌不择路，为了早日恢复健康，我又分别到了陈庄的大姐和本村的香头那里看了看，都说让我"开道"，我满口答应。后来又听说在玉皇庙有个香头很灵验，便让丈夫用自行车带我去那里看。没想到，到了玉皇庙之后恰好碰到那村的天主教教友 D，他和我的丈夫早就认识，执意要把我们请到他家里去坐坐。到了他家，当他得知我们此行的来意后，很有把握地说："你信奉天主教吧！如果你得的是虚病，信教之后准好。"丈夫说："没问题，只要她的病好了，我也奉教。"当日，D 教友送给我们一尊苦像，并嘱咐我在痛苦的时候要特别求耶稣救助，求圣母相帮。

回到家后，我全心依靠耶稣，每当我痛苦和心烦的时候便口亲耶稣的苦像，呼唤耶稣的圣名，果得效验，病就渐渐好了。到了 96 年的秋后，我又请了 J 神父为我家住福了房屋，并于 96 年圣诞节全家领受教会的洗礼。从此，我们全家真心恭敬天主。

泊头市某镇某村　A
2000 年 10 月 23 日

附魔案例二：

我名叫 XY，是 B 市某镇某村人。我在认识天主之前，曾经走过一段异常曲折的道路。

早在 1985 年，当时我只有 27 岁，就得了异常怪病，有时不由自主地抬头望天，并高举双手，活像被磁石吸住的金属一般，不能再活动一下；有时弯下腰去拿什么东西，就一直保持的躬身，持续很长时间，如同一尊怪里怪气的雕像；有时脖子深深地缩回体内，如同触电一般地原地静止；还有时把舌头吐出两三寸长无法收回……就这样吃不好睡不好，身体被折磨得瘦弱不堪，体重只剩 33 公斤。所有怪异的症状都说明有邪神恶魔在作祟。

既然不能过正常的生活，家人只好为我请了韩村的香头，香头说我家应该上供请"仙"了，为了使自己病愈，我只能照办，但仍是病情不稳时断时续。为了治病，只有再请高明的香头，先后请过本村，LD、QQ、LZ、CZ、XL、ZZ、XHJ 等十余处的香头，为此而花费的钱财已不计其数，但都没有能够根除异病。之后，我又抛下邪门歪道去求医，可医生也看不出有什么病来，拿了些药回来，却越吃越厉害，十来年的时间几乎没有过过安静日子。

到了94年，听说来我村传教的J神父有降妖除怪的本领，便把神父请到家里。先是把我曾焚香十年的炉扣了，又祝福了房屋，发了圣牌，但当时并没有把邪魔制服，结果反得更凶、闹得更甚。既然神父的方法没有能够立竿见影人到病除，我错误地认为神父没有能力为我治好，便对教会失去了信心，于是重新立炉、再度供妖。

大约半年后，我完全失去了理智，变成了十足的疯子。20多天的时间不吃不喝，可是力气极大，而且见人就打，六亲不认。不论见到谁，伸手抓住人家的头发就往地上碰，以至把人磕得头上长出很大的包。那时我已不辩东西南北，不分黑夜白昼，整天疯疯癫癫。家人又为我请来了香头，这次香头说"大仙"的意思是让我给人"开道"看病。为了医好自己的眼前病，"开道"我也认了，病就这样暂时好了。自此，我开始为人"看病"，以履行自己的诺言。其实所谓"看病"就是允当魔鬼的代言人，当那些受魔鬼磨难的人投奔来的时候，告诉他如何上供等事，使人也像我一样受魔鬼的驱使。魔鬼保我"平安"，我代魔鬼发言，彼此相安无事，如此三、四年之久。

去年秋天，我在外打工的丈夫忽得重病去世，当我接到丈夫去世的噩耗时悲痛至极。我恨透了魔鬼，心想：我辛辛苦苦为你开道，你理应保我全家安全，如今我正当壮年的丈夫去世，你却坐视不管，不论你是无能还是无情，我从此与你一刀两段。于是我自己把香炉扔了，把上供的台子扒了，一心要信天主教。自此，我全心全意依靠天主，每年祈祷不辍。当然，恶魔是不可就此善罢甘休的，它重施故伎，整天磨害我，但我坚定了依靠天主的信念，又请来J神父祝福了屋子，做了弥撒，并且我们村的教友每天都到我家集合念经，魔鬼渐渐地败下阵来。现在我已基本康复，正在积极地学习经言要理，准备早日领洗入教。

一天晚上，我进入了梦乡，只见一位威严无比的男子站在山坡上，四周是一往无际的草地，并且空中有云雾缭绕，显示出一种神秘的气氛。只见这位威严的男子右手托着一个大圆球，左手拿着一本"天书"，满山遍野都是挤满的人群。人们都要念那本天书，而且只有念过那本天书的人才能从他托着大球的右臂下经过，到一个安全幸福的地方。凡念不过那本天书的，都被淘汰在一旁……我正为这事儿憔心的时候醒来，才知道是一场梦。事后我预感到梦中的男子就是神的像，为了验证这一想法我曾到过几处教堂去查看，后来在 JZ 教堂看到《全能像》中的耶稣，才知道正是我梦中所遇到的那位威严的男子。这一定是天主借着梦境对我的启示，因此更加坚定了我对天主教的信仰。

泊头市 Q 镇某村　XY（SY 代笔）

2000 年 11 月 11 日

附魔案例三：

我是泊头 S 乡某村人，我们一家四口有幸于 1994 年借洗礼加入天主教。我在信教之前，曾走过了一段山重水复的道路，提起来真是一言难尽。

本来我对鬼神的事情并不太感兴趣，但邪神恶魔不请自到，挥不去、离不了，实在让我痛苦至极。

大约在十余年前，我因为爱生气，致使体质不佳，魔鬼便乘虚而入，常常控制我的言语和行动，即人们所说的"撞客"。迫不得已去请香头，香头说是有"大仙"跟上了，"大仙"的意思是想在我家安个"座儿"。为了治好眼前病，只得按照香头的吩咐给"大仙"立炉焚香屈伸下拜，"大仙"享用着供物，我享受着太平，我和"仙"各有所得，相安无事。

大约二、三年后，也就是 1994 年的中秋节，我因为家庭中的一些琐事而生起气来，邪魔便乘隙而入，支配着我的言语和行动，而且特别凶，没完没了。为了使自己能够过上安定的日子，便在窑厂请来了一个名叫"老爷"的香头。据这位"老爷"说，跟我的是五台山的"狐仙"。为了能够把"狐仙"请走，这位"老爷"烧纸、焚香、叩头、礼拜，忙了好一阵子才把"仙"送走。可是，刚过两天就又一次重犯旧病。

……

为了能够过上安定的生活，家人又为我在张边村请了一个名叫"仙姑"的香头来。……

次日，有人到南皮县为我请来了一位号称"天气爷"的神汉，他的"诊断"结果为，我是"长仙"，只因为数年前我打死了一条蛇，如今老母蛇找上门来算后账，以报当年"杀子"之仇。"天气爷"开始施展他的"神通"：烧纸、焚香、上供、叩头，费了九牛二虎之力才把"大仙""请"走。

……

在家人的陪同下，我们乘车到孟家法，见到了那位"仙姑"。"仙姑"

先是问了我很多话，之后把三寸来长的银针分别扎在我的手背、胳膊和脖子上，并在针的另一端给我通电，电得我全身麻木死去活来。……

与我同村的姑母全家是信天主教的，她听说这事后就去看我。当时她还没有进我家院子，见在那里站着好多人，就向人们建议说"如果奉天主教，这病就可以治好。"那时我在屋里就知道了这件事，坐卧不宁，像有心事儿似的走来走去，嘴里自言自语道："她奉教，我到哪儿去。再也没有人侍候我了。"于是对我的折磨更是变本加厉，叫我喜怒无常苦笑失控，见了小伙子还想较腕力，到邻家拎起半袋子玉米就挥手旋转。……

在这期间，J 神父和姑父都先后来看过我，为我讲了很多天主教的道理。在他们的引导之下，我才逐渐认识并相信了天主。与此同时，邪魔为了争夺我的灵魂仍作垂死的挣扎，千方百计地恐吓我、阻止我，晚上让我家看到它在窗外招手，让我晚上做恶梦，我村很多屈死的都在梦中出现，披头散发地向我呼唤，俾我彻夜难眠。白天，在头脑清醒的时候我就依靠天主，捧着本子念经。……

由于 J 神父不断地为我祈祷、守斋和献祭，广大教友们也多方帮助我，为我热心诵念玫瑰经，魔鬼逐渐地败下阵去。大约一个月后的一天，那是我最后一次去姑母家搅扰，他们仍然为我念玫瑰经。这时，我突然出现一种异常感觉，觉得全身被撕裂一般。这种感觉就在短短的一两秒内一闪而过，我的身上就像卸下了千斤重负一般，头脑也清醒了，心中也豁亮了。我明白，这时魔鬼真正要退出去了。当时我激动地两眼热泪盈眶，高兴地跳起来说："姑，我可好了，这是仁慈的天主救了我啊！……"

泊头市 S 镇 S 村，陈某

2001 年 8 月 5 日

附录二：天主教献县教区历任主教名单

郎怀仁主教（1856-1865）法籍耶稣会士

杜巴尔主教（1865-1878）法籍耶稣会士

步天衢主教（1880-1900）法籍耶稣会士

马泽轩主教（1901-1918）法籍耶稣会士

刘钦明主教（1918-1936）法籍耶稣会士

赵振声主教（1937-1968）首任国籍主教，耶稣会士

刘定汉主教（1982-1998）耶稣会士

侯经文主教（1998-1999）

李连贵主教（2000-）现任主教

附录三：沧州地区大事记 1949-1985（节选）

1950 年

据 10 月 26 日统计　献县有天主教堂 32 座，教徒 101318 人，其中主教 3 人，神甫 32 人，修女 51 人，长老 60 人，修士 12 人。

1951 年

1 月 28 日　地委指示：把取缔反动道会门作为一、二月份镇压反革命的中心工作。要求组织强大的宣传力量，发动与依靠群众，掌握准、稳、狠地打击反动道首的政策，严防强迫命令与逼供信。

2 月 18 日　地委发出取缔反动道会门的补充指示。要求 3 月 15 日以前做到：消灭一贯道之核心与骨干，摧垮其领导机构，继续逮捕点传师以上之首要分子，对其中的特务、恶霸、惯匪和其他罪恶昭彰、群众仇恨者，依法迅速杀一批、判一批、管一批，进一步发动群众，办理道首登记、道徒退道，以彻底摧毁其组织。

3 月 6 日　地委作出取缔反动道会门运动的总结。全区共逮捕点传师及其他反动道首 263 个，集训坛主 702 个，没收反动坛内书籍 7102 件，银元 908 块，人民币 149 万元，房屋 22 间，地 15 亩。有 14516 名道徒退了道。根据反动道首的罪恶轻重，计划判处死刑 90 个、徒刑 89 个，其余管制生产，监督改造。

1953 年

1 月 5 日　专区宗教工作委员会成立。主任弓力（地委宣传部长），副主任王子昭（地委统战部副部长），高汉章（副专员），委员王清（民政科长），肖礼（公安副处长），吴志英（团地委宣传部长），刘秀荣（专妇联副主任），李金如（工会副主任），刘健（军分区办公室主任）。

4 月 15 日　黄骅县政府发出紧急指示，要求动员起来，迅速解决迷信讨药活动。本月，黄骅县部分村庄出现迷信活动，每天有数百人带着馒头，鸡

蛋等供品，到齐庄、王十二集焚香烧纸，求取"神水"、"仙药"治病。

1956 年

本年，孟村回族自治县孟村镇北大寺阿訇辛宗真，参加了中国伊斯兰教朝觐代表团，赴沙特阿拉伯麦加圣地朝觐。

1965 年

7 月 11 日　公安部门从献县张庄天主教堂起出左轮手枪 15 只，子弹 1400 发。经询问有关人员，这批武器系献县教区反动理家神甫吴金瑞 1942 年所藏，该分子已于解放前夕逃往菲律宾。

1966 年

8 月 26 日　献县中学"红卫兵"（"文化大革命"中的学生组织，意为保卫毛主席的忠诚卫兵）捣毁了张庄天主教堂。教堂设施被砸烂，藏书被焚毁，39 名神甫、11 名修士、51 名修女被遣送回家或管制。

8 月　东光县一部分"红卫兵"和工人、机关干部以"破四旧"为名，砸毁了河北省重要文物"东光县铁菩萨"。

9 月 23 日　《文化大革命简报》18 期反映：农村"文化大革命"已开展起来，有些村选举了"文革筹委会"，有的村成立了"红卫兵"，在破"四旧"中，据不完全统计，全区（不包括沧州市）拆除或砸毁教堂、清真寺、庙宇等 19315 座，焚毁各种经书、家谱、旧书刊、神像等 189 万件，砸毁赌具、迷信道具、婚丧轿子等 1197000 件，只沧县、青县、盐山三县就改易村名 267 个。

1967 年

1 月　"文化大革命"的极左思潮，严重地践踏了党的民族、宗教政策。孟村回族自治县的清真寺，有的被拆毁，有的被占用；丧葬用具全部被砸烂；强迫回民养猪，吃猪肉；取消了回民节日供应和丧葬用布供应；回族自治县的名字被取缔，牌子被换掉；107 名宗教人士被批斗，51 名被抄家。许多回民群众，特别是肖庄子的部分群众十分不满，组成了"回民支队"群众组织，提出了一些维护回回民族最起码的风俗与生活习惯的合理要求，串联了鞍山、天津的回民造反组织，回县与有关单位的造反派进行辩论，结果又遭到了镇压，16 人被拘留，42 人被斗，2 人被开除公职，107 人被强令登记审查，1000 多人受株连。

2月2日　零点，献县县委、县人委被造反派夺权。

2月　江青在天津煽惑说："献县有个叛徒集团"。地革委很快组成了"献县专案组"，深挖所谓"献县叛徒集团"。

1969年

8月20日　地革委梅庄洼"五·七"干校（在献县）正式开课，24日举行了开学典礼。地直2000多名学员都吃住在献县张庄天主教堂和教堂对过的原县委机关大院，每天学文件，读报纸，忆苦思甜，斗私批修。

1975年

3月17日　孟村回族自治县石桥公社杨村大队发生一起反动道会门——狐仙道——复辟杀人案件。在反动道首孙希周的煽动下，张刘氏（刘珂）伙同其子张兴福、其女张文贞以及张兴治、张兴杰、张兴俊等，妄想与某月某日上天成神，说其孙张国栋是上天的"障碍"，唆使全家将张国栋活活打死。案发后，公安机关当即将上述罪犯逮捕归案。

1979年

8月5日　为加强党的统一战线工作和民族、宗教工作，地委决定：
一、凡"文化革命"前设有统战部的县、市（。。。献县，。。。）都恢复统战部，不设统战部的县，统战工作由县委宣传部设专人管起来。
二、凡"文化革命"前设有政协的县、市（。。。献县。。。）都恢复政协组织
三、凡"文化革命"前有民委的县、市（沧州市，沧县，河间，青县，交河，黄骅），都恢复民族事务委员会。
四、献县恢复宗教科。

8月8日　恢复地区民族事务委员会，建立地区宗教局。

1980年

1月28日至2月1日　地区行署在献县召开了全区宗教人士座谈会。参加会议的有宗教工作干部及信教群众代表50多人，地委副书记、行署副专员张庆祥、地委统战部长李吉、行署宗教局长王金湘出席了会议。会上，宣传了党和国家的宗教信仰自由政策，保护信教群众的宗教活动。指出了信教群众必须维护人民政府的集中统一领导，遵守政府的政策法令，与会人员一致

表示，坚决拥护党的领导，坚持四项基本原则，同心同德，为祖国四化建设贡献力量。

3月21日　地委通知沧州市委，开放北大寺，以利回民伊斯兰教活动。

4月16日　地委批准献县开放大张庄天主教堂。

11月6日　地委再次批准8个县18座清真寺开放：孟村回族自治县的牛进庄、赵河、新县清真寺；沧县捷地、褚村、杜林、李天木清真寺；青县城关、辛集、代庄子清真寺；黄骅县城关、羊二庄、羊三木清真寺；交河县泊镇清真寺；河间县城关、果子洼清真寺；盐山县陈小营清真寺；献县本斋大队清真寺。

12月25日　献县张庄天主教堂举行"文革"后第一次圣诞节活动，参加者有北京、天津、衡水、沧州等地的天主教人士4000多人。

1983年

1月7日　行署批准，任丘县段家务村，交河县肖留信村，献县陵上寺、赵林庵，河间县范圪垯，北小店恢复天主教简易活动场所。

1984年

5月12日　行署印发了《关于恢复23处宗教活动场所的通知》。计有：献县臧桥乡下淀村、齐庄，郭庄乡小郭庄，段村乡东留路，八章乡西韦庄，三堤口乡大郭庄；河间贝束城乡大超市村，米各庄乡张兴屯，南留路乡南留路村，酒吉乡黄村，尊租乡冯土化村；任丘县于村乡东八方村，麻家务乡留村，梁召乡正洛村，陵城乡史庄，宗佐乡高召村，议论堡乡南小征村；泊头市郝村乡西郝村，营子乡西辛庄，大鲁道乡金庄，冯庄乡黄铁坊村；吴桥县大齐乡大齐村。

1985年

5月2日　地区行署批准，献县的八里庄、北马庄，学礼村，东双坦，小万村，尹召，大西，河城街为8个村镇开放为宗教活动场所。

6月10日　行署批准河间县我佛堂镇卧佛堂村，北石槽乡满堂村，留古寺镇前羊店村，西告乡穆庄村，尹庄村，翟生村，东告村，米各庄镇后榆杭村，留标村，孙行石村，景和镇大皮屯村开放为宗教活动场所。

后　记

在经历了田野以及文本撰写的喜悦与痛苦之后，这本文稿终于在我仍然惴惴不安的情绪中要提交给出版社了。跟很多著者洋洋洒洒几十万字相比，整篇文稿不算长，但是其研究和写作历程却不短，可以说它见证了我从开始基督教研究到产生兴趣并热爱，以及到后来因为工作的繁忙而暂时搁置，并最终以沉淀过后的自己重新审视和完善这篇文稿的成长历程。虽然一直在修改过程中不够满意，以至于总是无法安心的交付出版，但是我只能说我已经拿出我能有的全部时间和精力来完成这一项工作，我尽了自己最大的努力。

这一研究不仅仅是我个人的作品，同时也是我在田野调查过程中接受我的访谈，给与我众多支持和帮助的广大信教与不信教民众的作品。献县教区的神父和教友们以他们博大的胸怀给予我关怀和帮助，生活上让我能够不忧衣食与住宿；他们也给我信仰上的启发，让我能够尽力从内部视角看到事情的本质，不会偏离事实的方向；他们还给了我心灵的关怀，让我在体会田野的孤独的同时也体会着温暖。最重要的是，他们都热心的为我提供各种相关的资料，慷慨与宽容让我心存感恩。

我要感谢引导我开始宗教人类学和基督教研究的黄剑波教授。黄教授是我的硕士生导师，他一直都在我硕士和博士的求学期间，一步步引导我走入宗教人类学研究的学术殿堂，以及我工作之后也十分关心我的学术和生活。在他指引和鼓励下的，不断的读书、田野、思考为我的研究与写作打好了良好的理论和实践的基础。在我进行乡村天主教研究的过程中，从选择田野点，到确定研究方向，再到为最终的文稿提出修改意见，黄教授的点滴启示都让我受益无穷。而他那严谨、勤奋、认真以及乐观的个人魅力也感染着我，给与我不仅仅是学业上和学术上的指导，还有如何看待生活，如何看待人生的启发。

我还要感谢博士生导师庄孔韶教授，在我不知自己的研究该走向何方时为我指点迷津，以及胡鸿保教授、夏建中教授、陆益龙教授，张有春副教授等学界前辈为最初文稿提出的宝贵意见。也要感谢南京航空航天大学人文与社会科学学院的领导和同事们对我成长的帮助。

除此之外，我时时刻刻都在心中感谢的人是我的父母和公婆，他们虽然并不能很好的理解我在研究什么，但是他们总是相信我，支持我，让我放手去做，给我物质上和精神上最大的支持。能够认认真真的田野和写作，这一切的前提都是他们的支持，我感觉仿佛背后有着强大的后盾，让我可以无畏的走向前方。感谢我的爱人和宝宝，你们的笑容消融了我的疲惫，赋予我前进的动力。

最后，感谢花木兰文化出版社及杨嘉乐小姐、高小娟小姐、许郁翎编辑和其他工作人员，没有他们的付出，这项研究也无法与读者见面。

王媛

2014 年 10 月 29 日

于南京航空航天大学

神谕的再造——
一个城市天主教群体中的个体信仰和实践

蔡圣晗　著

作者简介

蔡圣晗，满族，1990 年生，中国人民大学人口学博士。先后获得兰州大学社会学学士，中国人民大学人类学硕士学位。研究领域为社会阶层、宗教研究、文化研究、家庭和性别研究、人口与社会发展。已发表《城市社区不同阶层与基层政权互动研究》，《权力、阐释和现代性，论阿萨德对宗教的谱系学研究》。

提　　要

　　当今中国宗教信仰的变革是不可忽视的一个社会事实，比之于欧洲传统下，教会的萎缩和信仰实践的日益个体化，中国为代表的诸多前殖民地国家的基督宗教，其发展态势并不能被"世俗化"理论来解释。

　　目前对于中国基督宗教的研究大体可以分为历时性和共时性的研究两种，后者主要集中在基督新教，而针对天主教，尤其是城市里天主教的研究屈指可数。更新、更灵活、更开放的体系，和更迅速的增长和更活跃的社会表达都是天主教群体尚不具备的。基督宗教本土化是一个持续性的过程，历时性角度上，是一套神学话语和世界观的转译；共时性角度上，转译已经不再仅限于抽象话语和逻辑，而是深入到集体结构和个体实践中，并通过个体行动者投射到社会层面。对于天主教的考察可以清楚地展示着历时与共时两个角度的本土化再造。

　　本应内部有严格阶层制结构的某市天主教会，面对今日的城市社区，已经不能继续保持其共同体的特质；对于社区外教友的接纳，又为教区的信仰实践带来了喜忧参半的变化。天主教徒是谁，谁是天主教徒，一个流动的社会也在不停地改变着教会内个体信仰的叙述和实践。

目

次

此处相遇

　　有些无关紧要的小意外，有时却像预兆一般的出现；如果没有恰逢其时的颠沛流离，绝对意外的交集，宗教研究便不会进入视野。当"在路上"成为一种生活中的常态时，遭遇更多的"不同"也成为一种常态，虽转瞬即逝却又五光十色；时空穿行搅起好奇的波纹，迅速扩大到许多角落，五味陈杂。荣市东街三角地[1]就是这诸多"不同"中，极富特色的一处：西侧一座天主堂，东侧是一座东正教堂和一座基督教堂与之遥遥相望，往北不远便是孔庙和佛寺。得益于生活中的奔波和变动，这块初见时阴暗、破败、惨淡又多元的三角地带在日复一日的日常生活中，由陌生转为熟悉，又由熟悉变为陌生。

　　那是互联网刚刚起步的时代，有关基督教的信息都像这些教堂一样门扉禁闭，落寞破败，又难以企及，只在上个世纪欧洲文学作品中半遮半掩，却又语焉不详。即便是基督教经典，不但难以获得，而且由于译文和文化差异的缘故，内容也如同超出理解和想象的神话故事，并无意义。一旦神圣存在带来的感受超越人的自然经验，对这种"非自然经验"的表达也不得不借助现实经验中所能提供的一切条件来进行表述。在现实中无法被归类的存在物，对其进行表述本身也成为一种转译，而且常常是暗示性、隐喻性的转译。这种暗示和隐喻虽然求助现实逻辑，却带来了现实逻辑对其理解的困难和矛盾，神圣和现实两种认识基模之上的差异，引发两个世界之间理解和沟通上的极大阻碍。诚如伊利亚德所言，"一块神圣的石头仍然只是一块石头"，一本神圣之书也只不过是一本可好可坏的书而已，"宗教徒……他生命的整

　　1　东街三角地这一地名在实际上并不存在，荣市只是该区域的名称。为了田野的匿
　　　名性起见，文中相关的地名人名都进行了模糊处理。

个体验呈现出与那些无宗教感的人体验的不同[2]"。虽然一个符号性的楔子嵌入在日常生活之中，但依旧划分出了前在的两个平行世界，一个无限的神和一个有限的世界。对于普通人来讲，理性所能认识的现实经验世界才是可被理解的真实，而神圣存在之符号背后的世界似乎并不存在，但又像爱丽丝遭遇的荒诞神秘园，承载了各种五光十色的评断和想象，供人消遣。人们往往对之充满了忧虑、困惑和不安，转过脸去拥抱"科学"、"现代"，从而试图忽视另一世界那些边缘、落后、不可理喻、不识趣的"愚昧无知的狂热分子"们。人们对这些"现代性的反对者"们一无所知，二者间的分歧是如此的明显——异文化中的他者，并不一定仅仅存在于虫豸虎豹，险象环生的热带岛屿或非洲草原上。

多年前在人数稀少的基督教概论课堂上，《圣经》的一整套话语体系，终于在释经学的帮助下开始有意义。从伊甸园开始，到出埃及记为止，一本"书"自身的神圣性终于逐步展现出来，当然同时还有文本中的"反常"和逻辑上不能自洽之处。昔日遥远、平行存在的神圣世界和世俗生活开始有了交集，不过圣诞节来临时，在颇为寒冷的基督教堂[3]里观看了一整天集相声、小品、话剧、快板、二胡、诗朗诵等多种形式的文艺汇演，以及流水一般的宴席之后，身为观察者也只是情境之外的、感受到文化震惊的旁观者而已。

你是否也曾有一个问题萦绕在心头如此之久，以至于它成为你思考过程中的一个部分？这个若隐若现的世界终于展现出它确定性的存在，一直沉寂在水面之下的疑惑不甘寂寞地统统浮现出来，好奇心便是最好的驱动力——神圣世界和世俗世界之间的穿行大抵便如此开始了。

着手准备进入田野初期，荣市的这块三角地带成为田野地点的理想选择。这座城市本身的民族构成，被殖民史和国际交往史都带来了她不可复制的独特性。甚至终于在近几年，宗教文化的多元性也终于成为官方旅游宣传中一个打着"异域风情"标签的重点内容。除了这块三角地带上的新教、东正教和天主教教堂，北侧的佛寺、孔庙和道士塔，还有犹太教的会堂和伊斯兰教的清真寺散落在市中心的许多角落。便是这座天主堂内部，也有专为少

---

2 米尔恰.伊利亚德, 神圣与世俗, 北京, 华夏出版社, 2003, 1: P4.
3 这座教堂与 G 省政府大院毗邻而居，是该地规模最大，人数最多的基督新教教会所在地。注：本研究引用的田野访谈资料，其中如存在表述错误，均是按照访谈对象的原始陈述进行引用，并非笔误。

数民族准备的该民族语言的礼拜堂、礼仪和布道神父，以及从韩国专门引进的读经、灵修教材。在这块三角地生活了十余年，自认为有"主场优势"，又被这种可见的多元化与隔离状态所吸引，选择该地的天主堂作为田野工作地点似乎是一个自然而然的选择。在家人再三嘱托"不要被他们洗脑"，并且不放心地请来一位信得过的长辈暗中同行后，和教会接触的结果却是得到了神父的，"我们凭什么让你进来？想要了解买本《圣经》自己读去，你又不是为了信教来的，我们这儿不需要调查的"这样的答复。这不禁让人回想起曾在南方某座城市进行入户调查的过程中，在一户粘贴着圣经对联的居民家门前，当地社区工作人员连连摆手："不要去找他们，离他们远点。"

　　田野研究的挫败感是人类学者文化挖掘过程中的天然伴生物，有时即便是能够得到他者的完全接纳，各式各样意想不到的困难还是会纷至沓来；但是即便是失败的田野，也可以是一处好田野——如果被拒绝，又为何被拒绝？实际上，在与神父接触之前，教会内的个体信仰者们，对于公然出现的研究者并没有明显的反感，而是有强烈的相互了解的需要和好奇心。"我们家是三十年的教友了，我姐妹6个都信，我住在西郊，很远的，但是每周都要来。""之前家里人都信，我嘛，年轻，小时候受影响，但是大了就觉得不需要，那时候家里人是真着急啊，我母亲去世之前都在求天主恩宠我，领我回来。母亲去世后没多久，梦里回来看我，说因为我不在天主怀里，她不放心，我就一下明悟过来了。那之后就开灵目了，什么都明白了，不仅救了自己的灵魂，还因为天主的恩宠，能开口传福音，宣讲天主的道理……"个体信仰者在访谈中提供了同质性颇高的重要信息：个人较长的归信时间、家庭内代际传递的长期归信史、家庭/熟人网络的传教-归信-传教过程。本堂神父在清早那次人数稀少的布道中一再强调："……要记住你们和他们[4]是不同的，你们是神拣选的。你们和对面的那些人[5]是不一样的……他们叫咱们圣母教、玛利亚教[6]，其实他们才是歪曲了神的道路，要勇敢的和他们对质……这世界上的宗

4　指教外人士。

5　指仅一街之隔的东正教会和新教教会，这次布道是在六月底的一个周日，三个教会都有礼拜。

6　作为一座现代建筑，尽管从外观看来这座教堂十分醒目抢眼，但仅就教堂内部的造像和装饰风格来讲，基本没有传统天主教堂内部那些宗教符号的装饰，甚至十字架也是极为简约的新教风格。硕大的主堂内祭坛是一张简易的、没有蒙布的桌子，没有与之相对应的洗礼池，弥撒中必要的读经台也是没有的，更看不到收纳圣体的圣体柜。这些天主教仪式中非常重要的组成部分的缺失，使得这座教堂能

教很多，但是只有天主教才是天主设的真教。"也许正是因为这片三角地的多元和密集带来的张力，结合这座城市自身人口以外迁为主的特性，以及宏观的历史背景，才使这个天主教会作为一信仰共同体的封闭性得到了异常明显的呈现。

好奇心是最大的动力，田野的失败更加加强了这点，而且成功地催使研究问题、研究方法和研究策略进行有效调整。基督宗教在当今中国社会的迅速发展，这种现象本身及其背后的动因一向受到学界的高度关注，考查为何信、如何信，以及教会团体与社会文化各方面交互关系，信仰者多重角色和多重身份的讨论，都是主要的着手点。当前学界已有的大部分研究成果，目光多集中在乡村快速增长的基督新教上，少数不多的天主教研究围绕九十年代的农村教会，或是当前农村教会展开。那么流动性极强的现代城市中，时下的天主教会里到底在发生什么样的变化？在现代性为背景，个体主义观念盛行，基督宗教在西方明显转型的当下，三角地的这种反其道而行之的封闭性是否具有一定程度文化上的普遍性？

带着这样的疑惑，以及前期田野失败的焦虑，和寻找并进入新田野的苦恼，更为开放、便捷的 B 市成为最有可能提供解答的地方。作为人类学的从业者，宗教研究和与宗教人士的接触本不是什么难事，然而初次与天主教会打交道的下马威，就仿佛是一版剧情糟糕透顶的第一次接触，还是让其后的尝试隐隐约约萦绕着"可能再次失败"的味道。虽然早有调整策略的想法和准备，但是时不我待的压力使得等待成为一种煎熬，直接进入田野还是成为最佳选择。

早在正式开始田野工作之前一年的圣诞节，与 G 省基督教堂相比照，S 堂夜间弥撒的人声鼎沸是一次同样意外的遭遇。偌大的教堂内，除了坐满"望弥撒"的教友外，从里到外甚至包括院子里都站满了好奇的"游客"，当然还有门外警报闪烁的巡逻车辆和神情并不轻松的执法人员，多方对照，泾渭分明。领圣体仪式开始后，老教友们为了防止教外人士误领圣体，见到不熟悉的面孔便赶快拦下，劈头便是天主教知识问答："圣灵是什么？"，诸如

否承担最基本的、诸如圣体瞻礼这种重要仪式都存在疑问。整座天主堂整体风格与新教教堂十分相像，不多的区别就是身着罗马衫佩戴领片的神父，祭坛后抢眼的硕大圣母雕像，以及数十排带跪凳的长椅。这不仅与 S 堂形成鲜明的对比，更与隔街相对历史悠久的新教和东正教教堂截然相反。

此类。即便陆续前来的"游客"喧闹地打破了神圣的氛围，却并没有人去阻止好奇的教外人士参观、参与到整夜的仪式中。这样的开放性也为田野研究的展开提供了良好的契机。在几乎可以说如履薄冰的大胆尝试过程中，机缘巧合偶遇报道人 D 女士，才算是正式成功开启了两个世界间的穿行之旅。

我们在此相遇。

当最终离开 B 市 S 天主堂时，报道人 D 有些惆怅地的说："我最怕人走了，你那么好，应该跟从主的，再考虑考虑？救灵魂可是一辈子的大事，可一定要回来啊？"虽然已经抱定脱离田野的决心，但十余年前发生的一个小小插曲又浮现在眼前。那是在白东向西的客车上途经荣市的三角地，窗外夏日阳光正好，身边那位只向很少数朋友公开过教友身份的、家人的好友，指着窗外红砖绿顶，日日常见的巴洛克式基督教堂，饶有兴致地提出了一个问题："你怎么看？"

"无稽之谈。"

十年前当被问及这个问题时，所有的坚定和决绝到今时今日，每每忆及当时那位朋友瞬间便黯然神伤的神情，不仅仅变成了一种无知而可笑，甚至在结束田野工作后面对报道人殷切的期望，都已经变成了更深的疑惑和焦虑之感，一种田野中原生出的、脱离不去的罪恶感。作为某种程度上的文化他者，这次田野研究带来的成果，尚且不提能够在多大程度上帮助 S 堂的各位教友，最大的问题是到底能在多大程度上呈现出现代社会中的个体信仰者？得失寸心知，思之颇觉焦虑，诚惶诚恐。加之那种自反式的罪恶感，大概也是在田野中最终坚持下来，又将所得展示出来供人品评的推力吧。

第 1 章　问题的提出

1.1 宗教迷思

在一个从数量到类别，都拥有大量宗教信仰形式的城市中，如果将这些宗教场所分布的情况和利用程度，与当地总人口进行交叉汇总，乃至进行相应的数量模型分析，更会发现在统计学上，这样的一个城市可能拥有多少饱含着信仰行动的个体。数量和结构本身，配合长期的变动趋势，都可以直观地揭示出该地区宗教信仰活动的规律性变动。可惜的是，虽然目前国内已有学者和相关机构致力于建立一个较为成熟的宗教数据库，但囿于刚刚起步，以及具体操作上和调研过程中可预见的复杂性，大规模数据可以带来的全景优势却几乎是不可求的。

作为与文化上的他者已有百年交往历史的两座城市，荣市和 B 市的确很早就成为了中西文化交流融会的前沿阵地：除了传统的佛、道、儒，还有东正教、天主教和基督教，更有清真寺间或耸立，更不必说民间信仰；至于各色教派毗邻，遥遥相望成犄角之势，更使得宗教因素成为这座城市文化形形色色定义者中的一个——尽管这些定义者自身被社会赋予的道德地位并不一致。

身处于这样的一个文化空间之中，无法不去思考宗教的存在和意义，并对伴随而来的一系列现象和问题感到好奇。在一个有长期文化交流历史，又包容了多种宗教文化的现代城市中，作为一个基督宗教[1]个体信仰者到底意味

1　基督一词代表"受膏者"，侧重于指代耶稣的神性，天主一词更侧重于神的位格。在天主教进入中国时，利玛窦采用"至高莫过于天，至尊莫过于主"来指代大公

着什么？

　　宗教和信仰实践，作为一种私人领域内隐性的个人属性和群体结构，常常并不以明显的视觉化形式表现给"圈外人"。而在基督宗教中，这一现象尤其明显：虽然同样拥有肉眼可见的符号化的场所（甚至更为明显而不寻常），但是由于其自身的、历史的、政治的种种特性，这一场域，似乎和它的行动者更存在明显的隔离。而他的一系列仪式化的、符号化的实践更是受到空间上严格的限制。基督宗教的符号化表达，往往被限制在有限的时空和地域范围之内，在此之外刚性的制度限制使之几乎不能通过其行动者自然地呈现和传递。其符号在社会文化环境下，以流行文化或身分标示两种途径来表达，但这两种途径却常常都被主流文化视为两种"异常的"亚文化。在基督宗教和公众社会之间，有一道无形的界限，是其它民间信仰和本土宗教所不具备的；而在社会性的公共话语空间中，基督宗教的声音更是微弱，也因此，它可被视为一种"越轨"的定义者、异质物，提供了一种截然不同的亚文化。

　　之所以将其界定为越轨的定义者，更是基于一种长期、历史性经验事实的基础。从历时性的角度，"洋教"的坎坷经历也凝缩了一个帝国幻灭的苦难史，更体现了政治权力和其建构的一套意识形态，与宗教二者在社会生活诸多领域各方面的相互影响和博弈。在基督教这种"洋教"试图进入到与闪族文化截然不同的另一种文化中时，它所面对的最大问题，在其根基上并不是两种不同的世界观之间的冲突和斗争——文化震惊只是文化间交会的表层表达，而重要的是这种他者的世界观是否能够有效地对其进行转译乃至接纳，这一过程也可以说是一次两种文化之间包容性的角力。基督宗教和它背后的一系列意识形态，从历史-现实的角度来说，并没有获得如同儒教一样的宗教性地位，而是被文化力量和政治力量同时边缘化，成为功能性的若干备选可能之一。可是，对于这样一种边缘化的群体，目前的趋势却是短时间内参与的人数一直在增加——据有关资料显示，目前数量已有千万[2]以上，且信

　　教会。在禁教和开埠通商两阶段，大公教会与新教采取的翻译方式有差，此后天主教与基督教两个教派的区别模糊化。虽然英文中两个教派很容易分别，但中文却很难分清楚。这一翻译的困境很有研究价值，但并不是本文的核心关注。本文中，以基督宗教指代包含了天主教、基督新教、东正教等教派的，最广泛意义上以圣经为核心文献的宗教。宗教学与神学研究并不能简单割裂开，否则就会出现内涵外延的混淆。

2　2010 年出版的《宗教蓝皮书》中有这样一些数据：据河北省天主教信德文化研究所的统计，截至 2009 年 12 月 10 日，国内天主教会共有神职人员（主教、司铎、

仰实践的表达也与西方学者预计的趋势并不一致，这一现象自然会引起学界的关注。

人类不同于动物，在身体和生存的问题之上，还有智识的好奇驱动需要满足，心灵结构上的空缺需要填补。宗教是人类思维、文化，或者说人类本性的自然需要，具体的事例在早期人类学研究中不胜枚举，没有哪种文化——甚至是长期被认为并无宗教的中国——可以跳跃这一阶段。从瓦罐中以婴儿姿势蜷缩的克罗马农人，到穆斯林葬礼上阿訇的念念有词，再到复活节上庆祝救世主复活的人群，从文明诞生之始，泛灵论、图腾崇拜、巫术，人类思维活动在宗教的驱动下，形成了关于这个世界，以及终极实在、终极意义的高度复杂的观念。

同样有说服力的是，大量的人群并不从属于哪一教派传统，不举行仪式、进行崇拜，或广泛地宣扬无神论，拒绝宗教。而针对宗教这种明白可见之物的刻板印象、道德评判倾向更是多种多样："野蛮的原始思维"、"心智未成熟阶段"、"非理性的错误认识"、"封建迷信"、"精神鸦片"等。然而即便是以各种形式拒斥宗教，也不过只是以一种反对者的形式表达着宗教作为文化的古老自生物，对人类文明施加的无法摆脱的影响。

现有的科学和理性逻辑中，似乎"理解不可理解之物"的尝试和寻找"真实之上的实在"，不过都是人类思维过程的一段意外的弯路。理性、玄学和非理性几世纪的争执过程中，抛弃非理性部分成为惯常的操作，甚至连宗教中的理性成份也被彻底否认。不过与其说这是人类理性经验认知能力对人类自身非理性成份的超越，不如说是小心翼翼的自我规避，抛弃和剔除的领域只是被遮掩而并不等于不存在。曾经被道德哲学和神学所专属，关于人

执事）3397 位。全国 10 所大修院共有 628 位大修生。106 个女修会有 5451 位发愿修女。全国有 5967 座教堂或祈祷所。据不完全统计，全国有教友约 5,714,853 人。考虑到一些特殊情况，教徒实际人数应高于 600 万人。世界宗教研究所课题组统计指出，在基督教徒中，基督徒 2305 万，约占全国人口总数的 1.8%。其中女性占 69.9%，男性占 30.1%。从受教育程度来看，中小学及以下学历者占 54.6%，初中学历者占 32.7%，中专及高中学历者占 10.1%，大专及以上学历占 2.6%。从年龄来看，35 至 64 岁信徒最多，占 60% 以上。从地域分布来看，我国基督教徒主要集中在东部地区和长江流域地区。调查亦显示基督教徒信教的主要原因中，受家庭传统影响而信教的占 15%，归因自己或家人生病的信徒占到了 68.8%。杨凤岗的《当代中国的宗教复兴与宗教短缺》一文中有更详细的统计数据分析。

类生存关系域，及其走向等根本问题的研究，更是成为社会科学"客观而科学"的研究领域，"我们需要超出对原因和结果的臆断而进行深入的调查，从而科学地确定其根本原因，以及如果不能补救将要付出的社会代价[3]"。但是"无论怎么训练把注意力放在所谓社会存在的硬事实上……那些所谓社会存在的软事实……仍然蜂拥而来，打破了关于实力、欲望、算计和利益的简单画面[4]。"宗教是一种关于存在的终极情感，人的必死属性确保了"来世"作为问题的存在，理性无法超越。诚如伊利亚德所强调的宗教的人（homo religiosus），"个体的人的一种潜在的宗教情结，是一种具有宗教情结的人格存在[5]。"虽然在福柯、Asad 等人看来，纯粹神圣的伊利亚德式与历史相异的神圣体验是不存在的，但依旧不可否认神圣与世俗是人类文化存在的两种基本样式和基本面貌。试图剔除情感的、道德的、信仰的不可控因素，单单通过因果关系链条中那些客观化的变量去解释人类社会和文化生活的整体，其可行性实在是值得商榷。

虽然人类学者试图通过研究他者，达到比研究自我更深刻的自我认识——或者不如说文化内部的自我认知总是无法跳脱逻辑自证的怪圈，但是众多传统研究中，学界习惯于将研究的目光投射向异文化的他者，习惯于在原始文明中解释其仪式、象征、实践背后的本土逻辑——而其中长期缺少的，是将基督宗教作为一种西方文明文本中的"本土宗教"，真正反观自身的视角。

而另一方面，现实的问题是，各式各样的社会问题，在当今网络媒体和信息手段的传播下，得到了过去几世纪所不能得到的大范围、迅速持续的关注，带来迫近的危机感及恐慌、文化多元冲突的身份恐惧。有关政府政策行为、公众人物言论、群体性事件、食品药品安全、恶性事件、网络狂欢等等一系列的事件，似乎都在传递着"这个社会怎么了"，这样的控诉。公众，甚至学者，都倾向于将这种"问题突发期"，归因于或是政府的失策，或是道德的沦丧，更有不少人认为，这是因为国人缺少信仰的缘故[6]——完全功能主义的将宗教视作可供取用的道德观，而绝非一整套世界观和行为准则。在

---

3 文森特.帕里罗，当代社会问题，第四版，北京，华夏出版社，2002, 1: P2.

4 格尔茨，追寻事实，北京大学出版社，2011, P48.

5 米尔恰.伊利亚德，神圣与世俗，北京，华夏出版社，2003, 1: P3.

6 简单地由部分个体悖逆伦理的行动，得出这样一种行动是因为个体之"恶"，最终归于个体、家庭、社会道德的"沦丧"，"信仰的缺失"，这涉及到一个更大的对于"道德"和"信仰"的误读、逻辑错误，在此也不再进行专门的讨论。

这一基础之上，结合着民族主义情结，轰轰烈烈的"宗教复兴"运动拉开了序幕。而这场复兴的运动中，真正"复兴"的恐怕并不止宗教一物，民族主义、民粹主义，甚至是"文革控"的文革怀旧群体等等，各色各样的思想和言论再度涌起。"人们时常感到跌入陷阱，因世界上各个社会的结构中出现的似乎非个人性的变化[7]。"

作为感官上实际存在的认识对象，林立的教堂、寺庙，成为一个符号的楔子嵌入到经验体验之中，也许只被当作一种不同寻常的、可供休闲游览的建筑物；也许又能够为越来越没有安全感，又患上了现代性恐慌症的个体，提供一种触手可及，社会成本相对低廉的确定性；一种可以依托的终极意义解释和确定性。当时空重组机制丧失时，虚空[8]也开始被赋予意义和价值，这种前现代并未直面过的变化，也在深刻地改变着当今文化，求问着可能的、行之有效的应对途径。而与"过去"不同的是，此刻这种非个人性的变化，其体验和应对的主体都已经变成社会生活中的个体行动者。

1.2 宗教内部看宗教

在社会研究的开端，涂尔干就将社会整体按照宗教逻辑进行了研究，寻找促使社会有序运行，个体遵循社会规则的集体行动逻辑，而韦伯也将宗教作为社会研究中的一个重要的社会事实进行考察和探索。人类学者如早期的泰勒等人也一直强调宗教在人类文化中的地位的独特性。但是，一个依然存在的问题就是：宗教自身似乎在传统学术研究中成为一个不能自足的"被动因素"。

纵观长期以来的宗教研究，一些学者极力在尝试的，先是对基督宗教进行不间断地证实和证伪；继而是跳脱真伪性的大论战，转而投向"功能主义的宗

7　C.赖特.米尔斯，社会学的想象力，三联书店，2008，P1.

8　吉登斯指出，现代性完全改变了日常社会生活的实质，影响到了我们的经历中最为个人化的那些方面。它首先意指在后封建的欧洲所建立而在 20 世纪成为具有世界历史性影响的行为制度与模式，其次意指包含竞争性的产品市场和劳动力的商品化过程中的商品生产体系，以及组织化权力的大量增长。在他的一系列现代性论述中针对时间和空间分离有一系列精彩的论述，提出了用历史去创造历史的人类文明变化。现代化是一个描述性的概念，指现代发生的社会文化变迁的现象，发展中的社会为获得发达的工业社会所具有的一些特点而经历的文化与社会变迁，包容一切的全球性过程。

教"的研究——将宗教视为受到社会、文化的某种因素影响的被动结果[9]。比如将中世纪神权的衰落被动地归结为经济的、政治的变迁，或者是将宗教等同于超自然存在，神圣化的群体、氏族乃至社会的一整套信仰和仪式——抑或是一整套的文本和世界观，以及拥有这些共同信仰的"想象"共同体。

以往研究中，宗教现象最后都要被定义为宗教中的某一可具象化的现象、行动、规范或群体，而这实际上看到的永远都是宗教的某一个部分，就好像埃文斯-普里查德提及的"**如果我是马[10]**"的想象——一种在宗教外部看宗教的进路，研究者没有确实了解信仰者如何思考，只是想象信仰者与研究者采取一样的方式进行思考。这种偏离甚至比神圣和现实间的认知障碍更为严重，却在日益具有全球性的当今社会不仅没有减少，反而有所增加。宗教与人类存在的生活图景本身有关，那种认为人类需要宗教是为了社会的秩序或者道德，以及人类的福祉这样的想法未免存在本末倒置的嫌疑。学者所秉持的"不信的传统[11]"，结合研究中，对于宗教进行有意或无意的片断化的分割-黏合式操作，综合在一起影响着对于宗教研究的认识中轴和基线。即便是强调本土性、撰写和阐释的格尔茨那里，对于宗教的定义甚至也不能摆脱这种逻辑：

> 宗教就是：一个象征体系；其目的是确立人类强有力的、普遍的、恒久的情绪与动机；其建立方式是系统阐述关于一般存在秩序的观念；给这些观念披上实在性的外衣；使得这些情绪和动机仿佛具有独特的真实性。（格尔茨，《文化的解释》，纳日碧力戈等译，上海人民出版社，1999，105页。）

格尔茨将宗教归为了一种文化体系、符号体系，一种可以与其他文化系统相区别的系统，一整套心态和动力，一种意义和观念构成的文化模式。通过宗教符号传递的一整套意义解释，为人们提供了关于生命本身的认识和态度。他强调本土化的宗教阐释是"最本质"的，来自外部的解释不能取代本

---

9 在这两个研究倾向中有大量学者的著作可以参考，布鲁尼、菲奇诺、皮科、奥古斯丁、伊拉斯谟、笛卡尔、霍布斯、叔本华等等，几乎主要神学、哲学和部分社会学者都对此有专门的著述。在此仅进行简单概括，不再展开。

10 E.E.普里查德，原始宗教理论，商务印书馆，2001.

11 关于宗教内部和外部的讨论，要明确的一点是这里并不强调要以一个完全的信仰者身份出发才具有解释力，而是强调尊重宗教的主体性地位，即一个研究者必须具有一定的神学素养，和宗教研究经历，尊重局内人的"地方性"认识和阐释。

土阐释。而人类学对于宗教的研究，就是要进行两个操作：分析使宗教适当的符号和嵌入其内部的意义体系；以及这一体系和社会结构心理过程的关联。虽然格尔茨强调"本土意义"，但他也更强调宗教与其他文化现象的界限，强调要将宗教现象与其它文化现象分割开来[12]。

在实际研究中，机械的分割操作并不适合于宗教研究，会带来一种僵化的模式套用。试图纯化宗教元素的操作无疑被证实难以进行，即便可以达成此种操作化，那种"哲学家的上帝"、一种抽象的思想和见解、道德的劝诫，即便人为加和也已不再是人类学家所关注的宗教总体。作为认识过程中的分类系统，其本身的加和绝对不等于被认识对象的总体。宗教符号不可能脱离历史或社会生活的关联而被解释，它是紧密地与社会生活相关联并随之改变的。而不同的宗教实践和表达，对于宗教表现获致其身份和真实性更是具有本质性的作用，任一宗教其可能性和权威地位都是具有历史性、特殊性的权力和规训的结果。在将传统意义上人类学的宗教定义进行问题化[13]后，传统宗教研究和宗教定义的片断化操作也就存在两个面向。其一是宗教本身消失在"宗教的片段"之中；其二是已经片段化的宗教又从历史、社会的延续整体中剥离、再片段化。

两种片段化，都已经出现在宗教学和神学研究之中。前者的宗教研究偏向于功能性的研究路径，将宗教作为一个观察对象、一种客体，通过历史性、客观性的描述和比较，价值中立地研究感性的和经验性的事实，找寻其质性规律和功能性作用。而后者视角下的宗教研究，强调寻找一种人对于神的正确认知，定准化、教义化、伦理化"真理"，是以"神"这个概念为核心而展开的宗教研究。

实际上，还存在着第三种片段化的过程。当现代性还未完全脱离神学传统[14]，个人主义也没有从神学思辨中自反性地跳出神人关系时，宗教依旧是一个无所不在的常态化存在。传统的宗教研究认为，当一系列社会设置，尤其

12　对于格尔茨宗教研究的评述，Talal Asad 的 Genealogies of Religion 一书中已经进行了详细的解释和论证，在此也不再做过多解释。可参见蔡圣晗，黄剑波"权力、阐释和现代性——论阿萨德对宗教的谱系学研究"一文。

13　Talal Asad 在针对宗教的谱系学研究中质疑了已有研究中的西方中心主义倾向，认为它并不能代表人类宗教的整体。

14　现代性与神学之间的关系，以及现代性的神学起源问题，可以参考吉莱斯皮和 D.F.Ford 两人的专著。

是发端于神学传统的社会设置，如律法、科学和政治，不断地从宗教中抽离出去后，宗教才最终成为一种特殊的、不可化约的、独立个体的实践和信仰。但是，宗教过去是、现在也是一种与"非宗教的"思维和行动紧密关联的话语结构，而绝非片段化操作中，界限可以清晰界定的领域。人类学者在田野中想要研究、应该研究的是"活着的上帝"，包含着通过行动的个体信仰者所展现出的神圣性和神圣经验，而绝非一个抽象的、符号的、哲学家的上帝。对上帝观念、宗教思想本身的把握，都在弥合神圣与现实间的认识沟渠，为学者提供一套"圈内人"的认知框架，来更完善地理解和展现田野之中的宗教体验及表达之具体形式。宗教内部看宗教便是试图跳出片段化，对神圣世界进行整体性把握的尝试。

此外，被现代性和西方认识逻辑所隐而不宣的一个问题就是：西方学术研究下的宗教预设和非西方传统中的宗教预设，二者就算不具有完全的本质差异，那也是并不一致的。这种片段化使得对于宗教的研究中，已然先验地将基督宗教的一整套逻辑作为前设，而文化多样性的呼求却并没有实现，以一种西方预设的宗教，来研究"他者"，寻求"本土"阐释，无疑存在更为严重的片段化的问题。

基于这一事实，尽管以萨林斯为代表的人类学者提出了对于人类学自身"西方殖民主义"传统立场的反思和挑战，以及格尔茨强调的本土化阐释[15]、人类学者要对于他者"书写自己历史"的主动地位更加重视——学者们乐观地认为可以对一向边缘化的"他者"进行赋权。但依旧存在的问题却是：伴随着殖民主义、现代化工业化指向而席卷全球的西方文明，它对于世界各地的影响已经是一个长期渗入性既成事实。同时文化的交会从来不是遵循"主体到客体"这种单一方向、在单一平面的简单逻辑而进行的，两种文化交会的场域内，双方都存在接纳并改造的过程，但是这一过程又不止于本场域的有限时空范围之内，其余波将波及到所谓的"主体"文化域中。从谱系学角度来看，西方力量带来的变迁，使得我们无法确定所谓的"他者"和"本土"到底是多大程度上的、"真正"的"他者"和"本土"，所谓的"过去"和

---

15 关于格尔茨的宗教定义和宗教论述，有批评指出他过多地采取新教改革之后的欧洲宗教作为蓝本。但是格尔茨本人在长期的田野过程中，有着良好的伊斯兰研究成果，不可能没有注意到伊斯兰传统和新教传统的差别。关于这一问题，到目前为止尚未有令人满意的解决答案。

"历史"到底是谁的、怎样的"过去"和"历史"。世界体系和殖民影响已经是一个无法摆脱的前在，可供严格"比较"的"过去"并不是严格意义上的实验组或对照组，"流动的宗教"过去以及现在一直在与整个历史、社会，以及更广泛的"非宗教"因素发生着联系。

但是，这并不是意味着要反对格尔茨所强调的本土化的宗教阐释，也不是要过分强调西方影响而忽视地方性文化的力量。更重要的是要在理清诸方关系的基础上，认识到宗教研究、人类学研究中所采取的一整套研究方法背后潜藏的、不平等的意识形态，认识到我们无法完全摆脱它的影响。

S 天主堂的一位神父[16]在访谈中提出这样一个观点：

"我知道，现在社会上有很多人在研究我们天主教。其中不乏很多大学者，来自很多一流学府，比方说社科院、清华、北大。某大学宗教系还专门有天主教研究班，对天主教的知识很高。他们也能说得头头是道，看上去很有道理，但是他们不知道我们的信仰到底是怎么回事。因为他们以为自己了解，其实根本是不了解的。我们这是信仰，不是为了学习知识文化，我们只为信仰，如果你只有知识就很难明白道理，只有透过信仰的角度去看，才能看懂。他们没有信德，就不能真正懂得天主的道理。

"你可以问问自己，别人说的天主教是什么？你知道的天主教是什么？你希望的天主教又是什么？那它本身又是什么？'除非经过我，谁也不能到父那里去'，不真正接受主的道理，不走近教会，就不可能认识真理。"

报道人 D[17]更是有这样的一番论述：

"教授[18]能指点你到我们这里来就是好事，我们就是需要有文化、有知识的人多加入进来。不过，你知道教授为什么要你来么？那是因为很多事情，教授也是不知道的。他在外面，研究是研究，可是一个普普通通没有走近天主的人，怎么可能把天主的道理讲得

---

16 S 堂本堂神父在得知这一田野研究时，有这样的一番论述。

17 D 是在整个田野调查进入僵局的时刻，偶然结识的 S 堂老教友，也是通过她，这项研究才最终得以继续。

18 与 D 第一次见面时，她表示并不太能理解对天主教进行研究的动机。在了解到这次研究是在导师们的指导下进行的，并且会形成论文等文字形式后，D 表示非常欢迎教授们指导学生多来教会学习："教会就需要更多有文化有知识的人。"

清楚呢？就算你学历很高，你也还是不懂。"

上述三种对于宗教片段化的研究，有很大程度源自于宗教之外看宗教，或者说是"不信的传统"的研究进路，尝试将神学意义上的讨论与宗教研究分割开来，以期避免针对于信仰真伪性的无穷无尽大论战。避免将"对意义和真理问题提出价值中立的判断[19]"，作为社会科学对于宗教之研究的最终目的。但是宗教是一种广泛指涉的文化现象，在神学、宗教研究之间创造一个简单二元对立的体制，或是在"'信仰声明式'神学和'中立的'宗教研究[20]"之间选择立场，都存在一种过度简化宗教现象之复杂性的问题而有所偏颇，更是为宗教对话带来了不便。

也正如阐释学，以及转向后的人类学所一再强调的，学者应该关注的不是一种冷冰冰的，寻求"普释力"的实验科学，而是要透过表面上盘根错节的社会现象，探求符号、象征、结构、意义等等，在当事人的整体意义之网中的阐释。也就是说，关键不在于它是什么，人们为何选择它，或其背后是否有唯一真实之物，而在于它究竟意味着什么。

当 AAA 将"advance anthropology as the science that studies humankind in all its aspects"这样的陈述改变为"advance public understanding of humankind in all its aspects"时，人类学不是与科学精神背道而驰，而是勇敢而坚定地解决那些科学无法解决，便遮掩起来的最关乎完整人性的问题。

1.3 人的田野

田野毕竟是人的田野，在首次进入田野的尝试宣告失败之后，整整四个月，一个让人寝食难安的问题，如格尔茨所言，就是"做出对一个人类学家而言最重要的决定（仅次于逃命）：在哪里开展田野调查？[21]"

一开始选定的 H 市所能提供的条件更加具有复杂性和多样性；但是田野中一系列混乱的经历，以及被访对象的意愿，使得该田野点不得不被放弃——因为身处其中所遭遇的困难、造成的麻烦，远超于所能获得的经验性事实。如果没有多年长期的精力投入，就无法真正将田野深入地进行下去。这一方面是

19 D.F.Ford, Theology, A Very Short Introduction, Oxford University Press, 1999, 16-30.
20 同上
21 格尔茨，追寻事实，北京大学出版社，2011, P75.

进入田野的策略问题，另一方面也是田野中被观察者的不满和"不可控"的表现。

　　田野并不是被发现的，而是被创造的，是由理论、方法、被观察者和研究者所共同创造的。在此后针对于田野地点的选择中，城市本身所具有的流动性和开放性程度成为了成功进入田野的一个重要因素，也进一步成为了田野地点选择的决定性因素。在同样具有开放性，以及更高的流动性的 B 市，考虑到已有的研究经历及研究时间、精力和成本而选择的 S 天主堂，巧遇了关键报道人 D——这一系列因素的叠加终于成功地开启了在场的观察者的田野调查[22]。

　　在整个田野研究的过程中，通过 D 以及逐渐熟识的其他教友的帮助，可以经常接触到神父、老教友、年轻人、外国神父和外国教友等等一系列身份差异各不相同的个体。虽然 D 作为关键报道人为整个田野研究打开了局面，但却也进一步带来一个在田野中期凸显出的问题。虽然 D 知晓这一段长期参与观察中，"我"是以一个研究者的身份而加入的，但是在与她和整个教会群体接触的时候，"多和神聊，少和人聊"这样的建议逐渐开始被她提出并强调，并且在有意无意地弱化"我"的研究者身份。而在这一次的慕道班结束时，D 似乎完全不在乎研究与否的问题，更直接无视了对于受洗的拒绝，而就是否应该受洗而展开了数次认真的劝说，并在没有参与一必要系列仪式的基础上直接替我安排了领洗：

　　　　"上个周末（十二月三十日）受洗，你怎么没受洗啊？我都给你选好代母和圣名了。那么冷的天，人家代母那么大年纪跑过去，结果一喊名字你不在，你知道人家代母多生气？人家说这大冷的天，你把人家忽悠过去，白跑一趟。我这可是求她当代母，人家才同意的。你看人家教授都让你来我们教会了，就说明人家也知道咱们教会的好。你跟着我，又跟着别的教友，在这堂里呆了那么长时间，慕道班都上完了，怎么就不受洗呢？我知道你是做研究，但是咱们教会这么好，主的道理这么好，你又有知识、有文化，不是都听懂了么？那为什么不受洗呢？你是有什么没想开的？还是有什么顾忌吗？是不是因为我后期对你疏于照顾的原因？还是说你想换个

---

22 本田野调查其实并不局限于 S 堂一处，B 市其他几所代表性天主教堂及期间举办的几次大型宗教活动也都在观察范围内。

代母？是不是顾忌到家里？我告诉你，这可是救灵魂的大事，你要为你自己想，不能总想着父母啊、别人啊怎么想，救了自己的灵魂才能去帮助其他的人。在教会里也有很多很优秀的人啊，加入咱们教会，以后能和教会里其他优秀的人组建家庭那就更好了……那你再考虑考虑吧，下星期（一月六日）不是还有一次受洗吗？咱们再好好聊聊，你再好好想想。"

在一月六日晚弥撒前，D 很真诚地提出，甚至可以在毫无准备的情况下，直接跳过坚振仪式和傅油礼，在接下来的受洗仪式上直接领洗。

受洗仪式标示着个体对基督宗教的最终归信，这一转变的核心就在于要建立一种身份的认同和差异性认识，要有明确的归属感和从属性的宣称。但是这一转变并非突如其来，在时间上和仪式上要通过收录——坚振——傅油——受洗的四阶段[23]，即闻道者（sympathizers）——慕道者——候洗者（competentes, illuminandi）——新教友的身份转换过程。通过收录礼的慕道者，因为已经有了"天主赐给的圣名"，才亲身接触到并正式为神职团体及教会核心成员所认识，成为教会核心群体承认的临时成员；而通过其后的考察期的临时成员们，在弥撒中的坚振仪式后才会被正式介绍给整个教会的成员们，获得仪式上的临时成员身份，并开始被要求认真参与弥撒；在作为领洗前准备过程的傅油礼再次强化这一临时身份之后，通过受洗仪式的临时成员们才在这一公开宣告信仰并公开得到教会团体接纳的"委身"仪式后，正式成为真正意义上的新教友。

无论我个人是否是一个"动情的观察者"，只怕自我身份的建构并不能与 D 趋同，而在五个月集中的田野研究中，不断浮现出越来越多的问题使得这种"委身"成为一个问题。不过这一次 D 主导的颇为严肃的对话，无疑传

---

23 这只是 S 堂内的成人入门实际操作中最重要的四阶段。按照教会给出的成人入门圣事之规定，慕道者收录礼之后在四旬期第一主日要有候洗者甄选礼，第三到五主日是候洗者考核礼（第一次考核礼后平日或慕道班时授信经，第三次考核礼后平日或慕道班时授天主经），考核礼结束后慕道者才得到彻底净化，可以成为准备领洗者，并在领洗前一天守斋，复活节夜间举行入门圣事，即领洗、坚振和圣体圣事，入门圣事后便正式进入习道期。可以看出 S 堂的实际操作和教会的规定还是有差别的，甄选礼和考核礼被并称为坚振礼，并通过傅油进行净化，在领洗仪式前要由神父聆听忏悔。

递出"田野研究应该告一段落",这样的信号[24]。同时,也带来了一系列看似老生常谈的田野伦理问题——焦虑的、忧伤的,甚至是罪恶的[25]。

人类学者对米德与弗里曼的一场世纪之争耳熟能详,如果说后来者能够学到些什么,除了早已讨论、争辩过的那些观点外,还有一点就是在一切的社会科学研究当中,研究者的"在场性"深刻影响着民族志所能反映的"事实",而研究者所能反映的也只是当时当地被观察到的"事实"。即使成功如摩尔根,能够成为印第安部落合法的一员,也无法全然客体化自我,抽离个人对于研究对象的影响;繁复如路威,巨细靡遗地记录下乌鸦印第安人的种种细节,所能呈现的也只是他所能够最大限度记录下的,当时当地的文化切面。而人类学者所能做到的,就是尽量展示自我如何认识和挑选了此种、拒绝乃至疏忽了彼种"事实"——必要时甚至展示自己的那本"马林诺夫斯基的日记",将自我的阐释机制毫无保留地呈现出来,让它们自行阐释。

1.4 问题的相关阐释

前人植树,后人乘凉,在真正步入 S 学院墙内丰富的信仰生活之前,与基督宗教相关的世俗化和个体化理论之论述,是在这座现代都市中大主教会开展田野研究不可回避的两大议题。

世俗化与迷信实证主义,西方与东方的差异性

作为世俗化理论的提出者,Berger 较为系统地提出世俗化的理论,一度引导着社会科学界的宗教研究方向。他认为:"世俗化意味着一个过程,经由这一过程,社会和文化的一些部门摆脱了宗教建制和象征的主宰[26]"。世俗化的过程并不局限在政治的、社会的、文化的结构和设置上,更应该包括个体心智在内。个体存在的意义性已经不再需要宗教来进行合理阐释和赋权,同

---

24 一月始,期慕道班成员大多领洗,对于 D 和我来说,我们的谈话已经不再是对信仰实践和教会群体的探讨,而彻底变成了关于我个人为何不受洗,受洗到底有什么好处等等一系列问题的冗长讨论。此时研究已经不再是一种观察者的自主观察和田野对象的自主实践。而同时,在时间安排上,田野也已经接近了尾声。

25 田野中的伦理讨论虽然颇多,但是个人情感上的感受并不是"我遵守了田野伦理"就能简单忽视。在最沮丧和艰难的一段日子里,恰巧是的教友们给了一个陌生人最大的鼓励和支持。

26 Berger, 神圣的帷幕, 上海人民出版社, 1991, P128.

时由于一系列客观社会设置的世俗化，传统的、社区性质的教会已经不再具有一系列经济和政治的重要意义。因此可以说，宗教及其可见的教会集体，已经变成一种针对于个人意义上的个体实践，宗教也不再具有最广泛意义上的社会功能，不再指涉终极意义的思考，而仅仅与个体的情感与存在相关联。

这一理论十分强调宗教与其它社会文化设置相互分离的过程，强调宗教整体的衰落和私人化。政治、经济、社会文化不再依赖神学才能获取合法性的地位，已然获得了一个完整的自我运行的"自治权"，且藉由理性思维逻辑而框架化、固定化、体系化。其内在逻辑越完备，依赖于宗教所提供的解释性和支撑力量就越少，当这些分化出来的部分最终完成内在逻辑的完善和封闭时，最终也就脱离关于神圣性的"迷思"。个体行动者在这样的社会结构中的行动，也会越加遵循其理性化的逻辑，因而也进一步导致个体行动远离宗教性过程，或者说，正是在个体行动和认知上，宗教性与世俗化才进行了不可逆的区分。一方面是团体性、仪式性的宗教活动参与程度降低，另一方面是越来越多的宗教行动者并不再去寻求对于自我的罪的拯救，而是采取了与大众世俗文化趋同的态度，更看重宗教带来的道德指示力量，或者仅仅是遵循一种社区或家庭的文化传统。关于存在和实在，根基处终极意义的讨论从公众层面上衰退了，取而代之的是"现代"之"光明的时代"对人类未来确定性美好愿景德承诺。和传统相比较，依旧坚持传统神学认识的人的地位发生了逆转，成为这个社会中的少数。

另外，关于宗教"消退"之世俗化的动力因讨论，大多强调城市化、文化多元化、理性权威化、权力的世俗化转移、社会分化的加剧、消费主义、高等教育普及的影响等等。其中最重要的是世界体系形成后，带来的多样性文化提供了一系列蜂拥而至的复杂意义选择，纷纷承诺可以实现人的美好愿景，可以说正是全球化和多样性推动了世俗化，而世俗化又在进一步推动全球化和多样性。"如果评论家们能对当代的宗教状况达成什么共识的话，那就是超自然者从现代世界隐退了。这种隐退可以用这样一些戏剧性的说法来表达：'上帝死了'或'后基督教时代开始了'[27]。"

实际上，世俗化理论生发于欧洲传统，也更适用于对欧洲传统的变迁的概括，当涉及到北美和亚洲的宗教复兴，以及伊斯兰世界强大的宗教权力干

---

27 Berger, 天使的传言, 中国人民大学出版社, 2003, P1.

涉世俗发展时，就不具有解释力。虽然没有否认事实存在的宗教复兴现象，但是这一理论依然强调世俗化必然是宗教发展的走向[28]。可以看出所谓世俗化，还是针对着"过去的神圣世界"而提出的一种二元对立视角，有着很明显的基督宗教预设和非此即彼极端化操作。

崇拜方式和个体行动、信仰形式的转变，是否就等同于宗教衰落，或宗教意义的丧失，其结论并不能轻易地得出。而世俗化理论更是局限在基督教和欧洲文化的范围内，甚至认为其他区域的宗教复兴不过是欧洲模式的一套模式复制和重演，将走向一样的结局，这恰巧忽视了它理论逻辑中最重视的多样性。新型教派以及非西方模式的信仰，被世俗化理论忽视了，欧洲才应该是整个世界宗教发展中的一个独特案例。目前有更多针对北美地区的研究表明，正是多样性和权威地位的丧失，驱使不同教派更加严格地界定自身，进而造成了教派内神圣性的提升，荣市三角地带天主教会便在密集的"宗教丛林"里明显地呈现出这一特征。

传统世俗化理论的最根本问题，是它原生自基督宗教的文化体系，以一种"确定的"虔信史来比照现代"不信的"社会。虽然其手段和归因是一套宗教学的"客观"方法，但根本上来讲，背后隐藏的前设还是对于"真正的信仰道路"的遵从。正是这种将"历史"、"神圣性"与"现实"、"现代性"的对比才限制了传统世俗化理论的解释力。在这种研究思路下，基督宗教不再是具有时空流动性的文化现象，而成为一种非此即彼，孰优孰劣的神学思辨物[29]。

在这个问题上，正是非西方传统地区的基督宗教归信趋势，提供了一种能够跳出基督宗教历史和其神学逻辑的理想类型——在一个世俗化与基督化同时产生影响的文化他者身上，能够更好地反映出基督宗教为主体的变迁。

西方汉学兴起时，针对于中国研究有一种倾向，就是认为中国"没有宗教信仰，而是一个完美的道德理想国"。它强调了本土信仰的多样化，且与基督宗教、伊斯兰信仰相比并没有明确的教义系统，统一的仪式和特定专有场所等等诸多典型特征。因而在西方学者看来，在中国宗教问题上，甚至是

---

28 直到 90 年代末，Berger 才公开承认世俗化理论应该被证伪，而他提出的支持这一论断的证据也依旧是业已存在的宗教复兴现象。

29 这与现代社会所谓"道德沦丧"论调的逻辑简直如出一辙。

更广阔的中国文化问题上，这个国度都是不可理喻的[30]。

在这种一致性的倾向和论断下，一种截然不同的声音引起西方学界的极大关注。作为被中国学者轻估的一位法国汉学界的重要学者，葛兰言[31]注重采用对社会事实进行历时性分析的方法，强调整体观念，试图从一个整体的中国角度出发，识别共同的文化基础和一般性的宗教模式。他认为不同于印欧文化思想，中国宗教更尊尚一种自然主义的世界观，对终极意义的追寻，并不成为宗教生活和世俗生活的终极目标，且不将此种追寻投射在一个人格化的神之上。神话性的、自然主义的思维模式替代了条分缕析的、追寻真理的迷思。进而，对于中国来讲，也就并不存在如同西方一样显著的"神圣"与"世俗"二分，而是一种自然秩序和社会秩序的羼杂与调和。比之于人格神，这种自然主义的世界观更强调针对某一具有神圣性的、某时空范围内的、"圣地"的崇拜与祭祀。这些"圣地"又在时间序列的传递中通过一整套礼仪规范了一切公共生活，而在空间结构的延展上又通过对于圣地等级的划分来确定社会结构中的阶层。这一整套的规范适用于社会，更适用于自然，并藉由仪式而发挥它的社会性力量，最终达成由自然主义向着象征仪式的转变——礼仪本身就已经被赋予了神圣性。进而在儒教为主的主流文化推动下，人们更注重仪式本身，而不强调仪式背后的人或信仰，不指涉实体，"圣地"也由山川城镇延伸到书本典籍、社会规范之上，人及其日常生活实践也从神和神圣性中脱身，但又不分离。这样，日常生活礼仪已经转化为一种宗教的修养和实践，为遵循传统秩序和规范而遵守传统习俗，构成一种总体性的集合行为；缺乏严格的教义系统，使得人们习惯于从生活和人本身的立场出发，去接受那些形形色色的宗教中比较"有效的"成分并加以运用，同时又奉行

---

30 从韦伯将中国概括为功能性神灵大杂烩开始，中国宗教就保有一种模糊的地位，中国人只有迷信并无信仰的观念在西方一度盛行。Lagge, Giles 和 Budde 为代表的西方汉学家强调其不可知论的特征，现代中国知识分子则强调儒学理性的特征。早期西方汉学研究文献主要思想大多集中于此，Hu Shih 更是提出了"中国是个没有宗教的国家"这一观念。此类观念不胜枚举，并在中国早期学者的著述中多有引用，后期更形成了关于"制度性"与"分散性（diffused）"宗教的两种概念分析。Joel Thorava, Overmyer 为代表的汉学家在这一问题上有详细探讨，杨庆堃更是著有《中国社会中的宗教》一书对此进行探讨，以上围绕该议题的论争在此仅简单概括，不再一一详细阐述列举。

31 针对葛兰言的研究，后世多有争议的是他历时性研究所依赖的材料之可靠性。而另一个尚未被充分讨论的问题是，葛兰言试图针对"中国没有宗教"这一断言而提出的一个"整体性宗教观"在很大程度上忽视了地方、民族差异。

一种道德上的主观主义以应对严格的道德和宗教审视。

正是在这种多元的、功能主义的前提下，宗教数量越增加，对于个体来说，宗教区隔和教义就越不重要，只不过是在增加神灵的数量，提供更多的仪式和可供采纳的"方法"。宗教性的承受者不是西方式面对死亡、地狱和天国的个体，而是面对整个宗族、政治秩序和现世生活的集体成员，而他们面对的问题并不是死后世界的永生天国，而是如何"天国化"现实的现世生活而达致最大的完满。在一个世俗和神圣力量边界不明、纠葛不清的生活世界中，人们并不表现出明显的宗教顾虑，但是他们的意识和行动无疑都是包含了宗教性的。

也是这种可以具象化为圣地，或象征仪式和社会规范的宗教性，避免了西方认知和行动意义上的神圣与世俗世界的二元分化。再结合民间信仰所具有的大众性和政治适应性，更使得宗教性以制度的社会形式体现出来。制度、社区、群体都承担并表达着宗教的分散性，家庭、宗族和乡村社区代替了教会，与国家一起成为中央-地方的双重宗教组织者，这种二元关系更是天主教会阶层体系所不具备的[32]。反观欧洲，正是政治权力脱离制度性神权，才导致 Berger 所谓世俗化；而对于中国来讲，政治权力常常采纳、包含了弥散的宗教性和伦理性。这种弥散、混合的状态，实际上避免了功能、意义网络的具象化和集中化，以及面对激烈的文化变革时可能带来的功能与意义在整体社会和文化结构上的大幅转移。

两种不同的宗教逻辑，影响着两种文化传统下学者们对于宗教他者的认识，更无疑影响着东方文化中的西方宗教实践。基督宗教，尤其是天主教，根基处的刚性规制与中国宗教文化传统的功能性操作相碰撞，两者之间的差异和沟渠至今依然赫然在目。基督宗教在今日社会所面对的很多议题，其实质不仅是两种宗教逻辑之辩，更是两种文化模式及其基础之上的合法社会建构之间，差异和区隔的直观体现。

集体建构与个体化

目前学界对于天主教的研究较少[33]，且强调一种神圣教长和世俗信众之间

---

32 杨庆堃在他的《中国社会中的宗教》一书中对此有更详尽的讨论，在此不再赘述。

33 基督新教拥有更高的开放性，对于基督新教的研究已经琳琅满目。此外，宗教外部研究宗教的进路也使得在天主教和基督新教之间的划分不是很明确，似乎基督新教便可以代表整个基督宗教。考虑到各种现实的因素，有关天主教的研究成果

的二分，注重一种针对"统治技术[34]"的发掘，并侧重于那些针对尘世间苦难而提供的"技术"。对于这种技术的运用，使得教会内形成了表面上的群体性认同，但是却没有为个体提供更深层的，对于"宗教内的个人"的清晰认识。所以天主教徒的身份，与其说是有一个明确的信仰的宣称，不如说是一种基于历史的、家族的传统而继承的身份，其中缔结群体关系的是血缘和地缘，而非神圣性的集体意识。而作为社会中的少数群体，这些信仰者在国家权力和公众话语下所能体会到的疏离和差异性，会加强他们对于自身独特身份，以及他们所归属的群体的认同。在强调作为一个信仰群体，与日常生活中的社群相比所具有的差异性的同时，他们又在不断尝试将整个群体重新归置在可以得到普遍认同的道德规范之中。对宗教自我的异质性阐述也往往局限在一套普遍化的观念里，宗教实践中的技术，不断与公众社会中的技术进行同质化的融合。而日常实践之中的宗教仪式，没有带来宗教意义上的神圣性，不过是相对于日常生活世俗性的一系列行动。通过仪式，不断强调身份认同和群体内的权力结构。神圣信仰和世俗生活的二分，甚至贯穿了信仰活动，各种技术已经成为一种仪式化的、节日化的行动。通过神职人员与普通教友之间的差异，和明确的二分法和权力分割，使得神圣与世俗之间和谐相处。神学的信仰并未进入到个体的价值系统当中，而对于身份的建构使得天主教徒更趋近于一种带有信仰特色的"少数团体[35]"。

这样的一些研究结论，还是尝试以历史上、过去的"真正的信仰"、"真正的神圣世界"为参照蓝本去检视当前的信仰生活。在这种视角下，被观察到的信仰者及其信仰行动都成为"表象"，甚至是"虚假和偏离"，这种潜在的对比和价值判断。实际上这样的研究结论，目前已经在基督新教研究中遭到了有力挑战：正是在乡村和民族聚居地区，宗教性、神圣信仰才与世俗生活更好地渗透到一起，创造出地方性的基督宗教信仰。以往研究中惯常采取的所谓"神圣-世俗"的二分法，事实上是将注意力再次集中在了"虔信"和"正信"这个神学问题和"终极存在"的哲学思辨之上。那些所谓的"不虔信"、"不正统"的表现，其实本应该是一种本土行动逻辑与基督宗教结

大体可以分为两种，一种是侧重于社会治理，另一种就是宗教信仰团体内部的研究成果，其发表文献很难获得。而其中对于城市天主教的研究就更是很少了。

34 韦伯在他的官僚制研究中提出这一概念，强调统治的合法性和技术。在中国基督宗教发展中，合法性一直是一个边缘化的问题，本文侧重强调技术层面。

35 类似于中国信仰伊斯兰教的回族。

合后，在其指导下之信仰实践的自然结果。

个体化[36]也是一个社会学者长期讨论的议题，传统世俗化理论和基督宗教研究都以此为理论前设。总结已有的研究观点，个体化主要有三方面的表现，一是个体从传统的规范关系网络中脱离，二是自我意识受到个体与群体的共同重视，三是个体相对于群体的重要性的上升[37]。中国社会所处的转型阶段使得这一理论也得到了广泛的接受，针对中国的社会个体化研究中提出，社会改革为个体提供了更高的流动性，家庭和集体对于个人控制力量的削弱，使个人脱离了传统关系结构，进而形成一种新型的社会关系网，并赋予个体新的社会属性。这种结构性变化也在改变社会生活中个体的认知，与之相伴的高度人口流动，在促进着个体化的不断加深，促进社会制度和文化的进一步转变。

这种将个体化理论直接套用中国社会事实的研究方法还尚需进一步考察，家庭的、宗教的因素不会像个体化理论中所强调的非此即彼地消失，个体化也跳不出一套本土文化逻辑，中国社会的确有个体化趋势，却并不一定能够达到目前研究中抽象出的那种完全个体化状态。即便家庭力量出现了衰减，个体存在意义上的最高价值承担者也并没有完全转变为个体行动者。从严格意义上来讲，个体主义源自犹太-基督教传统，其中的个体也依旧是与"神"相对应、相关联的个体。虽然不可否认地，人类社会从整体社会的多类型，向着共享共同性概念的新多元社会类型转变，但是需要再一次强调的是，基督教传统与地方性二者的"个体化"因其各自参照物差异的存在，并不会相同。文化的转译虽然一直以寻找对应物为主要手段，但是这种转译不等于精确又可直接比较的事实。

而另一个问题就是，个体化研究忽视了宗教内的个体化/非个体化现象。

---

36 个体化理论的确是一种强调与整体主义相对立，重视个体价值、忽视社会总体或使之处于从属地位的意识形态，但问题在于一般研究中常常忽视价值发挥作用时所产生的等级关系，这是一个连续性的、波动的等级结构，而不是垄断性的、简单的非此即彼的压倒。个体化或个体主义不等于有道德评判价值的个人主义，阎云翔所谓无公德个人主要针对后者，而个体主义严格来讲牵涉到神-人关系和个体存在论，是一种完善的个体意义解释和主体意义建构的连续过程。将个体主义放置回基督宗教、欧洲政治、哲学和民族国家的大环境中追本溯源，就会发现中国社会个体化研究在最基本的个体化概念上的误读。

37 赵爽，中国社会个体化的产生及其条件，长安大学学报，2011(13):2, 68-75.

尤其是在第二次梵蒂冈大公会议[38]之后，基督宗教出现了更加开放、平和，常试与世俗进行对话的变化已经成为宗教研究中出现的新现象。在城市化的今天，乡村个体越来越多地脱离平面的乡土社会，进入到立体化的城市社会网络中去，个体的离散随着现代化的深入而凸现，传统研究的那种"并非虔信的、乡村天主教文本中的被动主体"已经不能完全解释当前的宗教变化，但这也并不意味着个体主义成为宗教性的新的驱动力。"我们会发现，许多被认为十分现代的思想-价值其实是历史的结果，而在历史过程中，现代性与非现代性，或者更精确地说，个体主义思想-价值及其对立面紧密地结合在一起。[39]"

---

38 梵二会议，强调整个普世教会采取更和平和开放的态度处理宗教和社会关系。

39 路易.迪蒙，论个体主义，上海，上海人民出版社，2003, P17.

第 2 章 "拯救"的历史与本土化的 "神谕"

"在这里，该隐与亚伯仍然还未停止互相残杀。"

"……熟悉你在历史上的根。这是人之所以为人的唯一方式，也是我们避免在虚空中飘浮的唯一方式。"

——Jostein Gaarder[1]

2.1 拯救的历史

基督教在新约时期开始以希腊文撰写《圣经》；其教义和神学逻辑成型时，也主要受到拉丁文化圈影响。希腊哲学、罗马文化和基督教之间的关系，深刻影响了欧洲乃至整个世界文化的过去、现在，甚至是未来。谁也无法否认欧洲十多个世纪的变迁、及至整个人类的文明史，背后都有着神学力量的驱动。西方历史及其文化，对于现代世界的形成具有极端而不可忽视的重要性，对基督教文化的考察将会深刻地揭示，现代社会之何以可能，或将向何去[2]。

---

1 Jostein Gaarder, Sofies Welt, Deutch. H. Aschehoug & Co. (W. Nygaard) in Oslo, 1991. 中文翻译版本：Jostein Gaarder 原著《苏菲的世界》，萧宝森译，作家出版社，2003，164 页。本文对于 Sofies Welt 之引用均出于此中译版，不再一一说明。

2 阿萨德将此论断视为其宗教谱系学研究中的一个假设。不需要争辩这一假设是否存在着欧洲中心主义的论调——由殖民开始的，欧洲、西方在权力结构中的优势，"发展"、"技术"、"文明"概念本身包含的西方模式使得这一讨论毫无意义。但是不可否认的一点是，本土文化在很大程度上影响了西方文化，不过其程度虽作为人类智识的组成部分，理性、感性和无意识是永远相伴生的，秉承价值中立和文化多样性的原则，宗教研究不能被简单抛弃，或者仅仅是采取唯物论和进化论的立场对之不假思索的进行批判。现代理性的萌芽诞生于严谨的神学思考，基督神学对于文化的影响并未在中世纪消亡，反而随着地理大发现和殖民活动的扩张而得以扩散到全球各地。西方历史对于现代世界的形成具有极端重要性已经得到西方、非西方学界的承认，是一个不争的事实。

基于此，演化论、进步观、科学主义、人文主义、理性主义……无论采取何种进路和逻辑以试图统括近代人类文化之显著变迁，在纷繁复杂的诸种现象背后，无法理清是哪一种或几种力量导致了整个欧洲世界的变革。学界或是将之归因于达尔文学说的当头棒喝，或是地理大发现和异文化"他者"在地平线上的第一次浮现，或是工业大生产导致的碎片化状态，或是解剖学、医学的诞生带来的自反，或是科学哲学的发展，或是现代工业印刷和拉丁文的衰落……在并不短暂的时空过程中，每一次文明史上的转变都从各种角度昭示着最终变革的实现——但是每一次转变又不可能成为唯一的变革之力。遵照理性主义和科学主义"消灭神学"以便人作为独立个体"自由运用其理性"的逻辑，就预设了被封为圭臬的"理性"本身，必然有一时刻从无到有地创造出来，这使得理性本身又陷入到奇怪的逻辑陷阱之中，并引发了现代性根基上的深刻分裂[3]。

然在今日日益明显，却很难测量以详细比较，在此不再讨论。

3 回顾康德在《Was heist Aufklärung?》一书中对启蒙和理性的探讨指出，启蒙就是人们学会在没有他人的引导时自由运用自己的理性。但吉莱斯皮在《现代性的神学起源》中所提出，"他（康德）认识到，有充分的理由去怀疑，现代思想家所使用的理性概念能否为现代思想的两大目标提供基础，即通过现代科学掌控自然以及实现人的自由。"如若动力因链条中没有自由第一因推动，那么建立在动力因链条基础上的科学其实是不可解的；但倘若承认这种自由第一因的存在，又与理性主义强调的自然——而绝非神——本身的必然性相矛盾。康德在他有关纯粹理性的二律背反之讨论中通过将理性分割成纯粹理性与实践理性来尝试解决这一问题，但并未解决两种理性究竟如何在人的智识层面上结合起来的问题。二律背反对于现代性的左右力量便处于此处，人掌握和拥有科学的同时又确保自由的现代追求是根本无法兼容的。虽然全能神的意志被物质机械运动的自然所取代，但实质上是将神的必然性转变为自然的必然性，以及与之矛盾的人的自由。这一存在论上的矛盾和困境始于现代思想开端，并延续至今，是"现代性方案"核心处不可弥合的分裂。

　　基督宗教使"拯救"、"天国"这样的语句不再仅仅是古代文明史中，政治意义上的呼求，作为原本局限于政治意涵的词语，"天国"一词的意义在新约时期产生了巨大的转变。其现世化成份消失了，它不再指代君王统治下有疆域的领土，正如弥赛亚也不再是带领军队攻城拔地的大卫王——关于道德的诉求战胜了政治的争斗。而从新约时期开始，基督教就成功地在不同文化之间，把握住那些具有相似性的契合点——"太初有道"——来达到某种共识和妥协。古希腊时代的帷幕降下，基督教成为罗马国教；四、五世纪罗马陷落……柏拉图学园被教会关闭，圣本笃修会成立——封建时代结束，古代文明分裂，中世纪的拯救史自此开始。基督宗教逐步发展为今日的样貌，一直以来都事关人类的整个生活形态，对生活整体的诸多层面进行创造和改变。从十字军"东征"到殖民主义热潮，在影响了世界文明的基础上，它孕育了一系列现行社会制度的雏形，又与不同的政治、经济、意识形态系统同存。它的影响根深蒂固，是那些宣称已经脱离宗教影响，心智达到"理性高度"的人并未意识到的。

　　中世纪神学为欧洲文明和其中的个体行动者提供了一种确定性，一种世界何来、将向何去的必然图景。而面对今日繁芜冗杂的现代性，问题不断涌出，答案千奇百怪又各有合理性，可供拣选。宗教的力量似乎在传统核心区发生了让人疑惑的衰减和蜕变，但在那些地理大发现之后涌现出的"远方世界"里，基督宗教的快速发展又如此让人迷惑。远渡重洋的传教士和殖民者将"弥赛亚"和"天国"带去世界各地，不管最后的审判是即将来临还是遥遥无期，拯救的历史尚未终止。

2.2 本土化的"神谕"

　　空间上的近距离接触，使得各自宣称掌握真理的不同宗教，面对着各自不同传统的冲突。"粤若。常然真寂，先先而无元，窅然灵虚，后后而妙有[4]"，基督教在唐朝传入中国时就已经在文体和术语上，大量采用了佛教、道教经典，而两教对基督教的影响也随着时间的推移加深。为了达到不同文化背景、语言和信仰的有效转译而进行的采借，最终却导致了几种文化传统的相互影

---

4 引自出土的景教石碑，《大秦景教流行中国碑》，唐建中二年（781 年）景净撰，明天启三年（1623 年）出土。

响[5]。

自 845 年会昌法难遭禁之后，基督教便在中国迅速衰落，仅仅在帝国体系的边缘，尤其是开放外贸地区依旧留存。蒙古帝国横跨亚欧大陆后，罗马教廷和中国终于在官方层面上有了正式的接触，甚至两相联合，以对抗伊斯兰国家。明清时期基督教发展主要依靠殖民活动和耶稣会的传教活动，以澳门等一系列港口沿海地区为中心，向中国内陆和日本辐射，但是同时也遭遇到官方的强大抵制。时任耶稣会远东教务视察员的范礼安曾有"岩石呀岩石，你何时打开，岩石？[6]"的感慨。而针对中国，耶稣会的传教模式也由旧式的、高压的"欧洲化、基督化、拉丁化[7]"发生了转变，学习汉语言和中国文化一度成为了传教士的必修课程。从利玛窦开始，天主教在进入中国的策略上，进一步与中国本土宗教相联系，并从儒学和士大夫阶级入手，调和儒教与天主教中如"罪与过"此类的差异和分歧，采取一种上层"学术传教"的策略[8]。天主教在中国的传播，直至清康熙末年因"礼仪之争"而导致的又一次官方禁教为止，再没有中断过。

在根本上，教会与中华帝国二者的文化范式是不可能彻底调和的，但双方都还是尝试协调分歧。在一个宗教逻辑截然不同，更强调宗教功能性而非存在性作用的文化情境中，大量采借本土宗教的策略带来的负面效应便是天主教被等同于诸多教派的一种——一种边缘性文化、儒教的补充[9]，其欧洲式的"至一、至公、至圣"特质遭到了本土文化范式的剔除。西方严格的神圣与世俗二分法，"凯撒的归凯撒，上帝的归上帝"，在神化皇权的中国遭到了一系列的抵制；将基督信仰描绘为对于"原始宗教"、"古代正统"的回归这一策略也因之彻底宣告失败。

---

5 关于宗教间术语采借，天主一词最早来自于佛教，而现在已经成为专指天主教会的代名词。

6 晏可佳，中国天主教简史，宗教文化出版社，2001, P45.

7 耶稣会的传统传教模式，强调从语言到文字，从观念到文化的全面基督化改造，为此不惜采取暴力方式。相关内容可在早期传教士撰写的文献中略见一斑。

8 罪过之争可以很好地反映出这一阶段天主教与儒教传统如何相互理解和采借，具体内容可参考韩思艺著《从罪过之辩到克罪改过之道》，中国社会科学出版社，2012。当然，同时期也开始了对于普通民众有针对性地传教活动，但是尚未成为主流。

9 关于这一问题，可以参考 Zürcher Erik 所著 A Complement to Confucianism: Christianity and Orthodoxy in Late Imperial China, 1993, P92，详细内容不再赘述。

以"礼仪之争"为代表，两种文化传统的冲突终于成为两种宗教范式争执的核心。拥有政治的和属灵的双重身份的罗马教廷介入这一次争斗后，针对中国帝制、儒教的干预最终还是牵涉到了政治权力和利益、文化的自我认同等诸多敏感方面，中国人和天主教徒两种角色[10]之间的冲突程度之大，更使得官方直接采取了严厉的禁教措施[11]。禁教基本断绝了天主教的上层传播路线，宗教传播开始正式转投下层路线。但是越是接近民间，也就越是远离中国社会和文化权力的主体部分。又因中央与地方作为自治的两极，其实存的权力二元状态，而更加难以进入上层结构——基督宗教对于中国文化主体的影响已经日渐式微。

当天主教再一次在中国传播时，却是伴随着鸦片战争和殖民侵略而来，这种不平等状态下的"自由状态"使得天主教在中国全境迅速传播。同一时期闪电式洗礼、混乱的文献翻译更是随着新教兴盛的步伐进入中国。无论何种文化中诞生出的宗教，从来都不是仅仅指涉情感和道德的文化事实，尤其是进入对宗教的功能性需求更为强烈的文化逻辑中后，政治、经济等诸多利益和权力的争夺既无法避免，又在传教活动的裹挟中席卷中国。脆弱的平衡不时被打破，教会的传教活动与民间、官方的抵制行动此消彼长，教案多有发生。太平天国运动更是第一次利用天主教意识形态，剔除其中与本土伦理相悖逆的"不洁之处"，进而挑战帝制和儒教的宗教性、神圣性、正统性和权威性；同时更是借用"洋教"教义，尤其是"道德人"的要求，有意识地向中国古代宗教、政治秩序回归，试图重建中国汉文化。这种借宗教性的信条来应对政治、族群冲突的工具化行为，进一步赋予基督宗教以新的、本土性的特征。对于中华帝国来讲，意识形态上如此重要的变迁，已经开始影响到传统帝制合法性的问题。在接下来的历史过程中，自上而下与自下而上，社会结构的两极都或多或少在学习和利用一套"西方文化"。甚至可以说，中国的世俗化[12]就是从这一时期开始的。

---

10 两种角色之间的冲突，迄今为止都有余波，且目前以一种微妙的形式存在着，一方是地上教会，另一方是地下教会和海外教会。

11 不可忽视的是，"洋教"对于中国文化的"干涉"，一方面影响了中国的官方宗教政策，另一方面掀起了西方针对中国的汉学研究，此外更是引出了到底如何认识"儒"的宗教性，这一延续至今的讨论。

12 所谓世俗化其含义广泛，这里强调的是对于皇权神圣性，以及一整套合法性话语的反抗。虽然政治合法与道德完善的双重标准在此后的政治发展中，还是公众对于政治权力的主要要求，但是一种天命权力的帝制观念已经开始瓦解，因而是一基督教的本土化和文化转译，以及关于"天国"的神学建构，在很大程度上不得不说更加世俗化[13]、边缘化，"中国化"——历史和民族的救赎之路并没有指向基督宗教的道路，但基督宗教的符号和仪式得以存留，可是其千百年来的神学思想和一整套世界观却是另一番景象。

S堂的历史也是这段拯救史和苦难史浓缩：

"当年事梵蒂冈的多罗主教，派了德神父来中国，这就是咱天主教在中国的首任主教。当时德神父和皇帝的关系好啊，关系好这就有钱花，想修堂。修在哪儿呢？就把兵营的地，给了德神父。这个地契当年重新修堂的时候，咱们教会就真找到了,现在还有呢。但是你要盖教堂，你得顾忌本地人怎么想吧，所以就仿照着咱们本地的房子盖的教堂，那钟楼就像长城的垛子一样。之后不管怎么拆怎么改，还是按照这个原样。后来呢，到了闹义和团，咱们堂就被拆掉了，拆的什么都不剩。之后仁爱会的修女们又回来重建了我们堂，当时堂里还有两个备修院，修女们就一直在这个堂里传福音。等到文革前后，六三年底、六四年的样子，又被关堂了，改做了查抄办公室的仓库。文革结束之后，这么大片房子也得找个用处，就又变成了钉子厂啊，仪器厂啊，电器厂了，现在你能看到咱门外一左一右，一家药店一家宾馆，这之前都是咱们堂的教产。

1995年的时候，政府归还教产，教堂连玻璃都没有，都是薄铁皮挡着，以前的椅子桌子早都没了，咱这儿老教友很多都知道，那叫一个惨啊。2007年咱们堂就好好地重新修缮了一次，修缮时就以天主的救赎工程为主题而修缮的。你看这个门，上面刻的是加纳婚宴上，耶稣将水变酒的故事，但是你仔细看，这门上没雕刻地面。知道是为什么吗？就是因为你不经过这个门，走进教会走进天主，你脚下就没有道路。进了堂门之后，就是洗礼池和水缸，水缸咱堂

种基于中国本土意义的世俗化。本文中的世俗化，如非有特殊标注，则采用的是Berger等人在宗教学研究中针对西方基督宗教而提出的世俗化，但要再次强调的是，需要时刻明确世俗化是针对基督宗教而提出的。指的是世俗的或非宗教领域与宗教的并行发展，并且前者逐渐扩展和获取主导地位，对宗教权力进行限制，随之带来宗教领域的式微和衰落，宗教由科学的知识系统到"非科学化"的信仰表达的过程。

13 同上

里有六口可见的，但是"六"它是不圆满的，还差一个，差的就是人了。咱们这个祭台有一百多年了，就算这么多年又拆又建的，还是保留下来了，材质那是当年山里产的汉白玉。你们再看祭坛上面的画，那是特意从意大利定制的，那就是天上的耶路撒冷。有人就觉得奇怪啊，这怎么有穿着长衫长袍的人呢？那上面画的是中国的天使和西方的天使，代表咱们教会是普世的教会。画上的耶稣，是穿着红衣的，它代表着普世教会与耶稣的结合，又代表咱普世教会的胜利。你从推开这个门一路走来，最后就是要像圣人圣女一样最后到天堂参与天主的盛宴。还有堂里的彩色玻璃，也是从意大利运来的……[14]"

此后，天主教、新教等基督宗教派别日益开始注重寻找针对中国的有效"统治技术[15]"，从学校、医院、慈善事业、文字出版业各方面着手进行发展。面对进入战争阶段的中国，罗马教廷的策略与中国民族主义的矛盾也开始不可调和，作为"帝国主义和外国势力"最根深蒂固的"洋教"，基督宗教在中国的边缘化地位再也很难改变。即便是新文化运动时期，新型中国知识分子对基督新教有进一步的利用[16]，但实际上基于中国文化、宗教的独特性，中央和地方的双轨状态，信仰如果没有政治权力的辅助，很难成为统一的、大众性的实践——这一点已经由古代历史中的诸多宗教事件所证实。

从元代到晚清，基督宗教长期以海外宣教士为媒介，似乎一直都是"外来的东西"，它的发展过程中更是处处穿插着殖民主义力量和民族危机。在此后的历史阶段中，汉民族文化的自我认知、古代民族关系和斯大林主义社会进化史观，及建国后的一整套政治评价、苦难叙事，使得政治的和公众的基督教认知更是充满了分裂而光怪陆离的解读、想象和不屑，甚至连学界密

---

14 S 堂管理委员会的负责人如是讲。他本人很少参与教堂聚会或弥撒，也很少表现出对于宣讲、分享的兴趣，但是当被问到教堂历史时，兴致盎然地进行了详细介绍。基于匿名性考虑，其中一些具体人名、地名的细节进行了省略。

15 宗教有指向社会与政治设置的作用，在这两方面，早期中国基督宗教没有放弃对于欧洲模式的直接复制。

16 应该注意到的一点是，这一时期宗教传播背后的势力差异。天主教传播背后的主要推动力量是罗马教会、意大利等国；新教的推动力量主要为英美两国。它造成的一系列影响是一个更宏大的，社会变革的神学逻辑差异问题。这种差异也深刻影响了接下来的历史序列中，一整套社会设置的建设，但是这一问题过于庞杂，非本文所关注，在此也不再尝试详细阐释。

切关注的社会变迁这一议题中也没有宗教研究的多少戏份。基督宗教从一开始就并未获得其他宗教形式在社会情境中所拥有的自由空间，在儒学国教化，各大宗教，各色价值观建设活动纷纷自诩是解决当前"中国道德困境之唯一法门"的今天，基督宗教更是无疑会遭到本土文化力量，尤其是本土化的其他宗教力量的"异己化"。

对于公众和社会的一系列评价，教会内部自有一套应对的话语：

"我们大家都接受过义务教育，老师教了大家很多东西，其中大部分，我们都深信不疑。但是你觉得老师从来都对吗？马克思说，宗教是麻醉人灵魂的鸦片，这话很有才，很对。但是你说，当你受到病痛的折磨时，做大手术的时候，你是不是宁愿被麻醉？有几个人能刮骨疗伤当关公？所以说人的肉体是软弱的，宗教它就是麻醉剂不假。只有你醉过、醒过，你才知道肉体、生命有多痛苦，你才会回头来反思自己的生活。马克思他是犹太人，他是有信仰的人，他的这番话，教外的人根本就不理解，只看到表面的意思，然后就给歪曲了。

现在人都知道这个事物是有高级有低级的，老师都教过，思想政治课咱们都学过。其实，宗教也是有高级和低级的划分。高级的宗教，要吸引人走向真理，要人学会真、学会善、学会美。低级的宗教就是将人吸引到某个人的跟前，告诉他说；'你信我吧，你信我你就能得到！' 这种低级的宗教，许诺你升官发财，其实都是要你花钱，今天拜明天拜，烧香拜佛花了大钱，还是生活的很痛苦，然后还什么都没得到，上当受骗。

只有我们天主教才是一种高级的宗教，为什么我敢这么说？因为我们追求真理，追求善和美，这些别的宗教做不到。还有比方说，社会有社会的法律，但是它只能管你个人的行为，不做就不犯法。这样一来，只要我不犯法，其它什么事情都可以做。再看我们天主教的'十诫'，它是比社会法律还优越、还高级的，天主在造人的时候已经刻在你的良心上了。它从人的内心，扼制你作恶的想法，不仅管行为，也要管意念，让大家都做好人。如果大家都做好人，这个社会能多美好？诫，不是法律，不许做这些那些，它比法律更高级，是给你良心的自由，才能给你真正的尊严。

　　你知道为什么现在中国人都活得没尊严吗？都是社会那套搞的！学校不是教过嘛，达尔文说了，'人是高等动物，是猴子变的'，结果呢？大家都是动物都是猴子了嘛，还谈什么道德，谈什么尊严呢？社会怎么能不败坏？只有我们天主教里认为，人是天主的肖像，是非常尊贵的。这一对比你就看出来，我们才是最尊重人性，最尊重人的尊严的。[17]"

　　"死亡不是结束，而是换了一种生命形式，这是你们要信的。物质是不灭的，这在物理学上都有证据：有熵定律，有元用能，有 $E=mc^2$。物理学都证明了，人是可以永生的，只不过肉体消失了，变了个形式。《大学》有言：'物有本末，事有终始，知所先后，则进道矣。'今天我们对信仰就是要解决人生活的'本'，提纲挈领，而不是去解决'末'，解决那些生活中的琐事和呼求。如果本没有解决，花大量时间解决末，抓不住主要矛盾，是不是很可怜？[18]"

荣市天主堂的一位修士[19]则强调：

　　"天主他是活的天主，是灵在，不是高高在上的，我从生活中就能感悟天主的存在，由信就能发现真实的神的存在。其实宗教信仰是科学的，可以是我面对生活的另一种思路和方式。

　　我们天主教是纯绿色的信仰，不是社会上说的那套迷信。信仰这件事吧，是天主在拣选人，而不是人去拣选天主。天主教是神启宗教，没有神启的恩宠，你就不可能明白道理，就会像现在社会上的人一样忙、茫、盲——心死、迷茫，眼盲，找不到真理，找不到生存的目的，井底之蛙。现在的中国人，大部分都是无神论者，但是最信有神存在，烧香拜佛磕头作揖样样不落。但那都是拜的假神，打倒牛鬼蛇神就是要把一批假神都打倒，打倒了它们中国人才能开始信真神。

---

17 9 月 16 日 S 堂慕道班开始前，被请来准备讲课的张神父，对于"如何看待宗教、民间宗教和天主教"这一问题是这样阐述的。

18 12 月 2 日 S 堂请来从欧洲留学归来，拥有博士学位的赵神父讲课时，赵神父关于生死问题进行的叙述。

19 7 月 7 日虽然田野工作遭到荣市天主堂的拒绝，但是刚从慕道班下课的 L 修士还是默许地接受了访谈的邀请。慕道班的教室是主堂旁一间不到三十平米的小房间，设备简陋，配有一块黑板和十数套学校常见的金属桌椅。慕道班人数稀少，有一位 50 岁的男性，两位 25 岁左右结伴而来的女性，以及一位 55 岁的女性。

古人都说了人有魂魄，有肉体有灵魂，那人有灵魂就会有天堂和地狱。天主按着自己的形象造人，人是最尊贵的，但是灵魂要比肉身尊贵万倍。肉身消失了，灵魂去哪里？天堂或者地狱嘛。既然有天堂和地狱，为什么不奔天堂努力呢？教堂就是天堂的梯子，时刻依靠天主，心怀盼望，做善功，才有希望有资格升天堂，得永生。

人有良心吧？这就证明天主是存在的，没有天主人不可能有良知、有良心、有爱，这是天主存在的无形的证明。有形的证据就是天主做过的七件圣事。生活里也有很多证据的，你比方说人体结构那么复杂奇妙，那么精细完美对不对？这也只有神能做到。你再看农民为什么丰收要祭天，他虽然不知道有天主，但是他用这种方式来表现他对天主的向往，他知道要求老天爷，老天爷、上帝、天主，这都是同一个神。你看现在社会上的人也开始过圣诞节了，是好事儿，不过还要学会透过现象看本质，透过圣诞老人看到后面真实的主人……"

在宗教合法性和正当性的阐述中，"要适应各地情况，有些问道者需要一些方式来帮助他们看到自己所努力认识和体验的基督徒精神"，神父为代表的神职人员往往借用一种社会上已经存在的话语和逻辑的大杂烩来进行宣讲，积极传道的教友会熟练地掌握这套方法和言论，积极用于日常的传道过程中。采借范围从达尔文演化论、天体物理、马克思主义唯物观，到科学主义和理性观念，甚至那套历史上带有阶级意识、道德批判、革命口号的语言都会被当前的教会群体采纳过来加以利用。

"什么是真理？大家都知道'实践是检验真理的唯一标准'，这句话就是病句。怎么就成唯一了？那信仰被放到哪里去了？我相信有孔子，我相信毛泽东解放全中国，让我们摆脱帝国主义、殖民主义，外国列强。这些我都触不到，也没亲眼看见，但是它就不是真理了吗？信仰也是一种检验，实践并不是唯一的。耶稣就敢说：'我死之后，三天必复活'，然后果然复活了。这是信仰和实践一起证实的，这叫名实相符，这才是真理。

有人就不服，他认为自己很有知识，就要来质问，包括我们有些教友，也犯糊涂，比方说，他就会问：童贞女怎么可能生孩子？圣餐到底吃的是不是血肉？我们信教成了吃人教了？

　　你看教堂里的玻璃，它也是很结实的物质，一眼看去就穿不过去，但是光不就从玻璃里透过来了？所以圣灵降在玛丽亚身上，童贞女怎么就不能生孩子？作为一个基督徒，你不可以怀疑教会定下的当信的道。不信是有罪的！你可以讨论，可以交流，但是你必须服从教会的权威，不服从教会的、不在教会之下的都是异端。有的道理，你再聪明，用理性也不能明确它，人的理性就是一个小小的水池，完全理解神的道理是不可能的，需要天启，你才会懂。人再聪明，有神聪明吗？神想让你懂的，你自然就会懂，不懂的只要信就可以。信德信德，关键就在这儿了。[20]"

　　"十字架为什么一横一竖顶天立地的？那一竖就是天主和人之间的联系，耶稣就是人去天主那里必须的道路，帮我们沟通了这一竖。他是光明、道路，是神人中保，'我在他内，他在我内，我在父内，你们也藉着我在父内'，这就叫天人合一。只有通过耶稣我们才能和神交流，不然人是没办法理解神的话语和旨意的。

　　"现在不是有官二代、富二代嘛，耶稣他，说的直白点其实就是'神二代'。论人性是有母无父，论神性有父无母，他是道成肉身，永生天主之子。但是他为什么要成肉身？要有玛利亚这个母亲？因为天主对世人的爱，让天主将自己的独生子派到人间，借着人的样子，用人能理解的语言和方法，教给大家神的道理，把人带到神的面前。另外还为了什么呢？就是为了让耶稣也像咱们一样，有族谱，这样他就更是以色列王，是正统了。[21]"

　　长期的布道、宣讲，以及教友们的阐述、议论中，这样一种"科学、理性"的叙述十分常见，诸如"毛泽东他们那些伟人，他们的话圣经里都是有的，主的智慧都在这儿"、"神父在做终傅时要为病人涂油，这个油其实就是橄榄油，但是它又和咱们普通的橄榄油不一样，是祝圣过的……女士不是都喜欢

---

20 9 月 16 日 S 堂慕道班一开始，张神父就很严肃地对刚来上第二次课的学员们如此讲述。50 年代中旬出生的张神父，宣讲的技巧也有着经历过轰轰烈烈革命年代的那种明显的叙述风格。在后续的讲解中，张神父严肃的而郑重地强调："不可悔教、背教，不可拜佛算卦，不可试探神，不可买卖神父祝圣之物"，要遵守斋戒，参加弥撒。

21 11 月 25 日 S 堂来了一位 80 年代来到 B 市神学院，目前是另一堂口本堂神父的年轻神父来参加当天的弥撒，这位神父还临时听取了多位教友的告解。

用橄榄油美容嘛，就是因为这个油它有治疗作用"、"科学家说这世界上有一亿六千万颗星球，宇宙这么大，人类这么渺小，世界这么美，这么复杂，都是谁造的？肯定是天主"这一类的表述，已经成为教友传道、作见证时一定会采用的技巧。而教友认为这样的一些认识是来自于神父们，并且具有很高的权威性，并不需要去找"科学家"进行求证。

对于信仰及教会的正当性上，整个群体都不吝惜以各种"理性"的语言技巧进行详细的论证和推导，但是一旦涉及到宗教性的神学议题时，神父的耐心乏善可陈，教友的讲述更是在翻来覆去重复神父讲过的道理，循环论证，且无法指涉到问题的更深层面。好在前来学习的慕道者们，大多就算有疑问也往往会接受这一套循环论证，并不会真的追问下去。于是在这一层面上，这套推论就可以不再加以详尽的解释，重新退回到神秘主义、"修炼层次"这类的论述中。正是在这种状态下，教会内能够被大众理解的，还是一种世俗化的观念和逻辑，而神学逻辑和世界观仅仅成为了一种不断宣讲中的模糊机械式记忆，经不起进一步的询问和推敲。这背后的神圣和世俗间的认知沟渠，往往需要权威、神圣体验、"信德"来弥合和填补[22]。

从一种"地方性宗教"到"世界性宗教"的归信研究中，学界往往采用或是实利主义或是知识论路径的解释模式。前者强调"新"宗教所具有的某种可以"达成目的"的功能，后者则强调是否提供一种针对意义问题的更好解答。Joel Robbins 在他的"Becoming Sinners"一书中则将这两种路径结合在一起，"用实利主义的路径理解人们的归信，用知识论的路径理解人们对于新的宗教的理解，以及新的宗教对生活世界的重塑[23]"。可以看出在整个天主教的传讲过程中，这两个路径的确是交织在一起的。"解决生活中的问题"也许可以提供一个归信的契机，甚至造成最终的归信，但是知识论、世界观意义上的"重塑"却在具体的实践中出现了差异，更具体地说，很大程度上知识论和世界观意义上的改变是具有基督化和本土化的双重互构属性的羼杂

---

22 在霍布斯等人看来，使徒时代后，神迹已经不再有，因此信仰是对《圣经》文本中那些神迹和预言的信仰。问题在于，《圣经》并非神亲手写的，这样对于它的解释和信仰都是可疑的。而天主教会宣称自己有权威进行解释，也进行了解释，规定了要如何去实践，这实际上就把信仰变成了对于教会权力的服从。参见吉莱斯皮，《现代性的神学起源》，P325.

23 刘琪，文化并置与道德困境，宗教人类学第二辑，社会科学文献出版社，北京，2012, 12, P425-426.

物。

在试图提高自身的包容性的过程中，天主教采纳着现代性，又被现代性所改变。Berger 等人所强调的世俗化议题，将宗教性与现代性完全对立起来，成为非此即彼的两极。其基本假设就是神和宗教都是人类的一种构造，而现代化引发了启蒙，启蒙揭示了神的虚无，也就造就了世俗化[24]。真正重要的，正如 Asad 所言，世俗化应该强调的并不是神学意义上"教会的衰弱"，而应该是宗教性的力量从社会公共空间、公共生活领域的淡化，使之不再掌控神圣共同体和神圣空间后，转变为一种无所谓对错的私人性选择。至公、至圣过去所能够提供的合法性和身份界定，已经在现代国家和现代政治带来的世俗化中受到影响。以上结合本土文化的政治权力道德化要求，对于基督宗教无疑是一大挑战，也是一大契机。本土文化的意义多元，道德秩序所具有的先验正义性，以及政治伦理秩序的实际需要，常常会模糊宗教的合法性根基；但本土文化长期以来无法提供一种完善的意义性解释，而"先进的"基督宗教所宣称的"更高的道德境界"又对所谓"败坏的世界"提出了挑战。在这里，似乎对于神学话语的塑造，在某种程度上又回到了早期"回归古代正统"，塑造现代"完人"的道德理想主义道路上。

"神谕的建构"包括着一套世界观的采借和文化的调试过程，在保持基督宗教的"神圣性"的同时，又能够获得本土文化认同。神圣性与地方性的波动中，神谕最终将是一种本土化之后的神谕，需要不断尝试达到二者的平衡。历时性角度来看，教会、信徒无疑是最主要的两个主体，而政治权力与普罗大众等，也无疑在其中起到各自的作用，正是通过其中每一个主体之间的互动，导致了各自技术和策略上的调试和改变，这种嵌套的互建过程是现代性不可避免的结果。现代社会的世俗化在影响着宗教和其实践，但宗教自身也并不会放弃基督化的尝试。对于理性话语的利用，可以形成与现代社会的对话机制；但对于神学、宗教性的神秘化又表达着二者之间的妥协。理性的、世俗的话语表现出试图将一切纳入基督宗教的意识形态之中的努力，尝试着对现代性进行基督化的包容，而对公共性、社会性权力和空间的争夺则落实在了群体性的建构上。

---

24 这一观点可以追溯到十九世纪末、二十世纪初，马克思、弗洛伊德、韦伯、涂尔干等一系列思想家。

第 3 章　信仰：我是谁，谁是我

"没有人可以面对着死亡活下去，而又知道一切都是虚无。如果上帝根本就不存在，这个世界本来就没有秩序，一切都没有意义，那么人生的恐惧将无休止，而且得不到一个解释或回报……

"多数人从不反思死亡和生活的虚无，但总有一天，他们要站在生命的最后关头，将目光投向黑暗。"

——吴飞[1]

第一次到达 S 天主堂是 9 月 6 号周四的下午，S 天主堂距离地铁、公交站点很近，旁边毗邻该区域基层政府。基于以往的经验，如果选在周末前往，弥撒结束后神父和大部分教友们都会直接离开，而教会工作人员会因为各种事项而难以脱身，更难于寻找到可以进行访谈的对象。初次造访 S 天主堂，最先遇到的是长期看守教堂的工作人员 J[2]，以及在随后的交谈中突然出现的 D[3]。

1　吴飞, 尘世的惶恐与安慰, 北京大学出版社, 2009.

2　J 是一位四十多岁的男性，在整个田野期间，J 在堂里的时间是最多的，但是最不起眼。多数教友并不理睬他，J 也很少参与堂内的活动，只是固定参与弥撒，站在教堂门口。但是 J 几乎从不进入神父所在的教堂后部，参与弥撒时也避免靠近祭坛，更没有资格接触仪式用的器具。J 曾经透露过自己过去犯过"很大的罪"，信了教才走上正路，有了工作，并且谈到堂区里有吸毒的问题，但是在此后的调查中，J 对这一问题再也没有深入叙述过。

3　周四在天主教中又称为"瞻礼五"，这一天教友应该进堂瞻仰恭敬摆放在圣体柜中的耶稣圣体，瞻礼六应恭敬耶稣圣心，瞻礼七恭敬圣母无玷圣心，然后就是周日的瞻礼一主日恭敬天主。根据圣经文本，在瞻礼五和瞻礼六陪伴圣体圣心是耶稣的要求。这也是为什么 D 会在教堂并没有弥撒时出现的主要原因。

J："要说圣教，你还要先了解一点咱们的知识。天主啊、信、罪，这些方面，不然你不懂。咱们人生来都是有罪的，这个罪就是原罪。像我以前是不信这个，那个时候年轻，做了很多浑事儿，不懂，自从信了教，我就没罪了……"

D："这话不能这么说，怎么，什么叫信了教就没罪了？人那是多软弱啊，怎么可能就没罪了？你是圣人啊？那叫洗清了原罪和本罪，在天主的面前做新人，获得新生，但是还是可能会犯罪。"

很快，D替代了J成为问题的应答者，J则在一旁保持沉默。

"咱们人，从亚当夏娃开始，就有罪了，吃了智慧果，眼神明亮了，但是犯罪了……你看现在这个社会，多罪恶啊？人都没有良心，道德沦丧的。你看哪些东西咱还敢安心的吃？还有那些盖楼的，多少豆腐渣工程？贪污、腐败，到处都是。知道为什么道德沦丧吗？为什么现在人和人之间只知道互相争来争去吗？都是文革那时候闹的。和人斗，和天斗，斗来斗去良心都斗没了。光说信仰共产主义，你看文革死了多少人？政府自己都不敢说……还有学潮的时候，那学生哪个不希望自己的国家好啊，可是你看看政府怎么做的？……现在好了，把真正的好人、有信仰的、敢说话的都抓起来、撵跑了，你看看这社会都成什么样子了？……你看看这里，多少年没出过大灾大难了，这个夏天死了多少人？……现在的人，一个比一个坏，都没有良心了你知道么？

我也不是一开始就跟随主的。我年轻的时候也犯了好多错，年轻的时候，我母亲还有我姥姥就是教友，那时候就批斗啊，我就觉得我母亲不对，不应该信，连带家人总是被批斗。然后我爸爸不信了，我也就没信。你知道我母亲这一生最大的牵挂是什么吗？就是他这几个孩子没有向教。

我年轻的时候也算是漂亮，有点才气，能唱会跳，追求的人就挺多的，那时候也心地善良，不懂感情，然后就在男女感情这个问题上犯了罪。后来又离了婚，没有爱情，带着孩子孤儿寡母的生活，你知道有多难啊？有时候甚至真的天天以泪洗面。我就不明白，为什么我就这么苦……前前后后又遇到好几次的车祸，而且每次都是那么严重的车祸就我一个人没事。然后这时候我母亲就对我说，这是天主在一次又一次的召叫我，几次车祸，大难不死，让我赶快入教。我这都已经三十岁了，什么都不顺利，活得特别苦。那时候我母亲一劝，我就突然想通了，赶紧到这个堂里来了，从此以后二十多年我都没离开。信教之后，我做点生意，日子也就慢慢好起来了，包括我的孩子，工作各方面那都比较顺利，而且还出国拿了绿卡，现在买了房子在国外生活的很好。我的孩子都和我说，这就是天主的赏赐……我跟你说，你今天是特别幸运的，你知道吗？有多少人来这看看，参观一样，什么都不懂，转一圈就走了。像你这种，其实都是天主牵着你的手，领着你来的……"

D 的这一番言论[4]，很明显地反映出目前宗教研究中已经发现的一套苦难叙事，更重要的则是表达了一种针对生活中苦难意义的解释性行动。在她看来，个体能够感受到的苦难已经越来越多，超越了她所能理解和承受的限度，在不断追问"为什么"和"怎么办"的过程中，宗教信仰也就被不断唤起。事实上，与大部分有长期家传历史，出生就已经受洗的教友相比，绝大多数"后归信"的访谈对象都表达了自身遭受到某种苦难，需要寻求解答或出路这样的一条"实利主义"归信道路。

神父更是多次在弥撒、聚会分享和劝诫教友时强调："信不是迷信，不是你向神求什么，而是必须明白神的道理。有些教友生病了就来信，很用心，很努力。可人是软弱的，病一好就又不信了，也不来堂里了，等到再犯病了就来找神父认罪。不能把信仰当作精神寄托，那是消极的信仰，我们教友必须要学习神的道理，要为依靠天主而依靠天主，要净化自己，要积极地信靠天主，积极地生活。

"并不是基督徒需要祈祷，而是不祈祷就不能成为基督徒。我们必须要用语言与神建立联系，祈祷要有感恩和敬畏的心，而不是去和神交易或索求什么。要记住有时候我们想要的东西，并不是对我们最好的东西，神给不给你，自有他的道理。"

而无论是从统计数字，还是从教友们的亲身体会来讲，这种"求点什么"

---

4 被访问到的教友们的归信的主要原因各有差异，但是以 D 最具有代表性。此外还有为给自己或家人治病等等原因，不一而足。D 虽然并未详细介绍自己的生平经历，但从她的叙述来看，她个人的人生经历和当时对于信仰的态度和看法，其实与中国几次大的社会变革在时间点上基本吻合。

的归信行动的确有所增加——从宏观层面来说，是一种现代性造成的，又表现在社会层面的微观个体对于现代性和其引发的困境之主动的调试行动。

正如前面所强调的，最重要的是中国的个体化和世俗化有着它独特的弥散的、制度化的文化背景。基于这种中国文化的特殊性，仪式化的、传统的行动规则和秩序中，是依然包含着宗教性的力量，且并未被从认知到行动再到结构和设置上进行明显的区分。而中国几次特殊历史时期中的重大转型，则导致了社会和文化连续过程中，近乎真空状的极端情境长期出现。在异常性的波动平复后，以近期一系列传统文化、儒教复兴为主要标志，汉服运动、尊孔祭祖、兴修庙宇等等一系列的宗教活动，虽然都以回归正统文化和美好道德世界为指向，却都在表达着一种宗教性复归的趋势。但是当前的宗教复兴态势，又不是简简单单的宗教信仰在社会层面上的重新复归。如果说当下的宗教与前现代时期有什么不同，那就是当下驱动性力量膨胀式的多样化。在 D 的阐述中也可以看出，政治的、家庭的、情感的，一系列的"不好"和"苦"都成为了走向归信的契机。这不能不说是与中国文化中，传统性的"天国现世化[5]"逻辑与更加强调个体价值的现代变革相接后所造成的结果。

和西方基督宗教的罪感[6]文化相比，中国文化缺乏同种界限更明晰的二元观念，这一方面的确可以为意义的解释提供多样化的角度，但是另一方面，这种弥散性使得意图寻找一种清晰的界定的行动变得十分困难——在这种文化传统之下，好与坏之间存在着潜在的过渡可能，二者是可以转换的，因个体价值排序的差异而变动[7]。社会生活中的"坏"，总是"不对的、不好的"，

---

5 "把现实作为理想的底稿，把现世推进天国"。费孝通，乡土中国 生育制度，北京市，北京大学出版社，2007，P47.

6 要承认原罪的存在，其前提是必须承认存在外在的第一因在原初对于个体自我生命的完全掌控。这与传统文化逻辑是矛盾的。所以，中国文化中的归信行动里，确实无误的委身是尤为重要但常被忽视的基石。

7 要强调的是，这不是在简单说西方是善恶分明的道德理想国，而中国这种文化便不辨好坏善恶；在同样的基督宗教框架之内，罪感逻辑的外生特征——"享乐本身就是一种道德偏差"，使得其在"享乐本身就是一种地位、身份和道德境界的目标和表达"这样的公共文化里，还是一个不容易被接受的概念。可以说是截然不同的本土文化逻辑，由灵活的价值排序而为好坏善恶提供了过渡地带。这一点在杨凤岗的《宗教三色市场》一文中已经很明显；此外，曹南来在他的海外华人基督教研究中也发现宗教为违法行为提供了一种"合法"解释的文化逻辑。同样的现象也在 S 堂为代表的信仰群体中间出现，"社会的、法律的规则规范都是应该服从的，但与教会、人性、道德、尊严相违背的，我们教友就要抵制它"，这

是一种需要转变且能被转变的状态。与基督宗教下的文化相比较，似乎人们更难接受"好与坏"作为生活中的正反两面的常态存在，而不断地寻找一种实现"天国现世化"的转换手段——无论是政治权力、宗族秩序，还是宗教信仰。而面对个体生命历程与宗族团体相捆绑的日常生活时，责任、义务以及相伴随的"不自由"、"不完满"的苦恼等等，都使得飘渺的、死后的无限生命无法与触手可及的、日常可能实现的完美生活相比。如果生命本身已经被作为一种"苦难"和"不自由"状态而广泛接受，那么也不难理解为何在这一基础上去寻求"永生"近乎是一种不可理喻的行动[8]。

整个近代史中，占据了重要地位的政治权力所倡导的意识形态，它的转变也在影响着人们的宗教需求。宗教性贯穿在社会生活之中，而政治权力又成为一宗教是否具有合法性的决定性力量[9]。与前现代社会相比，激进的现代政治是一种全新的权力结构系统，传统的帝国统治逻辑无法解决它的合法性问题，因此需要一套相对新的政治和社会逻辑的出现。在从帝国、皇权统治模式那里争取自身合法性的过程中，现代政治通过高压强制性的统一话语来抑制反对声音的出现，同时又不断利用一系列诸如"赋权"、"历史必然"、"自由和进步"为主题的论述，来巩固自身合法性。这使得针对社会生活的事实解释只能有一种统一的模式，现代政治的一整套激进的意识形态则宣称掌握了真理，可以提供一切意义——在它所不能提供意义的地方，就是充满了荒谬性的地方，是社会文化事实自身失范、充满荒谬性的体现，个体认知受其影响也产生了低等、错误、无效的表现，因而这一部分事实应该借助"科学和理性"的规则，从整个社会文化体系中彻底消失才能纠正错误，达到整体一致的优化。政治权力一旦获取有效性和自治性，便将宗教和神圣化权力驳斥为异端，但是在建构合法性认同的同时又大量借鉴宗教性的独断话语，将神以"自然"或"规律"来替代，这无疑是一大反讽。

当代社会学者尤其强调现代性和世界体系的作用，全球化终结了前现代

不能不说都是本土文化带来的明显改变。

8 永恒生命认知的瓦解，还有一个重要的推力就是"宗教是'封建迷信'，要相信科学"这样的宣传。在永生问题上的分歧，也可以部分地解释目前基督宗教相关统计数字中表现出的极化分异——受教育程度低、收入低的人群与高知或高收入人群，劳动年龄人口。适应负荷（Allostatic load）理论事实上也适用于此。

9 这并不是说，不存在一种政治权力对宗教的消极应对。默认合法状态是存在的，但是社会层面上的公共合法性却是需要政治力量的公开承认和赋权才能实现的。

世界，远距离的社会事件、关系和结构，超越了时空限制，和地方性的场景结合在一起。政治力量通过改变一系列的制度、话语来逐渐摆脱早期激进政治带来的影响，一系列的社会设置也因之而改变和"科层化"。过去由政治权力提供的，具有替代性且附着实质支持功能的从属群体，即集体制度亦弱化、消失，同时，附加在社会生活上明晰的控制在消退，社会结构、意识形态的控制也在不断减弱。但这一转折时期是如此的短暂，以至于政治权力一旦退出，结合当今全球化和市场化的现实，在相对短暂的时间内迅速将原本封闭、规范化又具有高度同质性的社会整体抛入到意义的洪流之中。在相对静止与快速变革的两种社会状态中，并没有一个缓冲性的过度阶段，暴露出的真空被不加分别迅速填充[10]。在原本宣称对一切事实具有解释力和指导力的力量放松控制的今天，越来越多的不确定性，随着传统结构的改变而影响到每一社会层面中的行动者。

主体意义的樊篱一旦打破，就需要其它意义体系进行有效补充，以往被掩藏着的不合理、无意义之物的幽灵再度浮现，重新寻找、要求提供意义解答——而个体应答者被推到台前[11]，已不再有群体提供的确然之额外支持。虽然"发展"、"现代化"曾经担保人类文明的美好未来，但是现代性带来的无序化状态却是最令个体行动者困惑的。在一个混乱的、意义如此多元的世界，究竟如何界定个体身份和角色，界定自我的意义和存在，找到生活世界的秩序，就成为一个本土文化长期忽视，而科学和理性又无法完全解决的问题。过去被斥责为"封建迷信"的本土宗教虽有复兴，但是和祖先信仰一样受到了打击，公众对二者的评价还是不能摆脱政治权力赋予的道德判断，虽并不拒绝其功能性运用，却充满疑惑和不信任。也就是在这时，原本"荒谬"的基督宗教，成为西方"发达"、"文明"世界的一个缩影——道德的乌托

---

10 这一论题中提及的变迁并不是空洞的，它带来的影响是帕森斯意义上的整体结构-功能的变革。不妨参考中国妇女发展的历史进程，性别解放是作为一种工具、"技术"，以政治和民族的解放为最终指向的，实际带来了服务业的发展和大量可用的劳动力资源积蓄，为女性赋予了家庭人之外的社会人属性，但父权主义的框架并没有被动摇。这种自上而下、政治主导的革命式改革，其实是一种个体观念的被动式变革，在政治权力退隐后政府让位于市场，话语体系和权力结构的主导者、主导方向改变之后，其结果可想而知。传统女性形象不仅仅以"时尚和现代"包装重新回归，并被主流女性顺利接受，而且完全不加掩饰的女德文化也再度兴起，甚至政治权力也默许、推动着"女性回家"。

11 人人解放，众神狂欢。概念图式的中轴最终落在了个体行动者的手中。

邦在指向古代理想国的同时又指向了西方，基督宗教成为了身份建构的另一个"高级"的有效途径。

3.1　家传者与新来者

　　S 天主堂周末晚弥撒之前会有慕道班进行授课，两小时左右的课程之后，是各小组分别讨论，分享心得体会。学员原则上不参与其他仪式和活动，尽管部分热心教友有反复鼓励和强调，参与仪式和活动的学员也几乎没有。慕道班的人数一直处于变化之中，临时有事中途退出或中途加入的情况多有发生，每次参与人数多则四五十，少则二三十人。学习小组每一组十人左右，各有一名陪伴员负责，组员不能保证全部在场。

　　虽然以签到情况来统计参与课程的情况，并以此作为学员是否有资格领洗的依据，但是只要保持最低的出勤率[12]，迟到早退，或是并不听讲，不参与仪式和活动，不读经祷告，不分享，这样的行动完全不会影响到个人最后是否能够领洗。即使有每个人的联系方式，对于个人这种行为的干预也很少，只有十一月中旬的一次"朝圣活动"，涉及到统计人数以租赁车辆的问题，负责人才与学员进行了沟通。虽然最终是否收录的决定权在神父手中，但是除去讲课，真正和学员有接触的都是小组陪伴员和慕道班负责人。

　　随着天气日渐寒冷，参与弥撒的教友数量迅速减少，同时慕道班人数稳定在二十到三十人，课后半小时的小组分享时间在后五次课程中完全消失了。

　　　十月中旬时，第五小组突然出现了一名青年男性新成员 K。由于他此前并不是这一教堂内经常出现的教友，D 误以为他是新来的学员，K 因此表现出很大的不满。

　　　"我是教友，我怎么能不是教友呢？我可是一出生家里就给我领洗了！我们家好几代人都是教友。我是出来上学的，这两天才找

12　在 18 次课程里保证 5 次即可。对于准备进入教会的成人，教会有这样的规定"因为必须等他们接受了洗礼，成为司祭子民之后，才可参与基督徒新约的祭祀"。教会认为重要的是"发自内心的心灵和生命的皈依，和基督融为一体"，口头和行动上的表达并不是那么重要。在整个慕道班几个月的宣讲过程中，神父也一直在强调"如果你说我马上就要到领洗的时候了，可是我有疑惑，动摇了，不想领洗怎么办？这一点你可以放心，教会不会强迫你领洗，你可以选择自己是否受洗。天主给人最大的礼物就是自由，可以自由选择是否跟随天主。教会从没有强迫任何人。如果只是为了了解天主教而不想受洗，那也没有关系，教会也欢迎你们。"

到教堂就过来了。"

D 介绍完小组内的成员后，K 饶有兴致地指着我对 D 说：

"她是研究生？那她还有什么烦恼的？还来教堂？"

在小组分享结束的时候，有组员问到关于领取《圣经》的问题，K 很主动地提出：

"你们没《圣经》啊？这个简单，我有好多本，你们要不要？送你们几本，我都滚瓜烂熟，用不上了。"

年近 70 的 X 有这样的陈述："我们都是老教友了，同治年那会儿我家就在 B 市，那会儿我家就都奉教了。这么多代，一代一代传下来的，相当不容易了。过去这堂里都是咱们这些老人儿，现在这些新来的，容易多了。容易了他就不珍惜，没办法。我感觉，这么些年我在堂里，看到奉教的人越来越多了，也算好事儿。原来咱们堂里还用拉丁文做弥撒呢，神父在上面说什么咱都不太懂，现在那个外国神父[13]的弥撒我也听不懂。现在的弥撒都改成汉语的了，大家都能听懂，还有那些新来的、文化不高的都能听懂了，人也越来越多了，挺好。"

身为八零后教友的 M[14]和同为老乡的 K 有这样一段对话：

"……这边和家里比，真的很不一样。家里我们全村都是奉教的，都特别虔诚。你看这边，天一冷，来的人就越来越少，还有好多悔教的。他们根本都不知道奉教到底有多艰难，在这儿他们就看不到家庭教会那些兄弟姐妹到底有多苦多难。"

---

13 S 堂同时也供在 B 市的外国天主教信仰者使用，所以在清早中文弥撒结束后，会有外文弥撒紧接其后。部分老教友认为听弥撒，不管听不听得懂都是很大功德，所以常常会连听几场弥撒。

14 M 刚来到 B 市两年，但是因为她是家传者且有熟人关系，已经有权力参与到弥撒的仪式中。慕道班和仪式活动里的电子设备调试都由她负责。在 S 堂里，M 和 D 的关系比较亲近，也长期作为工作人员进行服务，是 S 堂青年服务组的成员，多参加小组的分享活动，但是避免提及个人的经历。这也是为数不多的，她极其短暂的个人分享。事实上正是在 M 身上，整个 S 堂内的那种"匿名主义"才突现出来。

D 曾经在一次晚弥撒结束时这样说：

"我最近没太来堂里，你看人又少了。怎么就这么奇怪，你看我一不来，人就少了。真是，都不拿自己的灵魂当回事。这些人都不懂，没文化，和他们怎么说都没用，呆两天就走，还有的领洗了就不来了。有好些道理真是和他们说多少遍都没用，他就是不懂，智力不行，不像你们学历高的人，听劝。"

S 堂的本堂神父有这样的评价：

"现在有好多老教友，觉得自己受洗的时间长，奉教的时间长，就觉得自己信德比别人高，比别人好。结果呢，就要和别人比，你看我的信德就是比你多，我的赏赐就是要比你多。然后看到奉教时间短的教友有所成就，就心里不高兴，犯了罪了，找神父做告解[15]。

"你奉教的时间再长，作为受洗的人，不去尽基督徒的本分，就把信仰消极的当作精神寄托。还要跟教外行善的朋友区分'谁是信教的，谁是不信的，大家不能在一起'。这都是狭隘的天主教。仅仅是尽本分参与弥撒就够了吗？进了堂你也要积极地表达，没有行动的信德是死的，我们是站在恶和不义的最前面的人，要把教会当成一个大家庭，要使自己和教会都更加丰盛圆满，借助信德让教外的人认识主。

那些未曾听闻耶稣和教会，但按良心在做事的人也是洁净的人。良心它也是天主给的。教外的人只要成为望教者，其实就是基督徒了。"

教会群体和家族网络相关联的现象，在基督宗教进入中国的早期传播中就已经存在。宗族势力作为地方自治的核心，和强调一种集体性、差异性和等级性的天主教会结合在了一起[16]，教会群体一直以来都离不开家族、家传力量的支持。"你们不仅要接受信仰，不仅自己要成为基督徒，还要将这种信

---

15 11 月 25 日来堂的年轻神父是这么评价告解的："因告解可以宽恕永罚，它是拦住人下地狱的最后的栏杆。从开始到世界末日，没有一个神父会泄露神功（即告解、忏悔的内容）。教友来忏悔完了很舒畅，结果听告解的神父就是个垃圾桶，只能装不能倒。每次听神功就胸闷，就像我吸了一百根香烟但一口都没法吐出去。"

16 关于这一问题可以参考张先清所著《官府、宗族与天主教》，其阐述更为详实。自下而上的传播过程中，这种与家族势力相结合的途径是南部地区普遍存在的现象。

仰传递给自己的子女，要使自己的家庭成为基督徒家庭。父母会影响子女一生，信仰要从小抓起，否则坏的东西就会延续下去，你们要为自己的孩子树立好的榜样，不然就是对他灵魂的扼杀。养育子女在教会中成长，就是把最好的学校提供给子女。孩子十八岁之前，你们父母有权为他们决定一切，所以让他们受洗那不叫剥夺孩子的自由，就算刚出生的婴儿受洗也是自由的。天主的儿女遵守天主的法律，会因着上主正直的规矩而平安喜乐，才会自由。"目前的乡村基督宗教研究已经发现，围绕着乡村教会网络，与平面乡土地血缘、地缘关系相结合，形成代偿性社会空间。它一方面整合了乡村资源，另一方面也使和信仰有关的集体行动可以溢出某一教会的地域空间限制，使得宗教生活与世俗生活结合起来，这样的网络结构和集体性行为在城市的基督新教那较为开放复杂的教会群体中，则很难看到。并且，作为最有也最强调集体性、等级性的天主教会，城市带来的高度流动性甚至开始影响到了 B 教会内部的集体化程度和群体认同。

B 市天主教群体较农村基督教群体更复杂，在 S 堂内不仅是明显地区分出了家传和新来的两个群体，更是造成了两群体之间地位上的差异。在弥撒和其它仪式中，能够接触圣物、和神父接触、参与仪式活动的组织和安排的教友，往往都是家传者，或者是如同 M 和 K 一样，来自 B 市以外，有长期的村庄或家庭归信史并被 S 堂老教友普遍接纳的个体。接触圣物、参与朝圣和一系列仪式活动、和神父更多接触的"殊荣"，一般新来者很少有机会得到，慕道班的学员们就更没有这种机会了[17]。

日常仪式的筹备中，大部分时间都是神父提出具体的时间和待办事项，执事们、堂管会、以 D 为代表的"老教友"、教会"精英们"负责召集人员和具体的筹办。尽管 D 经常以新来者不懂很多规矩，**修炼**还不够这样的理由来解释两类不同人群的差异，但是也表达了对于新来者，尤其是来自农村、新归信的教友的一些复杂情感，比如认为他们"信德不够"、"修得太短"、"文化太低，好多东西都不懂"、"不算知根知底、不好托付"，现在"就希望能有越来

---

17 慕道班一些比较积极的学员报名参与圣诞节的服务活动（诸如维持秩序、打扫卫生这一类并不涉及到宗教性活动的服务），但是也被委婉的拒绝了。按照教会的礼仪要求，神父一般会在听神功和弥撒以及必要的仪式中出现，其他时候普通教友也是很少见到神父的。神父在仪式后会回到教堂后方的住所，普通教友如果有事相告常常需要驻堂的执事、修生或者精英教友来转达。

越多文化高、智商高的人来跟从天主"。但是，所谓"文化高，智商高"的新教友在实际中也一样面对着"新来者"的困境，核心教会群体希望新来者具有某些"更好的"特质，但是拥有这类"特质"却并不等同于可以更容易地获得群体的承认。这类特质的确会提供某种相对优势，但实际上无论是否具有此类特质，新加入的信仰者其新来者这一身份实际上在一个长时期内都不会得到改变。

新来者在经历了一段较长时间[18]的基督教育后，如果能长时间坚持参与教会活动，保持教友身份，也依然不能算作最严格意义上的"老教友"。S 堂内老教友，多是长期居住在堂区附近，有至少两到三代奉教历史，且家庭内部奉教人数较多的教友，更符合传统天主教会的社区性特征。"基督徒不能脱离团体，不在团体内的生活不是基督徒的生活，信天主的人一定要过团体的生活"，D 和 X 都认为，应该在堂区"扎根"之后，才算得上是真真正正的"老人儿"。而所谓的扎根，从属时间上的长短其重要性并没有人际关系的远近重要，也因此强调要和堂区的教友，尤其是老教友的家庭，缔结实质性的婚姻关系，养育后代，建立基督徒家庭。"老人儿"这种观念强调的是前现代时期意义上，那种以教会为中心又通过教会的神圣权力缔结和保障的世俗社区群体。S 堂面对着现代城市高度流动的个人化社会，教会内部的同质性和群体性在降低，信仰群体也不得不做出妥协，而虽然教友并没有真的认识到群体性降低背后的推动力量，但是一种尝试向传统血缘、地缘构造的教会网络回归的实践，却又在实际上被推崇并遵循着。正是家庭在文化中长久以来作为宗教组织主体的一级，为宗教性的延续和群体的建构提供了相应的契机。

3.2 "圣殿里也有魔鬼"

已有研究中，多数对大主教会的内部权力关系的分析都提出，神职人员与教友阶层之间区分明显而又和谐共处，这与 S 堂中的实际状况有一定的差异。神职人员与普通教友之间通过教会精英形成垂直体系，但是相比较而言，S 堂群体中这种垂直体系更为复杂。而且其中涉及到的权力秩序并不是和谐共处那么简单。

---

18 受洗后的基督化教育周期一般为三个常年期，即按照教会日历从受洗的四旬期复活节开始计算三个周期。

　　S 堂事实上不仅仅是本堂区教友进行崇拜，举行仪式的地方，由于该堂有数名外国神父以及懂得相应语言的执事，在礼拜日早汉语弥撒结束后，会有外语弥撒。

　　大部分教友不懂得外语，不会参与外语弥撒。J 告诉我说，外国人（严格地讲并不仅仅是某一国人）不像教友，大家语言不通，听不懂是一回事情，他们还爱带着小孩儿上堂里，特别吵闹，好多老教友都觉得特别不尊重。

　　在 9 月中旬，早间的汉语弥撒结束后举办了一场世俗婚礼，婚礼双方和他们的亲属都不是教友。神父强调虽然双方不是教友，但是能够到教堂里结婚就是希望让自己的婚姻圣洁，受到主的祝福，在主的面前缔结承诺，是非常神圣的。也希望新人在未来能够积极向教。

　　婚礼结束后是外语弥撒，参与婚礼的几位老教友留下再"望一台弥撒"，神父布道期间，外国教友中有一些青少年不时会在布道中出去接电话，几个外国家庭的孩子在堂内跑来跑去，父母几乎不会去管，但很快遭到了老教友的严厉制止。而因为孩子的哭闹，老教友也强烈表达了不满。"望一台弥撒那是多大的功德，的确应该带着孩子让他们从小接受天主的教导，可是也太不像话了，这帮家长都不管一管。堂里这么神圣的地方，我们连喝口水都要出来，他们呢？"

　　外语弥撒结束之后，外国神父和"外国教友"在教堂门口的院子里摆上了桌子和自带的食品，弥撒结束之后大家并没有离开，而是开始聚餐，教堂门前的小院瞬间人声鼎沸。

　　站在一旁的 D、J 和堂区实习的修生都躲进了院子里的"圣物组办公室"，议论到底发生了什么。在一片短暂的混乱之后，院子里已经全部都是外国人，一时间留下的几位教友反倒像是这片土地上的外来者，原本准备要做饭的教友们都有点困惑，饭也没法做了，茫然无措。D 随之主动去堂后神父的住处询问，回来后告诉大家，今天是外国教友的"新年"，所以才举办了庆祝聚会——

　　"神父说了，他们过节，咱们应该和他们分享过节的喜悦。没事儿，都出去和他们一起吃点东西。"虽然还是觉得十分尴尬，圣物组办公室的教友们还是陆陆续续出去迅速拿了一些食品返回办公室吃起来。

当办公室里只剩下 D 和 J 时，D 突然这样说到：

"你说他怎么就这么大的胆子，敢一边犯罪一边还来这堂里？真是不知羞啊，他不怕天主降罪他吗！你看看给他嘚瑟的，啊，人家神父明明说了要让咱们和外国教友多交流，一起喜乐，这家伙就什么都不说。你看，就知道跟着人家外国神父后面巴结人家。他已经不是一次了，好几次都是打着神父的名义让大家做这个做那个。还有上次那个朝圣，也是他在那瞎指挥，心术不正……天主的圣殿里也是有魔鬼的，早晚天主要降罪给他。"

十月中旬，S 堂隔壁的药店搬走后，教会建起的三层建筑基本完工，主日下午的慕道班上课之前，J 和一位是退休教师的教友站在堂口不停地对新建的建筑指指点点。J 指给 D 和我看新完成的建筑上，外层墙体（刷好涂料的外保温层，看起来确实很像水泥墙面）上不规则地分布了大小相同的小洞。

J："我可是亲眼见到的，啄木鸟，笃、笃、笃、笃敲出的小洞。"

D："怎么可能，水泥那么硬。"

就这个问题，J 和 D 争执了几句后，J 便不再多说什么。但是旁边的教友为此和 D 在教堂门口争执起来，D 随即特意绕道进入工地询问工人，以确认到底是"啄木鸟"还是"预留的空调孔"。

虽然这件事情最后以 D 对那位教友道歉为结果，但是那位教友在 D 离开后，说了这样一番话：

"从来都是她(D)对，不讲理。"

而曾经"犯过罪"的 J，虽然对自己过去的经历讳莫如深，但是在 D 和 J 的互动中，J 总是被动的一方，回答说：

"你看我都说了是啄木鸟，我亲眼看到的，还不信。"

在 D 回来后，大家很快达成了一致：

"这是天主派来的天使在检查工程质量。"

十一月末的慕道班结束后，D 和几位老教友有这样的一番议论：

"这次的神父讲得太好了，以后应该多请来，说的特别在理。上次那个M神父就不成，他在上面讲，哎哟，下面都睡着了。"

在当晚的弥撒中，坐在旁边的D指着站在祭台上的神父[19]悄悄对我说："这个神父没有咱张神父的水平好，好多时候词不达意的，没劲。"

在S堂的教友群体中，教会精英群体的确起到了神父和普通教友之间中间人的作用，但是更重要的是，传统教会中那种神父和教会群体更多干预普通教友行动的现象，在S堂并不明显。无论是慕道班的管理和组织，还是朝圣活动，再到将临期、圣诞期、常年期、四旬期中的各仪式和崇拜活动，神父的权力与教友团体的权力的区分很明确。神父所起到的作用更多地是提醒时间，提出要求、主持仪式，而仪式的组织和安排，一系列的主动权都掌握在教会精英的手中。更确切地说，是掌握在有一定经济能力[20]，能在关键时刻"奉献"，主要为男性的教友手中。

以慕道班为例，神父更多负责课堂的教学，以及以司祭身份主持如收录礼、傅油礼和驱魔仪式这一类神圣仪式，慕道班的组织、协调，以及课堂上礼仪音乐、请圣号等等一系列"规矩"都是由教会精英负责管理和教授，在这些方面神父也不与慕道班成员发生直接的接触。神圣和世俗的区分，只在很有限的涉及宗教性、仪式性的权力结构中发生了明显的区分。

这样的状态造成的结果，是新来的慕道者更多地和本小组负责人、陪伴员、代父母建立起直接的联系。这种垂直的，又缺乏慕道群体内、小组间互动的人际关系网络，事实上造成了一系列的问题，也从一个侧面反映了在家传群体之外的新来者为何难以成功建立起集体性意识和集体身份的困境。人数不断增加的新来者，被这种关系结构纳入教会，使得教会群体内部事实上充满了匿名存在的"熟悉的陌生人"，信息和资源指向单一且高度集中，结

---

19 S堂除了一位本堂神父张神父之外，还有另一位神父作为"副职"共同管理。这位神父基本不参与弥撒外的仪式活动，平时也很少露面。关于教会内的圣秩，张神父进行了很详细的讲解，"职务就是服务，的确像有些教友认为的那样，我们神职人员有点像小领导，但是耶稣说过：'你们不知道你们在求什么，谁要成为最大的，就是成为最小的。因为人子来不是为了被服侍，而是服侍你们。'无论是什么权力都是为大家服务的，本笃教宗就更是众仆之仆了"，而S堂普通事务是由"堂委会的普通教友负责管理的，神父不会出面"。

20 关于这一点，似乎有地方精英仪式消费的味道。但是这一点的材料并不够充分，因此在本研究中并不做详细讨论。

合现代城市情境内行动者的高度流动性，实际上增强了教会群体内部"新来者"的个体性而更加弱化其群体体验。

这种只与精英教友、传道员建立起的垂直关系，在教会内的权力结构中又成为精英教友们，尤其是女性教友[21]之"信德"和能力的体现。能够和越多的新来者建立这样一种联系，意味着在"平等"的兄弟姊妹的团体中，实际上可以拥有更多的威望，更多的教会内外的社会资本，甚至在某种程度上左右集体期望和决策。不是神职人员，胜似神职人员的精英教友们，可以很好地利用教会组织和神父网络，也因此找到了一种实质上向上流动和实现个人价值的机会。传统身份中，诸如离婚、低学历、犯罪、残疾等此类的"罪"，也因为在这一社会空间中，对于网络和组织的成功运用导致的向上流动而得到改变，甚至创造出**天主偏爱而多加磨砺，以委托重任**这样一套"罪"转变为"德"的说辞，更带来了他们在教会内道德和个体地位的提高。对那些将大量时间和精力投入到宗教性而非世俗性生活的教友，尤其是教会内的很大部分精英群体来说，这一改变对于其个人的意义尤为重要。

3.3 这个社会太败坏

"不信是有罪的，不信会导致心灵的盲目，现代社会最缺乏的就是信任、诚信。……看看现在的社会，地沟油，黑心商人，有什么你敢放心吃的？还有前一段时间，那个什么'天上人间'，简直是对道德的玷污……看看没有信仰的人，生活里都在做什么？这个社会根本就没有道德。美国是基督光照之下的民族，每个人都代表着天主，所以人家强大，能够活出人性的尊严。

"有一次我在韩国坐飞机回来，夜里从空中向下一望，都是红色的十字架，心里特别欣慰，特别有安全感。十字架比中国'足浴'的牌子还多。真的是肃然起敬，一下就有了信心。等回到中国呢？

---

21 按照教会礼仪，教区男性老教友、精英教友是可以被选拔成为教会管理层人员的，能否被选为管理人员也是信德高低的直观体现。而对于女性教友来讲，这种正式的渠道并不存在，"玻璃天花板"是可见的事实，教会也不鼓励女性教友参与和管理教会事务。正是在这种男女区别对待的现实情况中，D 为代表的女性老教友、精英教友在教会内的"信仰表达"和权力获得才成为极其独特有趣的一部分事实。这种状态其实让以 D 为代表的很多女性老教友颇有微词，但是又无可奈何。

满 B 市，就五六个堂，还都被其他建筑给挡上了。

"最近红十字会，多么让人寒心……我们堂从来都把奉献拿出来，帮助麻风病院，帮助残疾人。当社会上的慈善失去信誉的时候，大家都在看我们教会。

"世人多冷漠？忘记耶稣钉死在十字架上的救恩，懈怠、冷淡，还仇恨天主。还有现在的青少年，只知道沉迷电脑，沉迷于虚幻，对周围一切都很冷漠。……死刑、安乐死、计划生育，都是多不尊重生命的事情？教会讲的是正义、人权，教会有道理。正义的呼声要是没有教会就不会有人喊出来。

"有些教友，'我平时工作忙，我要加班，神父我是不是就可以不进堂不望弥撒了？'这一个星期，天主给了你六天照顾你的肉体所需，一天照顾你的灵性生命，天主教的法律非常人性化，但你不能不去照顾灵性的生命，就这点要求你都做不到吗？现在的人很多都成了物质的奴隶。[22]"

"B 这地方这么多年没有出过大事了，你看今年夏天，就是下了几场大雨，结果死了多少人？我那天抬头一看，天上就写着四个大字，'就快到了'，到什么？这都是预兆，现在的社会太罪恶了，最后的审判不远了。[23]"

"'所以，你们要警醒，因为那日子，那时辰，你们不知道。'永生和末世随时都会来到，我们有否为我们的油灯准备好油，以迎接基督新郎的到来？[24]"

"夏天地震的时候，教区有教友就很不安，觉得现在这个社会都这样了，天灾人祸的，是不是到最后审判了？万一我要死了怎么办呢？就跑来找神父一定要傅油做终傅，神父怎么劝解都不听……不过最后还是被神父撵回家去念经了。[25]"

神父在布道的过程中也存在着差异，更强调神学意义的神父强调信仰要"正信"，解决关于生死、终极意义的解答，而大部分神父则强调信仰的理

---

[22] S 堂十月初一位神父在慕道班和后来的弥撒中，围绕着十诫的内容这样讲到。
[23] D 和一位男性老教友在 B 市大雨，城市内涝导致人口死亡的事件发生后这样评价。
[24] 一次弥撒中张神父如此讲到。
[25] 11 月 25 日来堂的年轻神父在慕道班讲述了这个故事。

由归根结底就是要应对生活中的苦难，生活中的不顺利。

　　现实生活中，个体各自有其不满、恐惧和呼求，针对个人的"思想工作"可以有针对性，但是建构整个团体的归属感和一种团体的叙事需要整体性权威的语言。S 堂在建构集体认同时，最主要采取的是一种积极的世俗手段[26]，不断引导个人将自身的"苦难"转化为整个社会道德，乃至民族的"苦难"，指向"唯一的救赎方式"。实际上在批判社会现实的过程中，他们采取的陈述方式是极其世俗化的，与公众对社会的不满并无二致。与当前相比照的理想化的过去源源不断地引出"这个社会怎么了"这样的疑惑，福柯所言的那种随时间而变的异己感愈发强烈。中国社会短时间压缩的、自上而下的、革命式工业化和现代化带来的多元和无序，在个体行动者看来常常以"混乱"和"道德沦丧"此类浮现在水面之上的对象物形式表达出来，在大众实践中落实到"回归古代正统"、"追随西方先进"和"找到神圣道德"这三种不同的"救赎努力"上。这三种途径无论其表征如何千差万别，本质上逻辑并无二致。如果说网络空间和群体性、突发性事件以及灾害性事件为社会压力提供了宣泄途径，那么实际上，宗教活动也达到了一种缓冲性的宣泄作用。

　　但是这种关于有罪、无罪，善、恶的宣称，却在道德上建构着信仰群体和教外人的差异性表达，并延伸至个体存在意义上的差异。在教会内部，通过这种"高级性"创造了一种与本土文化截然不同的"全人"概念和"完人"概念。即便是教友自身还有"罪"，不是最完美的，但是认识到了"罪"的存在，就已经"在修炼"，要比普通人，没有找到救赎道路的个人境界更高。这种"技术"，最直接的操作就是在强调一种普遍化的道德准则上，利用宗教神圣性的话语，建立教外人不具有的信仰个体的"第二重道德"结构，使信仰个体在这个层面上，成为"内在一致的信仰主体"。

　　在表面上，这样的一种"共鸣"似乎建立起了一种集体的身份标识和共识，但它并不能与教会的集体性很好地结合在一起。结合教会内部垂直的精英-大众的网络结构，对于整个教会群体来讲，潜藏着危机；对于"新来者"而言，此种替代性的社会支持网络也限制了教会内部群体性资源的获得。整体而言，传讲的世界观和意义体系的重建过程，反而成为个人化阐释和演绎

---

26 但很重要的一点是，这种世俗手段并不为本堂的两位神父采用，而主要被精英教友和慕道聚会中其他神父所运用。而慕道者们平时能够接触到的主要人群也就是他们。

的有效路径。

3.4 我信与我虔信，快速入教危机与不可知论陷阱

十一月的一个主日晚弥撒前，一位泪眼朦胧的年轻女性来到 S 堂，痛哭失声。D 很关心地与她攀谈起来，了解到对方是因为感情问题而心情不愉快，就进行了一番耐心劝说。也是在这一次偶然的事件中，我才发现 D 的一套言词中，很多内容与几个月前第一次访谈时，她所使用的言词基本上一模一样，在措词上都很少存在差异——年轻时有才气，漂亮，追求的人多；自己特别善良，不忍心拒绝；在男女的问题上犯了罪；离婚带着孩子生活艰难；重新结婚还是不幸福；车祸，突然觉悟……

更有趣的是，D 突然开始询问：

"你是什么星座？什么血型？我觉得你这样的性格，特别像 XX 血型，XX 星座的人。"而周围的教友们就每种血型和星座代表性的性格和行为展开了热烈的讨论和总结。

虽然在平日的布道中，神父一再强调作为基督徒不可以信奉别的神，不可以拜偶像，拜佛或算卦，而 D 作为二十多年来长期在堂里服务的教友已经无数次听到过神父针对于这个问题的各种讲解，但是依然还保留着对于星座、血型论的信念[27]。

事实上，这种状况并不是 D 一个人身上体现出来的，而是整个教会内部的问题。以 D 为代表的一部分老教友，对于星座、血型观有着很浓厚的兴趣，并常常以此解释某人的性格和行为。在教友中间，这样的一些观念也并没有受到强烈的质疑。

炼灵月到来的时候，整个天主教 B 教区都会举行一个长时间的"追思已亡"献仪和弥撒活动。炼灵月最后几天时，两位路过教堂，并不信教的闽粤籍年轻人找到了教会中的男性教友 M[28]和与我在一

---

27 我曾一度怀疑,这种血型星座的观念是有意识地以教外人群能够接受的观点,在交谈中方便引入宗教问题的讨论。而实际上,虽然这种观念的确使得宣讲过程更容易过渡到宗教讨论上,但也只是一种无意识的附加结果。教友们的确相信星座血型观念,因为"血型是天主赐给的、星座是天主创造的",所以都有神圣性存在。

28 M 其实是 S 堂中男性精英教友,慕道班、仪式安排、受洗等等很多重大仪式都有

起的 D，提出要为刚刚车祸去世，也不信教的朋友"做点什么"。

在 D 的解说下，两个年轻人最后决定为朋友献一场弥撒，官方价格是 50 元，在 M 这里可以降低到 20 元。D 强调：

> "虽然他（逝者）在生前不认识天主，下了地狱，但是现在因为一场弥撒就可以积很大的功德。现在全世界的天主教徒都在为亡者祷告，这样可以替他省去很多在地狱中炼的时间，就能早点脱离苦海。但是因为毕竟他还是没有跟随主，能不能升天国还是看他的造化了。你们献弥撒其实也对你们自己好，知道为什么吗？因为你们也在帮自己攒功德，也能帮你自己减少在地狱里炼的时间。但是没受洗的人和教友那还是不一样的，像教友死后，特别有信德的，像圣人圣女一样，就直升天国了，我们这种有罪的就会去炼狱而不是地狱，把身上的罪炼干净了就能升天国。炼狱可比地狱时间短，好受多了……"

虽然这种观念并不能简单解释为一种福报观，但是这种因为信德而得到各种回报的观念，背后多有同样的逻辑，而且也的确在教友中非常盛行。尽管神父一再强调"生病要看医生，不看是有罪过的，因为你没有好好照看天主赐给你的健康。低级的宗教才会拒绝看病，去医院看病这是符合自然规律的"，还是有教友宣称在生病时从来不去医院[29]，专门以教堂里的圣水[30]治疗，效果很好，就算身体一向不好，长期服用更是不得大病。而且尤其强调乘放圣水的瓶了不能洗刷，不可以混进别的水，即便瓶中长满绿苔也不可以更换。有一些身体上有慢性疾病或恶性肿瘤的新来者因此也纷纷采取圣水治疗的办法。

基督宗教文本的翻译受到传统宗教和文化的影响，教会内部的话语体系也分裂为世俗和神圣，两个相互纠缠的部分，二者有分化，但分野模糊。实际上正是在乡土社会中，宗教性和世俗性才得以更深刻结合在一起，进入到群体的和个人的世俗生活中去；而城市社会中，神圣与世俗之间，相互解构

　　他的运作。在强调男性与女性角色差异的教会内部，他与神父的关系和他的权威是 D 也要尊重的。

29 这一点和神父强调的，要爱护神给的身体，有病要去医院医治，再一次大相径庭。

30 堂区内有一对母子，每次都准时来参与弥撒，风雨无阻。儿子八岁，有先天出生缺陷，日常生活无法自理，无法与人正常交往，这对母子几乎从不与教友们交流，每次弥撒结束后母亲都会灌一瓶圣水带回家去给儿子服用。

又相互建构，具有很强的限制力和明显的场域割分，最后内化为个体行动者具体的信仰实践。结合本土化操作，还导致了一个最为致命的问题：无论是老教友还是新教友，神学教育都存在问题，实利主义要比新的"世界观"提供了更强大的信仰实践动力。

在老教友身上，除去神父在常年讲道中经常提及的一些《圣经》章节，教友们对于《圣经》的了解确实有限。机械的教义和世俗的逻辑，要比西方神学中强调的那种释经学的神学逻辑和世界观更容易讲解和接受，也就占据了更重要的位置。而在对新教友的"训导"过程中，虽然慕道班采取了针对宗教性的重要主题教学，但是其一整套言说结构都是极其世俗化的。在这个世俗化的混合结构中，一方面想要和公众社会中的认识、实践相贴合，以达到对话的可能性；另一方面，又尝试利用理性、科学、政治的论断来论证宗教中神圣观念的合法性。可以说，这样一种羼杂的状态，并不能将一种神学意义上的，或者说更广泛意义上有关于存在、实在的世界观传递给世俗文化的个体，对"神圣逻辑"依旧是尴尬的机械重复。面对现代性张力，教会内部团契网络关系并未显著改变，灵活的只是宣讲传道的手段，这种外在的灵活和内部的固态自然也会导致分化，不过本土性的亲缘关系拟态的出现其实为之提供了替代的解决方式。地方性对于基督宗教的本土改造，使得神性教义成为了抽象的、教条的"技术"，而宣讲者又经常性地前一秒还在谈论科学性和可解释性，后一秒就凭借阶层化的权力将之打上了只需相信，不要追问的神秘主义标签，而最不巧的是，被打上这种标签的，常常都是常识逻辑无法理解的神性信仰中的基础、核心元素。

以四个月为一个周期，总计不超过四十课时的教会基督化教育，更是以一切以领洗为最终目的。其教育周期甚至不如基督新教长，就将还没有明确的身份认识、身份建构的个体快餐式加工成为基督教徒。这也是教会面对复杂的现代城市社会进行的策略转变，赋予个体仪式性的身份、增加教友数量是首要任务，使其习得一套符合规则的仪式化行为是第二位的，而明确的信仰认同和转变则被置于最末。最注重仪式的天主教也可以为了领洗的最终目的而简化仪式，除洗礼外几乎其他所有的仪式都可以跳过。在"建立起"信徒身份后，虽然教会强调以三个常年期为周期，对新教友进行仪式和思想上更详细的培养和训练，但是 S 堂内实在缺乏持久的团体学习活动，加上垂直的、分散的人际关系网络，以及与普通教友明显分化的神父，对于教友的基督化教育，最后还是主要成为了教友"个人自觉"的行动。而神父和教会群体能够为信仰者个人所提供的，也只有弥撒和仪式中世俗化的神学解释，神秘主义的"只要信"二者的混合物。

第 4 章　神域：构建中的个人与整体

4.1 神亲

　　"各位朋友，你们来到教会渴求甚么？"

　　"我们渴求基督信仰。"

　　当慕道者接受了收录礼的时刻，慕道者也就需要在老教友中间选择一位代父或代母，同时为自己选择一个"圣名"[1]。这一过程，也叫做认"神亲"，由收录礼开始，才代表着教会作为一个整体真正接纳了新来者。这也是慕道者最先接触到的天主教仪式，也是真正意义上对于个体规训的开始。

　　慕道阶段的基督化过程，在实际作用上打破了个体在社会中已经拥有的

1　慕道班在选择代父代母时一度出现了混乱，因为绝大部分学员都只是与小组陪伴员熟识，自然希望能够和陪伴员结神亲。像 D 这种经常在堂，并且很有一套宣讲策略的老教友，很多慕道班学员都和她分享过很私人的经历和想法，会形成一对多的默认的同盟-伙伴关系，在选择代父母时会有很多学员来找她，也被普遍认为是 D 信德高的表现。但是因为神亲是一对一的，一个代父/代母只能在同一批慕道者中结下一个代子/代女，很多学员被分到不认识、从来没有接触过的老教友后会觉得难以信任、很勉强；而大部分代父代母也仅仅认为自己是一种仪式上的临时身份，并不对新来者负有什么后续的责任和义务。而且此时教友内部十分重要的性别团体区分才明确呈现出来，女性只能有代母，男性只能有代父。面对前来质疑的教友，神父给出这样的回答："每个人应该接受并承认自己的性别、生理、心理和灵性的差异和互补性"，男性教友"要好好上进，以后为多参与教会的事业，为教会服务"，至于女性"欢迎你们服务、奉献，但你们是不能承担教会内的职务和工作的"，因为"教会历史上从来都没有女性承担过，没有过这个规矩"。神父半开玩笑地讲："其实女人的罪都是口舌上的小罪，男人的罪才真都是大罪"。

-63-

社会地位和角色差异。这一过程也对个体进行了匿名处理，将个体作为需要进行宗教上重新"社会化"的"问道者"，减少他们仪式的参与过程，减少针对他们的分别性的言论。慕道者活动越限于慕道者群体内部，也就越难以发现自身被去社会化、匿名化的现状，也难以体会到新来者和老教友之间"知识和技术"以外的差异性。但是，这样一种"隔离"如果成功，虽然可以在前期通过再社会化，重新赋予个体一个信仰者的身份，但是一旦个体作为新来者进入到群体的结构和实践中时，诸多潜藏的问题就暴露出来，更会使其手足无措。这也是教会内部垂直的、匿名的、单向的关系网络之所以可能的一个条件。也就是说，在 S 堂的天主教通过仪式中，阈限造成了短期内不会消失的隔绝状态，而交融也成为了问题。这种结构建构之中的反结构力量，要比流动性和现代性为教会带来更大的问题。

另一个问题在于，神亲，到底起到了什么样的、以及多大的作用。

代父代母制是天主教中长期存在的一种制度，强调由十四周岁以上，领洗至少三年，明白教会道理，能够在灵性生活中为代子代女提供指导的教友来担任，实际上相当于慕道者的担保人和监护人，除了神父之外专门引导个体信仰的人，在称呼上强调称其为"老师"。S堂每次新教友领洗前，代父代母常常固定在十几位有数代家传史的老教友中间，收录礼并不和弥撒安排在一起，而是单独选定时间，由负责人和神父商讨后，负责管理教会事务的教友去邀请老教友们参加收录礼。虽然神父就教友不积极当代父代母的问题专门在新来者预备期内的弥撒上进行过布道，要求教友要有信心、耐心，要积极奉献，但是并不能改变这种状况。

神亲这一制度，强调慕道者个人要积极与教会内的老教友建立一种类似于师生-父子/母女一样的亲密关系，在双方同意的条件下，老教友为新教友担任代父/代母。但在具体操作中，代父/代母制并不如预想中的一样得到实践。

首先在代父/代母的选择中，慕道者个人意愿并不总能实现，代父/代母经常是临时性决定的，而且有严格的同性要求。这一事实牵涉到一个更重要的问题，就是在个体归信的过程中，所接触到的老教友个人所具有的传教能力和人格力量很大程度上影响了一个教外的个体能否成为"慕道者"。这样的一种卡里斯马似的阶层结构，其凝聚力很大程度上依赖于老教友个人所具有的感召力，它能够提供的凝聚力也就自然存在着问题。

这一期慕道班中，有一位 Y 姓年轻人是主动来到教堂要求听课的，非常积极参与课程且带动了同事一起前来，"因为自己独自在外工作，觉得到了教堂就心里特别舒服，不想走"，但是两个月之后，这位年轻人在毫无预兆的前提下就退出了慕道班，再未出现在教堂里。

事后，通过和他的交谈才得知，Y 还没有大学毕业，现在在 B 市独自进行为期一年的实习，常觉得心里面有很多困扰，又无处宣泄情感。由于居住地距离 S 天主堂很近，所以临时起意，想要像拜拜寺庙一样进去看看。在进堂时，Y 遇到了一位非常有个人魅力的老教友，耐心细致地与他攀谈整整一天，了解他的生活状态和心理状态。为此 Y 很受感动，在这位教友面前痛哭倾诉，并在教友的热心劝说之下决定开始到教堂"听道理"。而之所以选择半路退出，是因为：

> "人都说日久见人心嘛，时间一长我就觉得他们那套东西不能说服我，老教友又说不明白，问神父吧，他又不许咱们质疑。而且慢慢我也发现，他们对谁都是这样一套说法，就有种被骗了的感觉。平时大家分享的时候总是动不动就提到当时（痛哭）那些细节，时间长了我真是不太好意思。另外就是家里人应该不会同意我信教，所以我也就不去了。"

> D 也提到，她在堂里的时候，很多人和她聊天之后都会痛哭，会听从她的劝导尝试着听一听慕道班的课程，而一旦她不在教堂或者过于忙碌时，很多人又会离开，每当这个时候 D 都会觉得是自己的信德不够坚定，方法不够适当。

神亲的意义在于通过对于现实生活中血缘和亲缘关系的模仿，建立一种可以具体到个人的、全面的整合系统，在原本没有直接关系的陌生个体之间建立共识，进而达到个体对个体、个体对群体的整合，同时通过一对一的虚拟亲属关系的建构，由老带新，有针对性地帮助新来者建构符合基督徒的认识体系，对新来者进行心理和身体的直接规训，最终达到对于信仰的宣认，对于教会和神的委身。同时明确个体在整体中的权利和义务，以及互相之间的关系。但从实际中来看，神亲并没有按这样的方式构建，快餐式的基督化教育、卡里斯马结构也使其无法达到想要达到的整合功能。在个体流动性增强的社会，神亲制度提供的世俗情感化连接，理想中可以成为某种程度上脱离了原有社会网络的个体的一种代偿性的关系网络，可是在事实上能够起到的整合作用却极其有限，反而成为一种潜在的分离力量。

　　教友对于神亲的实际意义存在着两方面的理解，一方面是强调现代社会里人与人的关系比较疏离，很难再建立起一种亲密关系，而个人精力也有限，所以神亲往往流于形式；另一方面则是根据建立神亲的多寡，能够看出一个教友是否热心教会事业。神亲制度也从侧面上体现了教会精英阶层，"热心教友"们所掌握的实际权力和教会内的权力结构，神职人员与普通信众也是在这里才区分开来。通过卡里斯马式的层级化网络，越"热心的、有信德、主在他/她身上做工的"教友，越能成功地吸引教外人，在教会中也就有更大的声望。"热心的、有信德、主在他/她身上做工的"教友又往往是已经退休，经常在堂，有家传史，有经济条件，对宗教生活有大量投入的"老人儿"，教友内部的精英阶层在权力层面就进一步与普通教友分隔开。这样，整个教会的整合在很大程度上是一种不稳定的状态，而且尤其是新加入的信仰者更是依据世俗化的情感与群体相连接，和建构神人关系的努力大相径庭。

　　神学式的宗教性在这一制度和集体意识中所占的比例很小，正如前面所提到的，有着数十年天主教信仰的老教友依然会不时用血型和星座来解释某些事实，老教友们对于天主教在神学上的认识十分有限。读经或祷告是以经文的实际效用来决定的，文化程度不低又几乎没有阅读过《圣经》的教友也大有人在，弥撒和献仪都可以为教友减去在"炼狱中被炼"的时间，针对整个天主教信仰而言，教友们绝大部分的宗教认识都来源于数十年不间断的神父布道，以及堂区不时组织的各种或近或远的朝圣活动。礼仪年以三年为周期一循环，旧约和新约的"主要内容"就可以通过神父的讲道三年传授一次。用基督宗教自身提出的"圣经需要神启才能被读懂"的视角来看，大部分神父讲道时实际采用的是一种世俗化的语言，并不具有释经学的严谨性。在这个基础上，文化转译过程中，对于其他宗教、世俗话语的采借也在无形之中造成了信仰主体的认知混乱。

　　成功建构的神亲，进一步发展有两种形态，一种是新来者经过一系列的身体和心灵的规训后，成为一个被群体接受的正式教友，然后继续"传播福音"，吸纳新教友，尤其是针对个人家庭内部成员，将世俗的亲缘关系变成信仰中的亲缘关系。另一种是在教会内部通过缔结婚姻关系达到一种世俗与神圣性双重的神亲状态。两种形态虽然各自的操作和逻辑有差异，但都是在追求将虚拟亲属关系转变为实质性的亲属关系。

4.2 去与留

"我同学 M，你也看到她的，表情和普通人都不一样。大三那个时候她家里出了事情，她父亲去世家里生意又垮了，整个人就瞬间变了一个人一样，茶饭不思，学习一落千丈，也不和人交流。后来我拉着她去看医生，诊断出的结果是抑郁症，非常严重。她家里都那个样子了，顾不过来，她也不想让家里人担心，就什么都没说。那段时间我一直担心她会想不开，整天都要提心吊胆的跟着她。陪她去庙里面烧香拜佛也没有用，最后实在没办法了，想起来还有教堂，就拉着她来了。第一次来的时候人特别多，呆了一会儿我们就走了，后来她自己又来了一次，结果就遇到了 D，以后就经常来了。[2]"

这位大学生已经在去年中旬领洗，并长期保持每周进堂的习惯：

"那时候觉得人生怎么这么黑暗，想什么都会想到死，觉得什么都没意思。后来去了教堂就觉得里面特别安静，有一种说不出来的力量，在里面什么都忘掉了。人活着还是要有精神支撑，有信心才能活下去。[3]"

"小姑娘是河南农村的，来这打工跟着老乡就进堂了，没多长时间带着妹妹来，俩姊妹一起受的洗。她妹妹很听话乖巧，有信德，经常进堂。这个姐姐就不行，一领洗就出去犯罪，犯了罪就回来悔改，悔改了又出去犯罪。就这么一次一次又一次的循环往复。这个小姑娘就是在男女情感上想不清楚，奉了教还今天和男生住在一起，明天分手又找一个。后来我这个代母算是对她无奈了，她也总躲着我，不进堂了。然后突然有一天她妹妹就给我打电话，要我赶快过去，说她姐姐突然就不行了。我就去医院问她悔不悔改，然后赶快找神父给她做终傅，算是捡回一条命。她就是对自己期望太高，就想过城里人的日子，天天有人伺候。病好之后我给她撵回农村了，她也找人嫁了，也再没犯罪。她就是受不了城市的诱惑，魔鬼的试

---

2 两人都是 B 市某重点大学的学生，都无家传史。此人是 M 的男朋友，并未归信，两人曾经是高中同学。

3 M 在第一次见面时，这样介绍自己。

探。后来想想，这小姑娘肯定是被附魔了。[4]"

"我那时候还在上大学，然后挺奇怪的，不论去哪个城市，教堂都是不开门。我被拒之门外，那时候心情忧郁，但是两次这样的时候，我在它门前默许，只要它真实存在，就让我进去礼拜……就有一车教友，从别的地方过来，开门一起礼拜。于是进去里面休息，听了一节福音，结果哭了，在众人面前哭得稀里哗啦，把内心的阴暗忧郁击碎。走出教堂后感觉如释重负，身心洗礼。身边基督教（新教）的朋友说他很嫉妒我啊，因为天父的大能很爱我。现在每天早上起来，我都会在微博上发个十字架，它会保佑我。有一次早上赶路没发，就半路被交警拦下，说我们的车子被人套牌，还犯了命案。

教会是个大家庭，大体人的内心是纯洁的，过滤了好大一批没有心的人，就真的信了，也就有心了。宗教用学术解释不通的，如果你寻求真理，真的想真正做个坦荡没有负担的人，就信吧……[5]"

"你也知道，学校里面就有时候会在路上遇到一个神神秘秘的学生，突然走到你面前说：'同学，你有没有兴趣了解一下《圣经》？'这一类的话。肯定还是好奇啦，有一次我遇到一个女生拦住我，不知道怎么想的我就答应了，告诉她我有兴趣。其实就是很好奇，它是怎么一回事，所以也没多想就直接跟去了。记得当时是去了校门外很近的一个地方，高层办公楼里面的一间房子。进去的时候里面已经有四五个人了，然后就是坐下听他们讲呗，了解一下也好。不过觉得蛮好笑的，只强调信啊信的，没有多少说服力。后来他们讲完了就问我们有没有什么问题，我们那边的传统是信佛啊道啊这些的，那我就问了一下耶稣和佛祖哪个更大。结果那个女生一下子就跳起来，指着我，说的话特别难听，我就被他们撵出来了，也就不了了之了。就是觉得学生团契很不靠谱吧……大家都是学生，很正常的一个问题，讨论而已，是他们问我们有没有问题的，解释不了就恼羞成怒什么的很奇怪啊。[6]"

---

4 这位小姑娘是 D 的一位代女，初中学历就来到 B 市打工，无家传史。
5 目前已经在汕头定居的 mako，大学本科毕业，理科专业，二十七岁，无家传史。
6 B 市某高校研究生，文科专业，广东人，无家传史。

　　"小时候接触过，但是没有信的，那时候实际也不懂，后来是
06 年接触的，然后就慢慢地理解了，后来就慢慢地信了。一开始也
不信，我受过这么良好的马克思主义教育怎么会一下子相信有神存
在呢，我父亲是老师的，而且还是共产党员，所以也不会轻易相信
的。他比我早几个月信的，一开始他向我传教的时候还是抵触的，
并反驳的。后来主要还是在学校这边信的，去了一家教会，慢慢信
了。

　　教会在生活上有帮到自己，但更主要的帮助还是来自上帝对自
己的救赎。我谈不上对这个城市有什么感觉，反正对教会的人还是
有感情的。家里爸妈都信的，姐姐哥哥都理解的，家庭还是家庭，
亲戚还是亲戚，家人也有反对的，不过反对的家长基本上都是农村
的，没受过什么教育，容易将其与迷信联系起来。同学这边，我去
教堂有的同学知道了就传开了。有好奇的会问问，比如教堂唱诗歌
吗？要祷告吗？诸如此类。遇到人类作恶的时候我能感觉到自己是
一个有信仰的人，和别人不同。比如有同学一起去嫖娼时自己就不
会去参与。

　　中国社会的问题很多，中国人认为是道德滑坡、礼仪沦陷、法
律缺位，但是道德与礼仪西方没有中国这么多的，中国法律未必比
西方不严，所谓这些都不是理由，关键中国不是信仰社会，政府自
身信誉问题都很大。中国基督徒基于中国的政治环境其实是很难
的……但是基督徒还是希望能够涉及到民间社会生活中的，比如汶
川地震时，很多志愿者团体实际是教会派过去的，还有教会会通过
募捐的方式救助苦难中的人。

　　我一般跟信教的人交流比较坦诚的，因为知道对方不会对自己
有心计，愿意跟他们交流，我觉得那些人才是比较合格的人类。[7]"

　　"我小时候有段时间和姨妈生活在一起，她一直对我很亲的。
那时候她在工厂上班，就住在工厂旁边，家附近就有教堂，十分钟
就能走到，工厂的人都信。然后怀孕的时候她儿子没掉了，同事和

7　Tobias 目前为 N 市某高校研究生，文科专业，河北人，在父亲之前无家传史。归
　　信堂为 B 市 N 堂

家属影响下她就信教了。住在一起的时候她会带着我吃饭前祷告啊，这样的，还会在家里挂上耶稣像，让我敬礼。那时候我很喜欢祷告，跟着姨妈做礼拜、参与他们的聚会和读经。后来重新跟父母在一起之后，我父亲是医生，家里人比较倾向于无神论，就对这个比较排斥了，让我认真学习，说那个东西都是'骗人的'，'充其量是一种心理安慰，早些年都要抓起来'。

还有我舅舅和舅妈，他们也是信教的，有两、三年了吧。他们现在都在北京工作，搞货运，大概是工作性质有关，生活压力也大。他家门口就有小教堂，平时接触到的一些老家来的老乡带动着，慢慢也就信了。我也有和他谈过他的感受，他就觉得信教之后，就有了寄托，整个人精神和生活都很集中，过得积极充实，而且他们夫妻感情也增进很多，业绩也更好了。舅舅当然觉得是自己信教，受到恩泽。我舅舅还会在卡车里面放上圣经，会和别的教友讨论教理，会讲道作见证，参加一些聚会。但是如果家里人聚到一起的时候，大家虽然都心知肚明的，有人很抵触，但也不会主动谈这些，至少表面上家人之间关系还是很好的。

我感觉从小到大，周围信教的人是越来越多。我的亲戚他老家农村，是一个村的大人小孩都信教了，每次捐献奉献几乎每个人都会参与，而且农村嘛，大家给的面额都很大的。而且我也亲眼见到有些人确实有好的改变，这些都不假。个人觉得有积极的心理暗示成分在吧，这种事情也不能简单的说是神圣，但是我也不排斥，就是觉得不能解释而已。

去年（2011）有段时间情绪非常低落，就觉得生活也在变动，自己也不能控制自己，拖延的习惯越来越严重。自己上进心很强的，但是学业啊、论文啊，各方面的压力很大，压力越大反倒越拖延，就有点担心自己的心理和身体。一开始是运动，跑步，听音乐，很有效，但是一周之后就更疲惫。这样一个月、两个月过去几乎就没有效果了，觉得自己整个人快要崩溃掉，靠自己内心的力量真的没法控制。然后有一天周末逛书市的时候突然看到《圣经》，就买了，当作一种神圣的故事，每天睡前翻几页看一看，偶尔也会给上帝写信的，当然最后都被我删掉了。我也没去过教堂，虽然有一次的确很想参与学生团契，最后也没去，没想到看看书慢慢就正常了。但是逆境已过去，就觉得它也没什么用了，也就没有再管。

信教的人有不少好人，我姨妈说，姨夫有次开车碰了人，对方的妻子就是信天主教的姐妹，这件事情最后就解决的很好，他们两家还成了朋友。不过我觉得信教对人的限制太多，尤其是天主教很注重形式，要求又严苛，又要禁食，又要肉体受难净化灵魂的。基督教在这方面就比天主教好很多，对教众控制的也少。

我觉得我还是不会去信吧，最多平时感兴趣看看书和了解的人谈谈而已。但是也不会去反对啦。我觉得总体趋势来讲，现在信教的人肯定是越来越多的，信教的人品性也会好很多。像佛教那些，政府宣传无神论嘛，就说那些是迷信，基督教这些舶来品，就好像是发达国家先进的东西，大家就觉得要比封建迷信靠谱多了嘛。现在人们都把信仰和政治啊，那些分得很开的，自己的生活肯定是上帝主导，不会把社会问题和信仰问题混为一谈，也不会太去关注这些东西，那都和自己生活没关。所以也可以理解为什么越来越多的人会去接受它。

其实摇摆不定的时候是最挣扎的，将信将疑会被困扰，有困扰就是有怀疑嘛。那句话是怎么说的来着？Acceptance, with no room for doubt.[8]"

学生、农民工、个体从业者等等，他们都是这一社会流动性极强的个体的典型代表。在当今社会，个体成为整个社会裂变的承载物，社会矛盾投射在自身的拉力，最终以一种个人苦难的形式呈现出来。个体的主我角色和主我建构，与整个社会、文化、经济相互作用、嵌套，引发双方的变革。单位制的解体和市场经济的迅速发展，使现代性的发展和消费主义的迅速扩张突现出来。由一种刚性制度到一种灵活性与多样性的转变是如此次迅速——经历了集体主义彻底改造的人们被甩进了这一浪潮中，权威瓦解，结合个体的不确定性、现实的危机感，使得原本还以群体性来面对社会生活的个体，不得不面对"过去的"那种可依赖的集体意识和集体结构消失带来的阵痛[9]。

---

8 B市某高校博士生，文科专业，河南人，有家传史。

9 关于中国市场转型、社会转型等研究，已有大量的相关论述，对于现代性的讨论，可以参见鲍曼、吉登斯的现代性理论。

　　家族为代表的传统社会支持网络也在发生变动，由一种父子中轴转向一种核心家庭为主的夫妻中轴。家庭功能越来越多地被完善的社会设置所替代，个体对于家庭的依赖在降低，个体也更多地追求个人的发展和个人的幸福。家族的力量虽然在衰退，但是却无疑成为政治权力大幅度退出现实生活后，个体行动者收益最大的、成本最低的社会资本网络。作为根基的家庭，实际上也一直是宗教传播的推动力量。

　　可以说正是这一系列的个体化倾向，结合文化内自有的分散性，才唤醒了社会行动者的个体化意识。而这种个体意识需要面对的，是制度权力能够提供的有限自由，使得对整体结构的挑战不一定总是会成功，而过高的流动性使得家庭和平面乡村已经无法作为集体提供一种博弈性力量，正是在这个基础上，宗教群体也作为一种代偿性的机制吸纳了个体。

　　"去"与"留"的选择，反映出个体发展的刚性阻碍还依旧存在，而消费主义和全球化带来的消费欲望，以及由消费界定自我的意识，更是将个体行动者抛入简单而却直接的，个体权利不可得的痛苦中。可以说，正是在这种对现代性承诺的自我未来的渴望，和现代性带来的短暂流动过后的刚性压力，两者之间的张力造成了宗教的需求在某种程度上"被唤醒"。而面对陌生城市生活中的不确定性，宗教在事实上能够为新来者迅速而便捷地提供一整套的替代性社会支持网络，从而提供一种社会归属感和一种便捷、迅速、易于整合的社会资本网络，乃至"本地人"的"合法地位"。但实际上这种合法地位、关系网络也仅仅是建立在宗教性之上的。城市宗教团体和实践的封闭性，使得这样一些资源和力量，并不能完全保证个体的完全发展，也带来了进一步的不确定性和冲突。

结论：现代性漩涡中的宗教性

"有时候，我确实相信某种更为宏大的蓝本，相信各种层次的经历，相信一切终有解释。"

——赛巴斯蒂安·福克斯

"正是在突破日常的存在模式，并从基础上颠覆这种模式，迫使我们回到生命本身被看作无用的生活得基本根源处，宗教才成了我们的所需之物——人类生活的必需之物。"

——Keiji Nishitani[1]

全球化的过程中，无法避免宗教的各种交往，坚持整体性和价值中立的视角就不能随意弃置文化整体中的任何一个意义片段；也许我们可以从对历史的、现实的宗教研究中，真正的有所获益。借用鲍曼的思想，可以说，宗教并不应该被当作人类发展中的"一小段"老生常谈的"疯癫与心智错乱"反常史；任何一个持有此种思想的理性主义者、无神论者，都忽视了这一论断背后的反讽与荒谬。

对于宗教性的否认无疑阻碍了我们将自身当作一个问题化的存在的可能，而虚无的存在又使得自我的存在最终成为一个问题。基于我们切身体会到的社会现实和人类心智、文化的复杂性，我们才敢于挑战这样的一种断言，即："智识上的转变，结合生产力的增长、技术的进步，使人们达到一种真正成熟而不再愚昧的'理性状态'，摆脱了针对神学和终极实在的迷思，并将走向一个人类心智不断成熟和发展的理想未来"。任何涉及到文化、社会

---

1 Keiji Nishitani, What is Religion? Religion and Nothingness, University of California Press. 1983, P1-45.

与人类心智的事实，都应该被看作一条光谱，其连续性、互渗性是无法忽视的。

虽然有着有限认知者身份的限定，人们对于理性极限的估计又过于乐观，一度尝试以数量上的累积优势来超越理性的极限状态，这样的一种人类独自尊大精神所驱动的共谋在日益碎片化的当卜，似乎开始丧失其魅力。无论是韦伯的铁笼、马克思的异化、海德格的深渊，还是尼采的兽栏、福柯的监狱、哈贝马斯的殖民化，都是一种针对现代性问题的隐喻。"美好的现代生活"发展到今天，一种不安全感萦绕在个体行动者心头。现代性并不能提供一整套的关于意义与"无意义"的意义的解释。现代性、多元性，过多的意义并列在一起而各有其合理性和可能性时，正如米德在萨摩亚与美国的对比中所提出的，选择过于多样，将带来文化的冲突，和自我认知与发展道路上的曲折。

纵观十八、十九世纪以来的历史进程以及当今时代的变化，沟通交流的便利，一方面有着科技的影响，另一方面更是分类方式、价值观念多样性消退的写照。若说不再寻求神灵拯救的人们，在科学主义和现代文明的护航下，的确走向了一种人性和理智的全面解放和自由；可是拯救的历史并没有结束——西奈山上也许已经不再是上帝，而是全新的"弥赛亚[2]"，与现时代鲁莽地走向深渊遥相辉映。"……被认为等同于现代性的世俗化或祛魅过程实际上……并非如伏尔泰的名言所说，是理性砸烂了这个卑鄙货，不是尼采所宣称的久已存在的神死了，也不是海德格尔所说的隐匿的神的永远隐退，而是神的属性逐渐转移到了人（一种无限的人的意志）、自然界（普遍的机械因果性）、社会力量（公意、看不见的手）和历史（进步观念、辩证的发展、理性的狡计）之上。……因此，在现代性的进程中，实际发生的并不是神的简单清除或消失，而是将他的属性、本质力量和能力转移到其它东西或存在领域中。因此，所谓的祛魅过程也是一个返魅过程，在这个过程之中并通过它，人和自然都被赋予了以前被归于神的若干属性或能力。说得更直白些，面对着持续很久的神之死，只有把人或自然或者两者在某种意义上变成神，科学才能为整体提供一种融贯的解释。[3]"因果链条上，人的"神性"和人的"兽

2　赋予自然以先在性只是将问题的焦点从人或神之优越性论证上转移，掩盖了"提问的存在者的本性"的问题，现代性方案本身的矛盾无法解决。

3　吉莱斯皮著，张卜天译，现代性的神学起源，湖南科学技术出版社，2012，P354-356.

性"这两个互相矛盾的命题并存在现代性方案之中，人既是自然的，又是具有超越性的，从现代性诞生伊始就在其内部打上了不可湮灭的怀疑印记。

安德森在他的《想象的共同体》一书中这样写道："或许可被称为'比较史'的成长，最终导致了一个和'古代'清楚并列，且对它绝不是必然有利的、前所未闻的'现代'的出现。"神所秉持的有始有终，由创世到天启的时空观从一开始就剥夺了寄居的人对于时间的控制；而当人的意志和自由成为中轴，人生活了其中的时间便有了自己的名号，"历史"开始被视为人类的进步发展史，有着光明的目标和美好的未来。人的自由、最终解放被认为是历史性的目标，而历史的连续过程却是某些"规律"之辩证的、必然的结果。自印刷、出版开始成为一种工业，到信息网络时代，除了智识传递的大众化趋势，迅速发展的信息传播手段也在不断降低信息传递的时间和成本，似乎在过程上和技术上保障了可见的人的自由，亦导致意义和阐释的洪流漫无目的的扩散。地域和时间的二重性限制在人类认知实践的道路上消退，而针对实用主义和理性的呼求也呼声渐长。从何时开始，破碎而断裂、眩目而激烈的现代性，藉着科学主义与理性主义浪潮，向大众提供了一个极其美好，有关于未来的蓝图。这种无法保障的虚构物，悄然渗透到现实中，创造了人们心中一个并未实现的希望王国，以及人们对它不假思索而保有的信心，甚至甘愿为次而发动新一轮的"十字军东争"[4]。

这是一个"我们可以（Yes, we can）"的时代，而这种充斥于整个社会，对于人类心智所构建的虚构物的信心，并不仅仅是进步和演化论的全然结果，希望的最终投射物是作为行动者的、社会性的人。一整幅有关于新旧宇宙的连环图，以现代信息最常见的视觉模式充斥生活，引导实践。人们不断寻找着必然性与确定性，乃至偶然也应该剥去它的不确定性。这种现代性的隐喻，诸如科技、经济和政治权力等——现代性超人集合体，承诺将为美好未来扫清障碍，体现出现代性本身又自行建立了新型的宗教性信念。宗教或科学，之所以能够伴随着人类文明长期存在的依据，并不是它有形或无形的逻辑或证据，而是在于人们对于这样一种话语体系、意识形态，长期保有的潜在信念。而这种毫不怀疑的先验信念本身，就是一种"不可理解之物"——意图超越人性而实

---

4 结合 Asad 从伊斯兰视角的研究，以及中东局势之动荡、穆斯林世界与非穆斯林世界的对立来看，基督宗教衍生出的现代性理想、理念的核心观念也必然导致这样一种不可调和的对立和争斗状态。

现对于人的认知，无疑是一种荒谬的尝试————一种反对阐释之物。

在越来越具有不确定性的今天，个体已经不能依赖不变的地域、熟人间的关系、群体性的归属来明确界定个人身份，一切都是流动的。原本有序维护人与人之间的关系和道德的社会结构也发生了改变。个体如此单薄地面对整个现代化的变迁，尝试在洪流中找到针对现代化问题的个人的解决方式。传统瓦解的同时，一种理性秩序试图占据支配地位。然而，依赖理性和发展而担保的美好未来的承诺，在当下看来还尚不可及。

宗教性是长期包含在本土文化之中的重要元素，在当今社会中，面对着由一种制度化刚性社会，向流动性社会转变的过程，宗教性因素在重新获取其社会结构中的位置和意义。它试图在庞杂的意义体系中，找到最具有确定性和"真实性"的终极。而面对一系列的文化和社会变迁，一种早已经被地方化改造过后的宗教实践，表面上似乎在面对现代性的过程中也开始力不从心，实际上却是整体变迁中的一部分连续过程，且自身也在进行适应和转变。

教会内的个人展现出的"我虔信"的自我判断，并不能完全符合神学意义上的虔信观，但这并不意味着这种信仰及其实践形式就是"非正统、非虔信"的。对于老教友们而言，正是以"真空期"之前的那种理想化的信仰形式作对比的"过去"的存在，才使得他们担忧教会当前可见的未来里那并不那么"神圣"和"传统"的未来。而这种传统的过去，与其说是西方意义上的基督宗教信仰，不如说更偏重于神人关系之内复杂的人际关系网络和所组成之信仰群体的重要性。有信仰就是要有信德，有信德才能升天堂得永生，而得永生又是为什么？无论是老教友还是新加入的教友们，当终结被赋予意义和时间上的延续性后，永生无疑会提供更"好"的准则和可能性。西方式的对于个体存在意义和终极的指向，并不是他们信仰和行动的最终落脚点，表面上的指向的确是来世，但事实上落实在对于现实生活的困惑、解释和应对，以及现世对天国的呼求和美好天国的现世呼应。当这种模式并不简单地出现在与某一特定历史时期相对应的某一代行动者或某种宗教形式之中时，该模式的动力就不能简单归功于那一历史时期或那一特定宗教，而应作为长期的文化特质的一种体现。简单而言，教会群体所体现出来的信仰和行动，也许在神学体系和部分宗教研究的眼中只是浮于表面的仪式和技术采借，所以并不是"真正的信仰"，但对个体信仰者和整个教会而言，它却恰好是本土化之后，文化互通后的一种本土基督宗教信仰的复杂表达。正是因为两种文化逻辑的共生并存，才造成了体系内部的复杂和一定程度的混乱，和一种新的模式的诞生，所以不可以将之置于某个单一的逻辑机制之下来进行好坏、对错的评判。

无论是社会-教会还是制度-教会，双向的、消极的彼此适应是其主要模式。对于努力尝试重新建立群体性的教会，制度的刚性限制或社会的、文化的"越轨化"状态一定程度上造成了他们的边缘化，促使他们跳出传统的道德评价体系，运用教义中高度道德化的语言，在被边缘化的同时进行自我边缘化，又将自我重新建构为一个内在一贯的道德主体。通过一套宗教的、神学的话语和逻辑，应对和挑战传统政治叙述和公众价值判断。这种隔离和宗教性的自我价值提升已经从很多方面改变着其中的个体信仰者，又反过来在宗教实践里越来越多地表现出个体主义，同时这种个体主义也受到诸如家庭、同辈群体等本土文化力量的限制。

一切以受洗入教为最终目的的快速基督化教育迅速兴起，脱离了神学文本的基督化教育，转而采取了一套本土化的话语建构，一定程度上的确走向一种片段化的、实用主义的不可知论。以神的一些普遍性质解释神时，神作为一种独立存在的绝对真实的可能性就被否定了。此时人们所信仰的并不是神，而仅仅是神的某一性质。语言可以提供超乎主体性的真实，期望人们设法以他们最明晰的术语理解宗教的代价就在于此。而终极意义超越了所有人类的经验、理性，这也是一个不可能的认识所要求的必然的妥协过程。

通过认"神亲"、受"教名"为代表的一系列仪式和符号化行动，对于个体进行规训，重新建立教会内的社会关系网络，无论是从性别权力、婚姻缔结还是从人口流动方面，都对整个社会存在着不可忽视的影响。城市社区的信仰团体区别于农村地区，并不能以简单的"神圣"教士和"世俗"教友的阶层二分来进行分析，看似内部凝聚的教会实际上也存在着更为复杂的权力关系。

作为一种嵌入社会生活网络之中的文化现象，在信仰网络之上还串联着其他的社会网络。新的信仰文化的出现、采借，影响着文化系统结构的内部变化，而这样的变化也获得一种代际的延续性，进而生成新型的文化模式。可以说，在整个话语-场域建构的过程中，这样的一种方式也是归信行动得以达成的理想运行模式。而此种延续性的基础，就是广泛存在于文化中的"宗族化"集体逻辑。其中，家长与晚辈，以及伦理秩序，与宗教性的道德话语结合在一起，通过同乡、同宗、同辈群体之间的关系网络，尝试重新串联起城市群体中的个体行动者。流动性作为今日人口的一大特征，为教会带来了新的问题，社区特质与中心的团契结构，与流动性造成的弱化区位强化身份的需要之间产生了矛盾。

虽然理想化的宗族化操作收效堪忧，但是老教友、家传教友和新教友相分离的事实却真实地反映出这样一种差异性：前者保有家族、宗族提供的纵向延续的文化传统；而后者作为现代社会中，脱离了原生文化文本的个体，所拥有的更多还是横向的地缘、业缘性。对于前者而言，宗族化的信仰实践不仅仅是个体行动，更重要的是作为一种个体身份的标示和界定，成为一种"自然而然的"，对个体具有标定作用的确定性成分，甚至可以归为"敬天尊祖"的文化维系；同时这种界定又为个人带来了对宗族化的"信仰亲缘群体"的权利与义务。而对于后者来讲，作为卷入宗教实践更为独立的现代个体，实利的、危机性的诉求起到重要的作用，横向的个人与他人之间的联系更为突出。这一基础上委身的实际行动，实际是先对宗族化信仰群体的委身——在没有一定的神学思辨或意义追求的基础上，仪式和宣讲无法完成个体认知逻辑的转变——表现在信仰实践的具体操作中，就是教会群体对于新来者在仪式和神学教育上的变通，身份先于共识的获得。从根本上看，对于信仰群体来讲，无法融入宗族化网络的个体，就并不算真正意义上的"有信德"的个人。

需要再次强调的是，这并不是说宗教性和神圣性在信仰实践中等同虚幻，也不是在强调所谓"世俗"与"神圣"的二分；而是这样的一种隐而未宣的、本土内生的"技术"，最终与神圣性的话语、仪式以及"天父"亲缘观念等外来文化要素相结合，这两种文化的要素，跨越时空，在当下的文化情境中共同形成一种本土化的基督宗教实践。

"神谕/域"的再造是一个历时性与共时性结合的过程，基督化在持续的转译和本土化过程中，表达出的集体结构和个体实践形态具有显著的本土化特色，而城市天主教个体的信仰与实践在现代性的戏剧场景下还蕴含着更多的隐喻，也将延伸出更多的实践形式。

现代性从不是反基督者，而宗教也不是最终意义上的救世主。在人性与神性的几千年论争之后，谁又能说清楚在西奈山之巅，向人们承诺"流奶与蜜"的未来天国图景的，究竟是人性，神性，还是现代性？

Jostein Gaarder 笔下还有这样一段描述，发人深省：

"……小白兔……将它比作整个宇宙，而我们人类则是寄居在兔子毛皮深处的微生虫。不过哲学家总是试图沿着兔子的细毛往上爬，以便将魔术师看个清楚。

……我们不能够期望了解我们是什么。也许我们可以了解一朵花或一只昆虫，但我们永远无法了解我们自己。"

圣方济各的祷告词包含了这样一种希冀：

"有分歧时，愿我们带来和睦。有错误时，愿我们带来真理。有疑虑时，愿我们带来信仰。有绝望时，愿我们带来希望。"

只怕这种愿景，尚在途中，远未实现。

There is no solace above or below, only us, small, solitary, striving, battling one another. I pray to myself, for myself.

——Francis Underwood

引用和参考文献

1. [美]Talal Asad, Genealogies of Religion: Discipline and Reasons of Power in Christianity and Islam, The Johns Hopkins University Press, 1993.

2. [美]Talal Asad, Formations of the Secular : Christianity, Islam, Modernity (Cultural Memory in the Present), Stanford University Press, 2003.

3. [挪]Jostein Gaarder, Sofies Welt, Deutch. H. Aschehoug & Co. (W. Nygaard) in Oslo, 1991.

4. [日]Keiji Nishitani, What is Religion? Religion and Nothingness, University of California Press, 1983.

5. [英]D.F.Ford, Theology, A Very Short Introduction, Oxford University Press, 1999.

6. Nanlai Cao, Constructing China's Jerusalem: Christians, Power, and Place in Contemporary Wenzhou, Stanford: Stanford University Press, 2010.

7. [德]鲍曼著, 欧阳景根译. 流动的现代性[M].上海, 上海三联书店, 2002.

8. [德]鲍曼著, 杨渝东, 史建华译. 现代性与大屠杀[M].上海, 译林出版社, 2011.

9. [德]贝克著, 何博闻译. 风险社会[M].译林出版社, 2004.

10. [德]贝克著, 李容山译. 个体化 [M].北京大学出版社, 2011.

11. [德]哈贝马斯著, 曹卫东译. 现代性的哲学话语[M].译林出版社, 2011.

12. [法]路易迪蒙著, 谷方译. 论个体主义[M].上海, 上海人民出版社, 2003.

13. [法]葛兰言著, 程门译. 中国人的宗教信仰[M].贵州, 贵州人民出版社, 2010.

14. [法]福柯著, 谢强译. 知识考古学[M].三联书店, 2012.

15. [法]福柯著, 刘北成, 杨远婴译. 疯癫与文明[M].三联书店, 2012.

16. [法]福柯著, 刘北成译. 规训与惩罚[M].三联书店, 2012.

17. [加]W.C.史密斯著，董江阳译. 宗教的意义与终结[M].北京，中国人民大学，2005.

18. [加]泰勒著，韩震译. 自我的根源[M].译林出版社，2008.

19. [加]查尔斯.泰勒著，程炼译. 现代性之隐忧[M].北京，中央编译出版社，2001.

20. [美]B.安德森著，吴叡人译. 想象的共同体[M].上海，上海人民出版社，2011.

21. [美]贝格尔著，高师宁译. 神圣的帷幕[M].上海，上海人民出版社，1991.

22. [美]贝格尔著，高师宁译. 天使的传言[M].北京，中国人民大学出版社，2003.

23. [美]吉莱斯皮著，张卜天译. 现代性的神学起源[M].湖南科学技术出版社，2013.

24. [美]格尔茨著，林经纬译. 追寻事实[M].北京，北京大学出版社，2011.

25. [美]科大卫著，卜永坚译. 皇帝和祖宗[M].江苏人民出版社，2009.

26. [美]托马斯.赖利著，李勇，肖军霞，田芳译. 上帝与皇帝之争[M].上海，上海人民出版社，2011.

27. [美]马尔库塞著，刘继译. 单向度的人:发达工业社会意识形态研究[M].上海译文出版社，2006.

28. [英]亨特著 王修晓，林宏译. 宗教与日常生活[M].北京，中央编译出版社，2010.

29. [美]卡洪著 王志宏译. 现代性的困境[M].商务印书馆，2008.

30. [美]包尔丹著 陶飞亚译. 宗教的七种理论[M].上海，上海古籍出版社，2005.

31. [美]罗杰尔.芬克，罗德尼.斯达克著 杨凤岗译. 信仰的法则[M].北京，中国人民大学出版社，2004.

32. [美]文森特.帕里罗著，周兵译. 当代社会问题[M].华夏出版社，2002.

33. [美]C.赖特.米尔斯著，陈强，张永强译. 社会学的想象力[M].三联书店，2005.

34. [美]大卫.L.史密斯著，冯伟译. 非人[M].重庆，重庆出版社，2012.

35. [罗马尼亚]米尔恰.伊利亚德著，王建光译. 神圣与世俗[M].北京，华夏出版社，2003.

36. [挪]鲁纳著，许烨芳译. 自我中国[M].上海译文出版社，2011.

37. [英]E.E.普里查德著，孙尚扬译. 原始宗教理论[M].商务印书馆，2001.

38. [英]吉登斯著，田禾译. 现代性的后果[M].译林出版社，2011.

39. [英]特纳著，黄剑波译. 仪式过程[M].北京，中国人民大学出版社，2006.

40. [英]吉登斯著 赵旭东，方文，王铭铭译.现代性与自我认同[M].北京，三联书店，1998.

41. 陈建华. 革命的现代性[M].上海古籍出版社，2000.

42. 高长江. 从全球化视角看全球宗教复兴运动[J].世界宗教研究，2002(1)，1-10.

43. 葛兆光. 古代中国的历史、思想与宗教[M].北京师大出版社，2006.

44. 葛兆光. 中国思想史:思想史的写法[M].复旦大学出版社，2001.

45. 黄剑波. 地方性、历史场景与信仰表达[M].中国戏剧出版社，2008.

46. 金观涛，刘青峰. 观念史研究[M].法律出版社，2009.

47. 张先清. 官府、宗族与天主教[M].中华书局，2009.

48. 刘小枫. 儒教与民族国家[M].华夏出版社，2007.

49. 马立诚. 当代中国八种社会思潮[M].北京，社会科学文献出版社，2012.

50. 杨庆堃. 中国社会中的宗教[M].上海，上海人民出版社，2007.

51. 吴飞. 麦芒上的圣言[M].香港，道风书社，2001.

52. 吴飞. 尘世的惶恐与安慰[M].北京，北京大学出版社，2009.

53. 阎云翔. 中国社会的个体化[M].上海，上海译文出版社，2012.

54. 晏可佳. 中国天主教简史[M].宗教文化出版社，2001.

55. 韩思艺. 从罪过之辩到克罪改过之道[M].中国社会科学出版社，2012.

56. 杨凤岗. 当代中国的宗教复兴与宗教短缺[J].文化纵横，26-33.

57. 杨凤岗. 中国宗教的三色市场[J].中国农业大学学报，2008(4).

58. 王铭铭. 葛兰言何故少有追随者[J].民族学刊，2010(1):1, 5-11.

59. 李顺华. 世俗化理论的旗手神圣化理论的鼓手[J].新疆师范大学学报，2007(3):1, 41-46.

60. 赵爽. 中国社会个体化的产生及其条件[J].长安大学学报，2011(13):2, 68-75.

61. 吴银玲. 葛兰言的"圣地"概念[J].西北民族研究，2012(2)，158-161.

62. 河北信德社. 天主教教理简编.

63. 河北信德社. 慕道者指南.

64. S堂. 堂区周刊.

基督徒的内群分化：
分类主客体的互动

孙晓舒　王修晓　著

作者简介

孙晓舒（1982 —），女，辽宁抚顺人，中国人民大学人类学博士，现就职于北京师范大学中国公益研究院。研究兴趣：宗教人类学、物的人类学研究、宗教慈善。

王修晓（1981 —），男，浙江宁波人，中国人民大学社会学博士，现就职于中央财经大学社会发展学院。研究兴趣：组织社会学、宗教社会科学研究。

提　　要

本文旨在揭示相对同质的基督徒群体之内群分化状况。在尊重心理学、社会心理学对基督徒内群分化现象解释的同时，本文结合宗教社会学研究的新范式，从主客体互动的视角，将人类学、社会学的分类理论应用于对分群现象的理解和解释。

笔者选取我国北方某城市教会的青年团契作为此次研究的"田野"。通过一年多的调查发现，人际关系因素在基督徒内群分化过程中起到了主要作用。然而，除了非正式的关系分群之外，笔者还发现另一种分群力量。该力量试图将不稳定、边界模糊的关系分群固定在制度的框架之中，这是一种正式的制度化分群。

针对上述现象，本文试图采用互为主体性（intersubjectivity）的研究视角，将推行制度化分群的主要力量与基督徒分别视为分类的主体与客体，进一步探讨分类主客体之间的互动关系。在权衡原有分群逻辑的同时，具有分类权力的主体试图通过建立象征符号体系、组织策划活动等方式建立并巩固新的分类秩序，这种"符号力量"以其软性、蔓延、自然化、合理化、中立化的形式作用于作为分类客体的基督徒的宗教生活，并通过分类客体既是认识又是"误识"的行为实践完成群体身份的社会建构和重构。然而，在被布迪厄视为争夺焦点的分类实践场域中，分类客体并没有完全受制于分类主体的制约。当两种分群体系产生矛盾和张力时，个体基督徒能够充分调动其主体的能动力量，实现对制度化分群的反动，从而完成从分类客体到分类主体的转变。从主客体互动论的视角来看，分类体制的形成并不是自上而下、单方向的权力控制，而是一个主客体互相建构的过程。

本文内容安排和总体思路如下：首先，我们提出基督徒内群分化研究的必要性；其次，我们在田野中收集有关基督徒内群分化现象的资料，并以民族志的形式进行深描呈现；紧接着，针对研究中发现的分群状况（非正式的关系分群和正式的制度化分群），我们回顾了心理学、社会心理学对于群体分化的相关理论，在指出其局限的同时，引入人类学、社会学的分类理论对田野发现进行解释和分析；最后，我们通过个案展现个体基督徒在两种分类体系中出现的认同矛盾，进而探讨了分类主客体之间的互动关系，并阐明分类现象的过程性特征。

目次

绪　论

在人类学的学科范式之下进行宗教研究，意味着要直接接触信徒群体，参与信徒的活动，通过田野工作（field work）获取相关信息。因此，针对基督徒的宗教人类学研究就要求笔者深入到基督徒内部进行近距离参与观察。

实际上，笔者与基督徒群体的交流同时发生于现实生活与学术论文当中。令笔者感到困惑不解的是，现实生活中的基督徒与学术世界的基督徒形象并不完全吻合。大部分宗教人类学、宗教社会学关于基督徒的认同研究都是为了找出基督徒群体的共性，为他们刻画出一副与非基督徒不同的肖像，试图找出他们接受信仰的原因、行为规律、认同标准等。这些研究给读者造成的印象是，由于基督教信仰的影响，基督徒只有一副面孔，众多基督徒的行为、意识、活动等即便不是极其类似，也是可以简单归类的；而笔者在生活中见到的基督徒虽然都接受同一个信仰，但却是一个个活生生、个性鲜明的个体，在信仰层次、生活方式上都不尽相同，实在无法与学术世界中的基督徒单一形象画上等号。这两种形象的反差使得笔者开始探索基督徒群体内部的"真实情况"，他们真的只有一副面孔，彼此毫无差别，实践着相同的行为么？基督徒群体内部是否存在着分化？如果存在，这种分化是依据什么标准和逻辑？其实践过程又是如何？

带着这些问题，我们对一个基督徒群体展开了一年多的跟踪参与及调查，试图在日常生活（daily life）情境中探悉基督徒的分群现象，并以分群现象本身作为我们的研究关注，在基督教场域中讨论分群主体与客体的互动关系。这种对日常生活的考察也就意味着我们对生活实践的关注，也即对活出来的信仰（lived faith）的关注，而不是着重讨论其抽象、概念、理想的模型。

第 1 章 基督徒的内群分化：回顾、评论与展望

长期以来，虽然针对基督徒群体肖像的研究占据着认同研究的核心地位，但是，仍然有一部分心理学和社会学学者在基督徒内群分化领域孜孜不倦地进行着学术探索。本章主要集中梳理以往学术界的理论成果，对其做出简要的回顾和评述，并引出本篇论文的解释理论框架。

1.1 研究评述和文献回顾

1.1.1 国外相关理论

"内群分化"（in-group differentiation）是一个心理学概念，相对于外群同质性（out-group homogeneity）而言的。社会心理学研究认为，我群（we-group）与他群（they-group）通过社会比较得以强化，由此产生了内群分化和外群同质性。

内群分化的概念来自心理学，对于该问题的理论解释也多出自该学科。社会心理学对内群分化的研究基于这样一个理论观点，即特纳（Turner）于 1985 年提出的自我归类理论（self-categorization theory）。特纳认为，人们会自动地将事物分门别类，并据此划分出内群体和外群体；而且人类是采用二元对立的原则来为事物进行分类的。无论群体的划分标准是什么，人们都会在分类时将自我纳入整个分类体系，找到属于自己的内群体，并从中获取意义和价值。自我归类的结果是强化自我与内群体成员的共性，并夸大自我与外群体

的差异，即放大效应（accentuation effect）（Turner，1985）。在日常生活的社会活动和社会比较中，人们倾向于在特定的维度上夸大群体间的差异，从而对内群体成员给予积极的评介，相反地，对外群体成员则给予消极的评价（Jan E.Stets and Peter J. Burke，2000）。对于这种现象，社会认同理论认为，有三组变量会影响群体间的区分：（1）人们必须主观上认同他们的内群体；（2）情境允许评价群体间的比较；（3）外群体必须是可以充分比较的。可见，群体间的边界、符号是一种社会共识，由外群体和内群体双方成员共同建构出来。

具体到基督教的实践场域[1]，基督徒群体与非基督徒群体就是内群体与外群体的关系。一些社会心理学者认为，基督徒内部的分化逻辑是灵性资本内群比较的结果（方文，2005），并试图将基督教神学中的灵性（spirituality）概念操作化。这个工作沿着以下两方面展开：一是基督徒对上帝恩典和自身灵性的不懈追求；另一方面，基于基督教教义，上帝对世人的恩典并不是相同的，而个人对灵性的追求也是不同的，这就导致基督徒在灵性资源、灵性修养和灵性感知三方面出现差异和分化。沿着这个思路，社会心理学家试图用一些量化指标来衡量和比较不同基督徒灵性资本的差异。这些指标包括：宗教知识的多寡；对仪式和教义的熟悉程度；对宗教文化的依恋程度；信仰的纯粹性、功利性；宗教行为的卷入程度；宗教人际网络中的相对位置等等（Iannaccone，1990；斯塔克、芬克，2004；方文，2005）。

除了社会心理学的研究和解释，也有一些学者从社会组织的层面切入。宗教社会学家斯塔克（Rodney Stark）在《信仰的法则》一书中就讨论了基督徒群体内部的组织分化情况。该书从历史纵向比较的角度梳理了"小团契"的发展过程。从 19 世纪初弗朗西斯·阿斯伯里主教的卫理会开始，其内部组织就是以"班级"为单位组织起来的，在班长的领导下向地方堂会的俗信牧者负责，而俗信牧者向全职的巡回牧者报告。在当代，伊利诺伊州的柳溪社区教会的慕道友（seekers）[2]礼拜在外人看来是一个由 14000 人组成的"巨型教会"，实际上教会领导人将其划分为以 10 人为单位的细胞小组，这种小组

---

1 我们是在布迪厄的意义上使用"场域"这个概念。在布迪厄看来，场域指的是存在于各种位置之间的客观关系形成的一个网络，或一个构型。社会世界是由多个具有相对自主性的场域构成的，各个场域有自身独特的逻辑和必然性（布迪厄，2003）。

2 慕道友，指有意图了解基督教信仰、但还没有接受信仰的朋友。

作为相对自治的会员单位，为组员义务提供"指导、鼓励和支持"。目前世界上最大的教会——韩国首尔的汝矣岛纯福音教会（Yoido Full Gospel Church）也是以小组为单位进行活动的，而且更进一步地将活动本身带来的凝聚力量深化到了认同的层次。卡尔·乔治在《准备你的教会的未来》一书中提到的理想教会组织模型[3]也很类似：10 人细胞小组由小组长带领，每个小组长由细胞组教练鼓励和训练，而细胞组教练向分区领导报告，如此类推（Carl George，转引自斯达克、芬克，2004）。在这个基础上，斯塔克要解决的问题是宗教组织的大小对于宗教委身（commitment）程度的影响，他得出的结论是，宗教组织越大，信徒群体内部的社会网络密度越低，从而导致平均委身程度越低（斯达克、芬克，2004；斯塔克[4]，2005）。

由上可见，不管是社会心理学还是宗教社会学，国外已有文献较早关注到了基督徒内部的群体分化和组织模式，为我们深入理解基督徒的多面形象提供了有益的洞见。然而，遗憾的是，上述研究止步于对教徒分群现象的简单描述，没有更进一步深入挖掘和系统揭示基督徒内群分化的组织机制和实践逻辑。

1.1.2 国内研究现状

与国外学界的研究类似，中国学术界对基督徒内群分化的解释也是从社会学、心理学两个学科开始的。稍有不同的是，国内学界的出发点是社会认同视角，在实地调查的基础上，对内群分化现象做出系统描述和理论解释（张莹瑞、佐斌，2006）。

在《群体符号边界如何形成》一文中，方文讨论了基督徒内群的人际比较。除了强调基督教教义主张的基督徒个体的平等性之外，他还引用西方宗教社会学有关"灵性资本"的界定，来为基督徒的内群分化情况提供划分标准。除了利用纯粹性——功利性等主观指标之外，他还主张用宗教行为的卷入程度、宗教人际网络中的相对位置等作为衡量的客观指标，试图通过这些指标系统、全面地测量基督徒的内群分化情况（方文，2005）。但是，方的讨论大多直接引用西方，尤其是美国宗教社会学的概念工具与研究方法，并没有根据中国情境对其进行检验、反思和修正。因此难以发现中国基督徒

---

3 见附表 1。
4 斯达克和斯塔克为同一人，均是 Rodney Stark。

内群的实际情况与分化标准。此外，虽然方的实地调查时间长达 3 年多（2000 年 1 月-2003 年 5 月），但其研究对象却仅仅限定在"教堂在每周 5 晚（6：30-8：00）青年聚会中的基督徒。" 因此他只能看到青年基督徒在周五这一天、这一个场域里的互动关系，无法看到发生在其他场域中的分群实践，更无从发现整个基督徒内群体的众多边界和界限，遑论单个基督徒在群体认同方面发生的冲突和矛盾。因此，必须承认的是，方关于基督徒内群分化的研究和讨论是不够完全和有所欠缺的。

李康乐在其硕士论文《仪式中的宗教行动者》中认为，基督徒之间只需要一种身份认同，即只要确认对方是基督徒，是"神的国的儿女"以后，对其他社会身份就可以完全抛弃不顾，教徒之间只需要这一种分类标识就可以维持日常互动中的一切人际关系了（李康乐，2003）。有趣的是，她和她的导师方文虽然基于同一个田野调查，却得出了完全相反的结论。同样，由于调查方法的局限，她没有看到基督徒群体在不同场域内的各种认同标准，因此对基督徒内群分化情况的认识和把握也不免有失偏颇。

虽然没有明确聚焦于基督徒内群体的分化情况，但梁丽萍在其博士论文《中国人的宗教心理》中以文化程度为标准，对比了文化程度高的宗教徒（佛教徒和基督徒）和文化程度低的宗教徒在认同的面向、层次等方面的差异（梁丽萍，2003），即不同文化程度的宗教徒在皈依时间、信仰的积极程度、接触信仰的途径、对仪式的参与程度、对教义、宗教场所、团体的认同程度等等方面均有所不同。梁的研究更倾向于将宗教徒群体按照文化程度来分层，由于文化程度不同，不同宗教徒在各自的群体内部占据着高低不同的位置。严格的说，这不仅仅是内部分群，除了有群体界限和边界，还有上下高低之别，更接近于一种阶层分化。

董江阳从哲学和神学的角度分析了历史上在华基督教内部的宗派分化情况，并梳理了现代基督教内部阵营分化与分组的起因、派系、脉络、分野和冲突情况，力图说明基督教世界并非铁板一块的事实，反对笼统的寻求"基督教"的观点和看法（董江阳，2006）。然而，他的研究只是从基督教哲学和思想的角度区分基督教内部的不同派系，且是一种历史研究，缺少对当下基督徒内群分化的现实关怀。

此外，很多学者关注到了基督徒的各种世俗身份和社会分类。例如针对大学生及知识分子基督徒的研究（赵斌，2001；左鹏，2004；杨江华，2006）；

对特定地区基督徒的研究（张敏，2005；李峰，2006）；对某些少数民族基督徒的研究（沈坚，2006；李海淑，2005）；对某个性别群体的基督徒研究（徐海燕，2005）等等。虽然这些学者的研究对象是整个基督徒群体中的某些具体类别，但他们是出于基督徒世俗社会角色的不同而对其进行分类研究，没有注意到在相对同质的基督徒群体中的分群现象。在他们的研究视野里，基督徒仍然是一个有着高度身份标识的同质群体。他们没有把基督徒依据各种世俗角色区分开来的各类亚群体之间的互动实践作为分析的重心，这与本文关注的问题焦点显然还是有区别的。不过，上述研究对基督徒世俗身份的关注，为我们分析和讨论教徒内部的分类实践，提供了极具参考价值的索引和思路。

1.2　以往研究的局限

尽管上述对基督徒内群分化的研究结论并不一致，甚至完全相反，但是学者们已经开始将研究的方向和关注的目光转向基督徒的内群分化这一重要现象。这是颇为令人高兴的事情。尽管如此，以往研究普遍存在以下几方面的局限，迫使我们不得不进行较大幅度的调整和修正：

首先，简单照搬西方，尤其是美国宗教社会学和社会心理学的概念工具和研究框架。西方社会学理论的诞生和发展有着深刻的社会、历史和文化根源，是针对西方社会基督徒内部出现的分化情况提出的解释和说明。虽然我们不能否认其理论对现实具有较强的解释效力，但具体到中国文化的具体情境，若不加反思和修正，完全拿来套用，显然是不合适的。西方的基督教教会有着上千年的历史，其国家、社会、制度、文化的形成和发展都与基督教有着密不可分的关系，在这样的社会文化情境下诞生和发展的理论显然不能完全适用于解释中国这样一个非基督教国家的教徒内群分化问题。

其次，以往研究对基督徒内群体的划分标准过于简单，且满足于静态分析，忽略了对教徒分群动态实践的关注和考察。上述研究或者只以信仰，或者文化程度、地区、性别、年龄、民族等为标准，将整个基督徒群体看作一个相对静态的稳定群体，将他们依次划分进各种层次和类别中去，而忽略了实际生活中因动态人际互动而产生的多种认同甚至身份交叉重叠的可能。

再次，研究方法上存在着较为明显的不足。上文已有简略涉及，由于实地调查的方法、时间和对象选取方面的偏差，既有研究不可能真正把握到不同基督徒作为现实生活真实个体的心理状态和行为模式，更无法了解基督徒内群分化的具体实践情况，自然也就无法验证西方宗教社会学和社会心理学理论在中国情境下的适用性问题，从而无法为基督徒内群真实分化提供准确的描述和解释。

最后，研究者往往不加质疑地完全相信基督徒的主观叙述，忽视了"现实生活的不可预测性"。在这里，笔者并不认为研究对象提供的信息不可信，而是强调，研究者在做访谈的时候应当对访谈对象提供信息时的各种因素加以分析，辅之以相对客观的参与观察，再有选择的利用。根据笔者的田野经历，基督徒在归信之后，倾向于将归信前的自己描述为一个道德沦丧、贪图享受、心里烦恼、迷茫、抑郁的形象，而在归信以后却完全是另一番积极向上、充满正能量的小清新形象。这不禁让人疑问，之前的他们真的像他们自己描述的那样么？美国学者刘易斯·兰博（Lewis R. Rambo，1989）也认为，皈依是一个动态性的宗教变迁过程，它与人物、事件、意识形态、制度、期望、经验等都有关系。皈依是一个过程，而不是一个事件，皈依是与许多条件相配合的，无法从有关的人际网络、过程和意识形态中脱离出来。宗教心理学家理查德森在他的"皈依生涯"概念中指出，"皈依"不是一辈子一次的单一事件，而更可能是一连串的行为，在宗教徒皈依了以后，信念与行为都可能没有太大的变化（Richardson，1985）。所以，他们在见证时候的叙述往往容易夸大归信前后的差异。这可以从戈夫曼（2008）的"印象管理"[5]理论那里得到微妙的解释。研究者若完全相信被基督徒夸大了的信息，就非常容易仅仅将信仰方面的认同作为基督徒的全部身份认同来看待，从而抽离了生活当中原本丰富、多样的身份认同。

综上所述，既往研究对基督徒内群分化现象的关注较少，更多的是把基督徒看作一个单一面目的同质群体。即使看到了基督徒的多重身份和群体边界，学者们也多止步于简单描述，缺乏对群体分化具体过程和动态实践的挖掘。由此，本文试图在上述几个方向上进一步做一些研究，为呈现和解释基

---

5 印象管理理论认为，个体都倾向于引导他人向着自己所期望的方向对自己进行分类，既可以使个体有良好的自我感觉，还能得到周围人的尊重，甚至可以辅助个体达到一定的目的。

督徒内群分化的逻辑和机制提供些许洞见。

1.3 可拓展的研究维度：内群分化与分类理论的结合

虽然内群分化这一概念首先出现在心理学领域，并且得到了众多社会心理学家的关注，在理论解释方面也颇有建树，但是，不得不承认的是，由于前文提及的种种原因，基督徒内群分化的研究还存在许多有待进一步深入挖掘的潜力。

以心理学的进路研究宗教现象，似乎已经被广泛地接受了。"宗教心理学"（更确切的说应该是宗教"变态"心理学）发端于17世纪的英国，其发起者之一舍夫茨别利（Shaftesbury）将宗教归结为恐惧、焦虑和虚幻；而另一位创立者约翰·特伦查德（John Trenchard）则指责宗教热情是失去平衡的头脑的产物（转引自斯达克、芬克，2004）。总之，"宗教是人们在非理性的状态下做出的选择"这一论断到处充斥于宗教心理学的研究，其中最有影响的则是把宗教等同于心理疾病加以公然蔑视和反对。该论点对于社会科学研究者来说并不陌生，精神分析学家弗洛伊德便是该理论的典型倡导者。在其剖析信仰的心理学名著《一个幻觉的未来》一书中，弗洛伊德（1999）用以下词汇来描述和解释宗教："幻觉"、"强迫性神经症"、"麻醉剂"、"需要克服的幼稚"和"一种甜（或苦甜）的毒药"。他甚至用了一个十分荒唐的故事来解释人类宗教的起源[6]（弗洛伊德，1999；包尔丹，2005）。当代非弗洛伊德学派的心理学家也经常诊断"宗教心理"问题，但是，"乍一看，他们的观点好像更可信，因为他们并未断言信教的人就是有精神病，而是说虔诚的教徒只是不能很好地思维，有着非常刻板的思维过程。"（斯达克、芬克，2004）

然而，心理学对宗教现象的解释已经逐渐失去了力度。随着宗教社会学研究新范式的到来，心理学解释已经被归为旧范式中的一大特点[7]。旧范式的

---

6 这个故事讲述了原始时代有一个拥有了统治权的父亲藏纳了所有的妇女，为了跟妇女性交，儿子们造反、杀害，并纵酒狂欢一起吃了他们的父亲。随后的内疚感及为了防止这样的事情重演，儿子们建立了宗教禁忌来反对乱伦和吃人，并且把他们牺牲的父亲当作上帝来崇拜，这就是弗洛伊德眼中宗教的起源。

7 斯达克认为，三个世纪以来社会科学领域的宗教研究形成了强大的主流范式，其主要内容是：第一，宗教是错谬和有害的；第二，宗教注定要衰亡，后来这被归纳为"世俗化命题"；第三，宗教是一个附属现象。宗教并不是"真实"的，它不过是更根本的社会现象的反映。第四，宗教主要是一种心理现象，而非社会现象；第五，宗教多元对社会是有害的，信仰垄断具有优越性。对于这一旧的研究

支持者们很少把宗教作为一种社会现象、团体或集体的属性（property）来检查，相反，他们基本上把它当作心理现象。在当代研究中，这种倾向表现为对于个体的研究远远多于对于团体的研究（斯达克、芬克，2004）。

宗教社会学研究的新范式不但有力地反驳了心理学的解释，而且还为宗教现象指出一条新的研究方向——社会进路：

> 社会科学对宗教的研究所面对的最有意思和最紧迫的问题要求我们把宗教看做是社会的而不是心理的，看做是属于团体的或者整个社会的东西。强调宗教的社会性而不是其心理性，这是新范式最重要的特征。（斯达克、芬克，2004：43）

在《信仰的法则》一书中，斯达克和芬克系统阐述了宗教社会学研究新范式的基本内容：

第一，在宗教与个人的关系上，宗教是精神健康甚至身体健康的一个可靠基础；宗教和阶级的关系很微弱，简单地认为宗教对社会有害，是一个政治、而非科学的论断。

第二，宗教必然衰亡的论断难以成立。斯达克用堆积如山的事实埋葬了世俗化命题，世界各地宗教参与的减少，远逊于宗教参与的增长。即使在宗教参与一向较低的欧洲，绝大多数人对于宗教的基本信条依然表示有坚定的信仰。

第三，宗教现象有宗教原因，宗教教义本身就常常引发各种社会后果。

第四，强调宗教的社会性而不是其心理性。宗教繁荣与衰退的根源主要是社会性的，不能被归纳为单纯的心理问题。

第五，新范式最有新意的理论创造是宗教多元和竞争会促进宗教繁荣，这就是所谓的"宗教市场论"。

由此看来，心理学对于宗教现象的研究并不是唯一可行的路径，甚至在主张宗教社会学研究新范式的学者看来，由于心理学的解释过于简单，应当被社会科学界弃置一旁。就本篇论文而言，笔者无意讨论心理学对宗教现象研究的贡献大小、意义存无，而是在不否认心理学解释的同时，更多地侧重和强调宗教社会学研究的新范式，采取社会进路，从社会学和人类学的视角

范式，早在上个世纪五六十年代就有人发现与现实不符，七十年代人们意识到寻求新范式的必要，八十年代出现了替代旧模式的碎片。九十年代中期，这一替代终于来临。

出发，试图将基督徒内群体的分化现象与社会学人类学关于社会分类的研究和理论结合起来，分析人们对分类现象的认知问题，以期为基督徒内群分化现象提供一条新的理解和解释路径。

第2章　人类学、社会学的分类研究

上一章概括和评述了国内外心理学、社会学对于基督徒内群分化现象的研究成果及现状。在辨明其贡献、不足之后，指出了本文的研究进路与视角——社会的进路与人类学的视角。本章将着重探讨人类学、社会学视野下的分类理论对分群现象的研究和解释。

2.1 分类与社会生活：涂尔干与莫斯的遗产和启发

人类学、社会学界较早开始对分类现象感兴趣的学者当数涂尔干（Emile Durkheim）与莫斯（Marcel Mauss），他们合著的《原始分类》（*Primitive Classification*）一书极大地启发了学界对分类现象的后续研究。

涂尔干和莫斯将分类定义为："人们把事物、事件以及有关世界的事实划分成类和种，使之各有归属，并确定它们的包含关系或排斥关系的过程。"（马塞尔·莫斯、爱弥尔·涂尔干，2000：4）。"我们对事物进行分类，是要把它们安排在各个群体之中，这些群体互相有别，彼此之间有一条明确的界限把它们清清楚楚地区分开来。"（同上：34）他们认为包含着等级秩序的分类绝不是自然而然的事情，因为它既不存在于自然世界，又不源于人类心灵。所以，《原始分类》要解决的问题便是找出分类的原型和根源。他们试图用二手的人类学田野调查资料[1]来论证自己的发现，探索分类形式这一人类认知基本结构的起源。

---

1 这些资料并不是涂尔干和莫斯通过实地调查得到的，而是借鉴了人类学家的关于澳大利亚土著、北美祖尼人、印第安苏人以及中国人的民族志。

他们首先批判的便是心理还原论。他们认为，心理学将事实上极其复杂的现象看作某些单纯而基本的心理活动，但是，描述世界之机制的构成要素相当复杂，不可能还原成个体层面的心理现象。并且，心理学采用主观主义的视角，把分类看作是个体独立从其自身体验和情感秩序中创造出来的，这是让人难以接受的。因为尽管不同的社会拥有不同的分类体系，但在任何一个社会内部，特定的分类体系是一致和稳定的。所以，分类不可能是个体思维的产物。之后作者陆续批判了逻辑学、另一种较复杂的心理发展理论、唯心主义及历史唯物主义的解释。在他们眼里，"分类的独特之处在于，其观念是根据社会提供的模式组织起来的"（同上：34）。经过一系列论证之后，他们最后得出如下结论：

> 社会并不单纯是分类思想所遵循的模型；分类体系的分支也正是社会自身的分支。最初的逻辑范畴就是社会范畴，最初的事物分类就是人的分类，事物正是在这些分类中被整合起来的。因为人们被分为各个群体，同时也用群体的形式来思考自身，他们的观念中也要对其他事物进行分门别类的处理，这样，最初的这两种分类模式就毫无差别地融合起来了……事物被认为是社会的固有组成部分，它们在社会中的位置决定了它们在自然中的位置。（同上：89）

也即是说，在涂尔干和莫斯看来，原始分类所依据的条件在本质上是社会的。这与弗雷泽的观点正好相反。弗雷泽认为，人们的社会关系要以事物之间的逻辑关系为基础；人们之所以划分为氏族，依据的是已经存在的事物分类。而涂尔干和莫斯则坚信，是社会关系为事物的分类提供了原型；人们之所以将事物这样分类，正是因为他们是依据氏族划分的。

需要承认的是，我们无法对这一结论进行证实或证伪。实际上，我们并不相信这一问题果真存在终极性的答案，也就无须追寻结论的正确性问题。我们真正想要关注的，是他们的观点给我们带来的启发性。涂尔干和莫斯把分类这个最基本的社会现象纳入了社会学研究范围，将人类对事物的分类与社会生活联系起来。布迪厄将二人的独创性思想概括为：

> 在社会结构和心智结构之间，在社会世界的各种客观划分——尤其是在各种场域里划分和支配的和被支配的——与行动者适用于社会世界的看法及划分的原则之间，都存在着某种对应关系。
> （Bourdieu 1989a: 7，转引自布迪厄、华康德，1998）

2.2 分类与宗教极性：赫茨的继承和延续

在老师涂尔干的启发下，学生罗伯特·赫茨（Robert Hertz）[2]于 1909 年发表了《右手的优越——一项关于宗教极性的研究》一文，使分类得以作为一个自主的论域延续下来（李林艳，2004）。赫茨认为，虽然左右手在外表上看十分相似，但是在文化和道德方面却存在着惊人的不平等。他承认左右手在生物结构上的差异，但更重要的是人们对它们赋予的不同意义导致了左右手的不平等。文中大量列举了不同宗教中神圣与世俗的对立，并将这种对立与左右手的不平等地位对应起来，认为左右手的差别反映了人们区分神圣与世俗的意愿。

赫茨的这一研究进一步论证了涂尔干和莫斯关于分类和社会生活关系的思想，并且意识到，分类是一个制造分化的知识体系，表面上对称的事物实际上却存在着价值、道德上的不平等，而这种不平等很有可能与社会生活中群体的不平等相对应。这一结论将涂尔干和莫斯的分类思想向前推进了很大的一步。

2.3 主客体共谋：布迪厄的创见和发展

与前人相比，在布迪厄（Pierre Bourdieu）看来，分类现象不单单是人类对事物的分类问题，也不单单是知识问题，而更多的是作为一种社会实践和动态的场域过程。涂尔干、莫斯及赫茨关注的是人类对自然事物的分类与人类自身社会生活之间的关联。他们要在两套独立的体系中找出联系与逻辑规则，而布迪厄却更加看重分类现象本身。因为在他看来"人类学的分类不同于动物学或植物学分类的地方，在于其所安置的客体本身就是从事着分类的主体"（Bourdieu，1990，转引自李林艳，2004）。他认为分类的主客体存在一种互相建构的同谋关系。

布迪厄将分类纳入符号系统进行研究，他认为符号系统是人们认知的工具，同时也是支配的手段。符号的支配能力是通过对事物分类完成的，而支

---

2 罗伯特·赫茨（1881-1915），34 岁时在第一次世界大战的战争中丧生。埃文斯－普里查德曾认为如果活的时间更长久一些，赫茨也许可与涂尔干齐名，他完全具备与莫斯一起成为社会学年刊派带头人的学术潜力，有可能改变社会学的思想。赫茨仅留下了三篇发表了的论文，其中一篇就是《右手的优越》。

配能力主要是通过符号暴力（symbolic violence）体现出来的。布迪厄认为分类构成一种符号暴力。所谓符号暴力，是指"在一个社会行动者本身合谋的基础上，施加在他身上的暴力"（布迪厄、华康德，1998）。符号暴力往往是通过行动者的误识（misrecognition）而实现的。所谓误识，就是社会行动者并不将那些施加在他们身上的暴力领会为暴力，反而认可和主动接受这种暴力。布迪厄认为，人们之所以会对符号暴力产生误识，是因为人们的认知结构源于世界的结构，即客观结构与认知结构是直接相关的。"符号暴力是通过一种既是认识又是误识的行为完成的，这种认识和误识的行为超出了意识和意愿的控制，或者说是隐藏在意识和意愿的深处。"（同上）那些赢得分类权的人们，按照自己的利益对群体进行分类；而不具备分类权的大多数人，不但不反抗，反而把这些对他们不利的分类视为客观和中立的，从而认可了这种分类结构，并使其内化，形成对该分类的固定认可，进一步指导自身的行为实践。从这个意义上说，布迪厄认为，符号暴力可以发挥与政治暴力同样的作用，甚至比后者更加有效，因为社会成员对分类的共同认识，是一种蔓延、无始无终的软性力量。正是在这个意义上，他认为分类现象是一个主客体共谋的过程。

在布迪厄的理论体系里，分类发生在实践的场域之中。然而只要有场域，就会有利益。那些具备分类权力、处于支配地位的阶级总是力图通过操纵分类来使社会秩序中立化、自然化，以及隐蔽化。但是，这并不意味着支配阶级可以在分类问题上任意妄为，他们自己也必须按照分类场域的逻辑来行事。而对支配阶级产生威胁的人们，便是被支配阶级、没有分类权的人们，他们企图改变既定的分类体系，从而使得关于分类权力的斗争时时刻刻都在进行。因为，

> 倘若我们承认符号系统是能对构造世界发挥作用的社会产物，
> 即它们不只是照样反映社会关系，还有助于构建这些关系，那么，
> 人们就可以在一定限度内，通过改变世界的表象来改变这个世界。
> （Bourdieu 1980g, 1981a；转引自布迪厄、华康德，1998）

实际上，当布迪厄谈及符号暴力时，另外一个名词也被广泛的应用，那就是符号权力（symbolic power）。这两个概念经常被布迪厄混用，但是二者还是有所区别的。符号权力是一个相对比较宽泛的概念，而符号暴力是布迪厄是在与政治暴力、军事暴力作对比的情景下提出的，这就使其不可避免地与

支配关系和阶级相关联（李猛，1999），同时带有较强烈的政治取向和价值判断。我们认为，将该概念作为本篇论文的关键词汇，并利用它对基督徒的内群分化现象进行讨论是不合适的。因此，我们更加倾向于用"符号力量"这一相对中性的概念，同时保留对实践和动态分类过程的关注。在此基础上，我们将基督徒的内群分化作为一种分类实践来进行考察，并将北方 D 市 Y 堂青年团契确定为我们展开研究的"田野"。

简言之，在吸收了马克思的社会理论之后，布迪厄对那种将分类主要视为一种观念的抽象概念提出了重大的调整，转而强调其实践、权力和过程。在他看来，分类绝不仅仅是社会强加给个体的观念系统，而是主客体不断互动的一种动态过程，或者说是一种共谋关系。这与我们的思路不谋而合，即在动态的实践关系中，具体分析分类的逻辑和机制，以及隐藏在分类实践背后的主客体之间的支配关系。

2.4 本章小结

本章重点梳理了人类学、社会学中的分类理论。从理论史的角度来看，人类学、社会学对分类现象的研究经历了从最开始的追寻分类现象的认知根源、原型，到意识到分类系统是一个完整的体系，再到将分类现象作为动态的社会实践来研究，探讨权力主客体互动的过程。与涂尔干的社会决定论相比，布迪厄的分类理论极大地强调了处于社会结构（social structure）之中的人的能动力量（agency），并试图解决社会学、人类学理论家长期争论的二者之间的张力问题，在主体与客体之间找到一个合适的平衡点，在"实践"中解决二者的矛盾。其互为主体性（intersubjectivity）的研究视角为本篇论文解释基督徒分群现象提供了启发和灵感，笔者将在后文中着重讨论客观结构之下的主体能动性。

第 3 章　研究意义、方法及概念界定

3.1 研究意义

3.1.1 现实意义

笔者的田野调查在中国北方一个沿海城市展开。近 20 年来，学术界对城市基督教信仰的研究多是对整个城市信徒信仰情况的概述。如，针对北京市、西安市基督徒的研究（姚米佳、工剑华、刘宏全，2003；王满楠，2004）。虽然近年来已经逐渐出现针对城市中某个堂点的调查和研究（李康乐，2003；张亚月，2003；李海淑，2005），但是深入到某个堂点青年团契中的某个小组活动的调查和研究暂时还未出现。笔者的研究将人类学的研究触角首次深入到了基督徒日常宗教实践和相应的世俗活动，希望能够带领读者看到这些基督徒的真实生活，将发生在相对同质的基督徒群体中的分群、认同、互动、选择、矛盾等问题充分展现出来，丰富学术界对基督徒群体的了解。

3.1.2 理论价值

当代中国的宗教现象层出不穷、纷繁复杂，宗教学逐渐成为"显学"（何光沪，2004）。与此同时，基督徒人数日益增长，中国基督徒身份认同与公民身份不再发生矛盾（高师宁，2006）。学术界对基督徒的认识和研究也应当向前推进。因此，笔者试图将学术界对基督徒认同研究的核心议题——基督徒的群体肖像问题做进一步地深入研究，以基督徒的内群分化现象作为研究主题，并试图为内群分化研究提供灵感。

在尊重心理学解释的基础上，本文尝试将人类学、社会学中的分类理论应用于基督徒内群分化研究中，试图为该现象提供一条崭新、合理的解释路径，同时在基督教这一具体场域中检验分类理论的适用性。

本研究将宗教现象视为社会中独立的子系统来研究。以往关于宗教现象的研究（宗教社会学研究的旧范式）指导社会科学家们寻找宗教事务的"根本"原因，实际上是要找出物质的和世俗的原因。例如，某场宗教复兴运动的原因总被归结为人口过剩、经济萧条、战争、统治者的策略调整等等。在被社会学界奉为经典的《自杀论》当中，虽然宗教问题占有很大篇幅，但是涂尔干并没有把宗教当成独立的自在之物，而把它当成社会整合程度的一种复杂反映（涂尔干，1996）。基督徒群体出现内群分化是因为处于社会中的人们均有分群现象，因而没有必要特殊关注并进行研究……这些观点实际上是将宗教现象依附于社会现象来研究，试图用社会原因代替宗教解释，而没有把宗教现象作为独立存在的子系统。本篇论文在承认宗教现象可能由世俗因素引起的同时，反对把世俗社会因素作为导致宗教现象唯一因素的判断。与以往的宗教人类学、宗教社会学研究不同，本篇论文最大的理论意义在于，将宗教现象的研究置于一个相对独立的场域之中，除了将社会世俗因素纳入解释宗教现象的原因之外，还将探索宗教教义、组织、制度等因素的影响力度。在解释宗教现象的同时，分析社会中分类现象的形成过程。

此外，如第一章文献综述所呈现的那样，不管是社会心理学还是宗教社会学，国外已有文献较早关注到了基督徒内部的群体分化和组织模式，为我们深入理解基督徒的多面形象提供了有益的洞见。然而，遗憾的是，上述研究止步于对教徒分群现象的简单描述，没有更进一步深入挖掘和系统揭示基督徒内群分化的组织机制和实践逻辑，且对基督徒内群分化现象的关注较少，更多的是把基督徒看做一个单一面目的同质群体。即使看到了基督徒的多重身份和群体边界，学者们也多止步于简单描述，缺乏对群体分化具体过程和动态实践的挖掘。由此，本文试图在上述几个方向上进一步做一些工作，为呈现和解释基督徒内群分化的逻辑和机制提供些许洞见。

3.2 方法论特点：人类学视角

本文的人类学特点主要体现在研究方法和分析视角上。从具体的调查方法来看，本研究应用了（参与）观察、深入访谈、问卷分析等方法。笔者从

2006 年 1 月开始进入田野，同研究对象建立人际网络关系，直到 2007 年 3 月止，笔者共在被调查教堂进行了 4 次集中的田野工作（2006 年 1 月、8 月、11 月，2007 年 2 月），每个星期有 4 天都要和基督徒在一起（周三的灵修小组学习、周五的青年团契、周六的福音班、周日的爱心团契活动及主日聚会）。笔者参与了几乎所有的小组及团契活动，共录音 25.2 小时，访谈 21 人次，包括负责教堂青年团契的教士；小组、团契负责人；小组成员；普通信徒及非基督徒，撰写参与观察笔记与访谈笔记共 20 多篇，累计 4 万余字；发放问卷 102 份，回收 81 份。

在这些"硬件"条件的基础上，笔者结合他观（etics）与自观（emics）的分析方法[1]，对获得的田野调查资料进行阐释和解读。既认真对待田野调查资料，又结合社会、文化等因素深入分析暗藏在资料背后的信息和意义，努力试图将"内在意义"与"外在意义"结合起来。

美国人类学家明茨（Mintz）在 *Tasting food, Tasting freedom*[2] 一书中分别讨论了"内在"意义与"外在"意义的方法，并以此来分析物质资料的文化属性。他认为，"内在"意义与日常生活相关联，是个人为自己及周围人的行为赋予的意涵；而"外在"意义与社会组织、体制、权力等相关联，是"社会组织与族群造成的改变带来的影响，……那些任职并管理较大型经济与政治结构的人，就是使这些机构运作的力量。"（明茨，2006）他进而认为，"内在"意义的变化只能发生在"外在"意义限定的范围内。人类学家的研究就是要考察人们接受、使用"日常生活各种行为的意义"，并将其内化的过程。明茨之所以要用"意义"一词，是想让田野调查者"现身"，使田野工作者与田野工作状况"透明化"。

该方法论为本论文的研究视角、写作方式提供了较大启发。在论文写作过程中，笔者试图从个体基督徒的自我身份认同与青年团契对基督徒认同的结构塑造两方面入手，带领读者进入田野，看到笔者在田野中获得人类学信息的过程，并力图将人类学理论和田野直观经验结合在本论文中，分析"内在"意义与"外在"意义的关联，使读者在获得经验性信息的同时，也了解到笔者的理论阐释[3]。

---

1 黄剑波（2003）认为，人类学在不否定"他观"的贡献和角色的作用的同时，更加关注"自观"的研究视角，此为宗教人类学区分于宗教社会学的一大特征。

2 中文书名为《吃》。

3 布迪厄在其著作《学术人》中，力图要创造一种"话语蒙太奇"。这种新的语言关于研究者进入田野的身份问题，由于笔者在四个不同的时间段进入田野，所以每次的角色和身份并不相同。首次进入田野，笔者并未表明自己的研究者身份，而是以慕道友的角色进入教堂，试图了解教堂的基本情况，并与里面的基督徒建立广泛的人际网络关系。此时，基督徒们对我没有戒备之心，把自己知道的情况统统告诉我，甚至很多情况下都是他们把我"拉进"了访谈现场，热情地与我"交通"[4]。但是笔者却是怀有一定的目的来到教堂，至少我是要从中"拿走"信息的。这种反思使得笔者在调查的时候常常会萌生愧疚之情。所以笔者在第二次进入田野的时候便主动"坦白"自己的研究者身份，没想到却遭到多数人的强烈排斥，使得调查根本无法进行。第三次、第四次进入田野时，笔者吸取教训，将自己的身份"淡化"、"悬置"，以普通信徒、小组成员、团契成员的身份参加活动，在与研究对象聊天交朋友的过程中穿插我们的问题，只是在对教士访谈的时候明确了调查者的身份。在宗教体验层面上，笔者尽力做到"参与观察"，从而达到"同情之理解"，并做到如下要求：

> 作为社会科学家，我们的目的既不应该是损害宗教，也不应该是供奉科学为宗教。我们的根本追求是应用社会科学的工具来检验人们和他们所体验的神之间的关系。科学可以检查除了其真实可靠性之外的这个关系的任何方面。

> 如果没有心感神受（empathy），社会科学家甚至也不太可能把握宗教现象之人的方面。虽然想要理解宗教的社会科学家不一定要有宗教信仰，但是他们需要有足够的能力来悬置自己的不信以便取得对于信仰崇拜现象的某种感受。（斯达克、芬克，2004：27）

综上所述，笔者认为本研究基本符合以下几个宗教人类学特点（庄孔韶，2002）：

1、研究的对象不仅是各种形式的宗教信仰，而且也关注宗教的实践过程和参与这些实践的人群。

能够使有关社会世界的话语的生产者避免一种僵化的选择，要么是干瘪的、采用科学方式予以说明的实证主义超脱（detachment），要么是更具经验感受性的、颇富文采的摄入（involvement）。布迪厄要做的是，使学者的作品能同时提供科学观照（vision）和直达事务的直觉。

4 交通，交流沟通，是指是依照上帝的教导和其他基督徒分享生活及信仰经验，强调一种互动关系。

2、对宗教进行多学科的整合研究，而不是像宗教学家或神学家一样从某个侧面论述。

3、更多地强调参与观察和比较研究的方法。

4、对宗教的研究不是"就宗教论宗教"，而是通过考察宗教本身及其作为信仰主体的"人"，将宗教同"人"与社会相联系，从人的生物性、社会性出发，结合社会科学和自然科学的最新成果，对宗教信仰发生的场景、过程和意义进行综合研究和阐释，从而加深对人的理解。

3.3 概念界定

以下几个概念，笔者认为有必要在正式展开分析之前界定清楚，方便读者对本文的理解。

1、基督徒内群体

相对于非基督徒外群体而言，在本篇论文中特指 D 市 Y 堂青年团契所有基督徒个体构成的统一群体。

2、小群体

在基督徒内群体之中依据各种原则分化出来的规模较小的群体组织。在 D 市 Y 堂青年团契内部则表现为各种团契、小组等，人数从几个人到几十个人不等。

3、认同

本文的认同采用由塔菲尔（Tajfel，1978）的"社会认同"定义，即"个体认识到他（或她）属于特定的社会群体，同时也认识到作为群体成员带给他（或她）的情感和价值意义"。

4、关系分群

基于人际关系网络建立起来的分群模式。即人际关系会不同程度的受到血缘、地缘、业缘、年龄、职业、性别、民族、教育程度等因素的影响。

5、制度化分群

在制度的影响下形成的形式上相对固定的分群模式。

下面笔者将通过问卷数据分析结果和田野访谈两种类型的资料来呈现我们的调查发现。

第 4 章　D 市基督徒信仰发展状况

4.1 D 市基督教概况

　　本篇论文的田野位于我国北方一个沿海城市——D 市。由于城市设立和发展较迟，基督教的进入时间相对来说也较其他地方更晚一些。1896 年，丹麦信义会宣教士 C. Waidtlow 来到 D 市，成为来 D 市传教的第一人，并于 1911 年创建了 D 市的第一座教堂。本文的田野 Y 堂则是英国领事馆附设的一个教堂。截至 2005 年 5 月，D 市共有基督教教堂 27 座，教牧人员 39 人[1]。其中市区内共有教堂三座，小型聚会点数十个，牧师 10 人，教士 3 人。我们的田野点 Y 堂，处于市内闹市区，是其中发展得较好的一个。

　　在具体介绍此田野调查点及其内部发生的分群现象之前，我们觉得有必要向读者较为全面地呈现一下该堂信徒的基本情况。如前文所述，笔者从 2006 年 1 月开始进入 D 市 Y 堂做田野调查，到 2007 年 3 月为止，共进行了四次集中调查。期间，除了用人类学方法进行参与观察获取资料之外，我们还分两次开展了问卷调查，针对 D 市 Y 堂外来务工人员基督徒的信仰情况进行了抽样调查。之所以调查外来务工人员，而不是全体基督徒，是因为本文重点关注的是基于身份认同的内群分化现象。在身份认同这个维度上，外来务工人员比本地人更为敏感和在意。田野观察也证实了我们的判断，后文开辟大量篇幅讨论的关系分群和制度分群的冲突，就主要在外来务工人员基督徒群体中产生。

---

[1] 转引自 D 市宗教事务局网站。

下面是调查的基本发现。

4.2 D市外来务工人员基督教信仰状况

20世纪70年代末、80年代初以来的社会制度变革和社会结构转型，带来了一浪又一浪的"民工潮"，到目前为止，中国大约有2亿多农民工进城务工[2]。在强烈的城市文化冲击下，这些农民工的信仰是否发生了改变？一方面，农村基督徒来到城市后能否与城市基督徒和睦相处？二者是如何互动的？农民工信徒又是如何融入到城市教会的？这是否是一个痛苦的过程？另一方面，没有信仰或者相信民间信仰的农民工在面临经济压力、个人/家庭危机时，是否改变了原有的信仰，转向了基督教？并获得新的身份认同？这些问题的回答需要系统深入的调查数据来做支撑。

D市辖6个区，3个县级市和1个海岛县，总面积1.25万平方公里。至2007年末，全市常住人口共608万人。作为北方经济发展的龙头城市之一，D市吸引了大量外来务工人员[3]。当地市政府本着开放的态度，对外来务工人员采取了非常积极的接待方式，在生活、医疗、工作、子女教育等方面都给予优惠照顾。很多打工者刚来到D市就认为"这个城市很有人情味"。在访谈过程中，笔者接触到的外地基督徒大都认为这个城市并不排外，本地人很好相处，加上适宜的气候、洁净的生活环境，很多打工者都将D市认同为自己的第二故乡。

在如此开放、友好的环境下，仅2007年一年，就有8.4万外省市务工人员来到D市[4]，外来务工人员总数更是达到了70多万人[5]。

总体上，D市的外来务工人员说有两个特点：

1、多来自于辽宁、吉林、黑龙江三省。仅以D市经济技术开发区（以下

---

2 2007年1月26日，劳动和社会保障部副部长、国务院农民工工作联席会议办公室主任胡晓义在接受中国政府网专访时披露：全国的农民工现在大约有2亿人。数字来源于http://www.china.com.cn/news/txt/2007-01/26/content_7718634.htm。

3 为了避免歧视性语言，D市用"外来务工人员"代替了"农民工"。本文也主要用这个名词来指称调查对象。

4 数据来源于D市政府官网，鉴于对研究对象隐私保护的考虑，网站原文地址省略。下同。

5 引自《D市日报》，2007年12月25日，第A01版。

简称为开发区）为例，根据 2000 年第五次人口普查统计，户籍登记地为省内的约占全部外来人口总数的 65%。而在省外的务工人员中，来自黑龙江省的人数位居第一，占 46.93%，其次是吉林省，占 21.04%。这说明，作为相对较发达的大城市，D 市较多地吸引了周边中、小城市的劳动力；

2、外来务工人员素质较高。D 市有中央直属高校 3 所，省属 9 所，市属 2 所，民办 7 所，共计 21 所高校。这些高校吸引了北方各省市的优秀生源在此读书、就业，无疑提高了外来务工人员的素质。另外，据 2006 年 D 市开发区总工会的调查数据显示，在被抽查的 49 家外资企业中，由外来务工人员做中层管理者的有 229 人，这说明一批高素质的外来务工人员正迅速成长为企业的中坚力量，有相当一部分外来务工人员的社会地位是比较高的，不同于一般意义上的"农民工"。

根据《D 市统计年鉴（2006 年）》的数据显示，67%的外来务工人员都集中在开发区、保税区和海港区，原因是这三个区拥有较多的工厂，需要大量员工。而在开发区（Y 堂所在地），外来务工人员占总数的 7.53%。这些外来务工者大多有一个比较体面的工作，或是在公司做职员，或是自己经营小买卖。在距离 Y 堂不远处的一个综合性商场里，大部分店主都没有本市户口。在 Y 堂教会的各种活动中，笔者也很少见到一般意义上的从事类似于建筑工人等低收入工作的农民工。常年在教堂负责卖《圣经》之类教会书籍的工作人员也证实了笔者的判断，他们很少会碰到低收入人群到教会来。

基于以上情况，我们可以对 D 市外来务工人员的构成、来源和素质有一个大概的了解。由此可知，本论文的研究对象多是从北方的中、小城市来到 D 市的素质相对较高的外来务工者。研究问题也因此就变成了中小城市的外来务工者来到大城市以后的信仰变迁问题。

4.3 Y 堂概况

Y 堂位于 D 市开发区，是商业最发达、交通最便利、人口最密集，同时也是最繁华热闹的地方，周围多家银行、商业大厦、酒店宾馆林立。相比之下，Y 堂的空间就显得十分局促，它位于两条街道的拐角处，使得教堂的院子呈三角形。教堂的建筑风格为典型的欧洲建筑，砖红色墙体，尖顶，顶上树立着高高的黄色十字架。周五的青年团契和周日的主日崇拜时，通常会有 4 个青年基督徒志愿者站在院门两边，向每一位进来的人问候"主内平安"，往往被问候的基督徒也会微笑着回答"主内平安"。主堂外面有一对音响，正式活动的前 2 个小时就开始播放音乐和同工[6]的见证[7]，并全程播放牧师的讲道，效果很好，声音非常清晰，所以夏天的时候很多老年人不愿意进到教堂里就可以拿着"小马扎"坐在院子边听道边纳凉。主堂内部是一个礼堂似的建筑，采光很好，即使是晚上，在 20 多盏灯的映照下也十分明亮。主堂四角各有一个冷暖双用立式空调，圆形柱子上还挂了几对音箱，音响效果相当好。堂内中间一条通道由大门直达前台，左右分设长椅 18 排，大概能坐 700 人。前台较高，台下左侧置钢琴一台，但是聚会时都闲置不用，改用更加具有表现力的电子琴。台上右侧设一小桌为证道者和敬拜带领者所用，两侧墙上分别有一块小黑板，上写当日所唱诗歌。前台最远端的墙上树立着一个巨型红色十字架，十字架两边分别是"以马"和"内利"。

　　主堂两边各有一个附堂。笔者第一次进入 Y 堂时右侧附堂没有启用而只用了左侧的。再次进入田野，左侧的附堂就一直处于维修中，而右侧的附堂则修缮完毕。内有 20 多排长条凳，足够 150 个人坐。聚会结束后供周五的青年团契、周日的主日崇拜、弟兄会、交通组使用。平时闲置时，用来堆放木制的"小马扎"，共有 200 多个。一进附堂便能看到一个很大的显示屏，青年团契和主日崇拜的时候可以经过它"现场直播"主堂里的讲道和活动情况，显示屏的背面是与主堂连接的通道，通道的另一侧是售书处，出售各种版本的《圣经》、《赞美诗》、《敬拜赞美》[8]等书籍。从售书处再往里面走，便是提供给教牧人员休息的小房间，平时上锁，由一位常年住在教堂的老人掌

6　同工是指教会中的基督徒一同为上帝工作。同工的用法很广泛，可以指透过正式邀请设立的某些人，也可以指有心服事上帝、一起配合的人。

7　见证，参见《新约圣经·马太福音》（5：13-16）"你们是世上的盐。盐若失了味，怎能叫它再咸呢？以后无用，不过丢在外面，被人践踏了。你们是世上的光。城造在山上，是不能隐藏的。人点灯，不放在斗下，是放在灯台上，就照亮一家人。你们的光也当这样照在人前，叫他们看见你们的好行为，便将荣耀归给你们在天上的父"。

8　该书是 D 市基督教会出版的，供青年团契内部使用的诗歌。分为上下两辑，上辑 100 首，外加附歌；下辑 112 首。此书非常受欢迎，曾经多次处于脱销状态。原本分为上下两本，重新出版后合为一本。Y 堂青年团契的所有诗歌均从中选取。

管着钥匙，只在周五和周日活动前为教牧人员打开。教牧人员可以在准备好讲道之后直接从这个小房间走到讲台上。

经过改造和空间调整，整个教堂能够容纳的人数越来越多，从原来的700 多人到目前的 1000 多人，但还是远远不能满足信徒的需要。每逢周五和周日的活动，即使提前 1 个小时进入，主堂里也找不到比较靠前的位置，而且每次活动都有好几十人站在主堂的后侧。教牧人员几乎每次在正式讲道之前都要强调关于座位的纪律，避免发生既有人没座位，又存在座位闲置的情况[9]。

除了主堂和附堂之外，Y 教会还拥有另一块特殊的"地盘"。它位于 Y堂的正后方，大约 50 米处，B 大厦的三层。B 大厦是一座商业大厦，大多数房间都出租给商业公司作写字楼之用，共有 18 层。当时 B 大厦兴建的时候，占用了 Y 堂的一块土地，于是教会与开发商达成协议，等大厦建好后，将整个三层的所有房间都归教会使用。教会是从 2006 年 4 月 28 日开始接管这些房间的。目前，B 大厦三层所有房间全部归 Y 堂青年团契使用[10]。三层共有10 个房间，大小不等，房间内装修很好，都有地板和空调，看起来非常整洁干净。每个房间门上都标有该房间的用途，如主日学、圣乐事工部、青年事工部、福音班、阅览资料室、会议室等。

4.3.1 Y 堂历史

Y 堂建于 1928 年 5 月 6 日，当时隶属英国圣公会管理。更加细节的历史情况可以从教会日常管理办公室 W 主任[11]的访谈中得知：

> 问：（Y 堂教会）是什么人建立的呢？听说好像是英国贵族建立的，是么？为什么要建这个基督教堂？

---

9 W 教士对座位的纪律是这样规定的：1、可以给新来的还没有信主的朋友占座，但是活动开始前 10 分钟再没有人来的话，服侍组的事工人员就有权力将其分配给没有座位的朋友了；2、如果中途出去，不管什么原因，都应该带上随身物品，而且不要再回来坐到自己的座位上；3、提前来的朋友最好往前坐，给后来的人提供方便进来的空间。

10 之前并不是所有房间都归青年团契使用，名义上 2 个房间被"两会"占为办公室，不允许 Y 堂青年团契使用，可实际上却一直空在那里。直到 2006 年 11 月 29日，W 教士才给大家带来"好消息"，即 B 大厦三层所有的房间都收归青年团契使用。

11 按照研究惯例，本文对人名和地名均做了技术处理。

答：在那个市民广场旁边啊，原来不是有个六一幼儿园么？那时候你小，肯定都不记得这个幼儿园了。这个地方啊，原来是英国驻 D 市的领事馆。1899 年，或者 1900 年，反正就是这两年前后吧，小日本，鬼子，不是要在 D 市安"嘎嘶"么，就是煤气，他们自己不会安，就得请人家英国人来安，然后就从英国、丹麦请来几十个工程师、工程人员。你能说这些人是贵族么？他不是。那时候他们住在一个小灰楼里面，不大，两层才 401 平米。1907，他们把煤气修好了，大功告成了。他们是基督徒啊，星期天要守安息日啊。他们那个小楼啊，上面是厕所，下面是厨房，平时住人，一到星期天了，就在这里做礼拜。时间长了啊，一些上层的中国人，就那些有钱的，开着汽车的，做生意的，也来，差不多能有 40 来人吧，每个星期天都过来做礼拜。后来人越来越多，越来越挤啊，怎么办呐？就得建堂。

问：然后这个堂就一直是英国人管么？

答：可不是哎。1942 年太平洋战斗打响了么，日本鬼子跟美国翻脸了，把这在 D 市的英国人啊、美国人啊，差不多都撵走了，到了 1945 年就开始接管这个教堂，从那以后就没有宗教活动了。

问：那解放以后呢？日本人也走了啊

答：那时候开发区少年宫一直占着这个地方呢，一直到 93 年 9 月份，还是 10 月份，我记不清了，反正就是个秋天吧，少年宫这才搬走。

问：我怎么听说今年（2007 年）是这个堂恢复 20 周年啊？

答：对啊。我们是 1986 年 11 月份，政府才把这块地方还给我们。我年轻的那个时候啊，喜欢看书，但是呢，还买不起。（有一次）我就看见一本挺厚挺厚的书，按现在看，这也是个精装书了，可是呢，就买不起。这个书叫#%￥……%&（他说的是日语，我听不懂），翻译过来叫《关于满洲的宗教》，我一看这个好哎，里面写 YG 街这个地方原来有个教堂，是什么人建地，都啥样人来参加，怎么怎么回事，这我才知道，原来这地方（Y 堂）还有这么段历史呢，然后就写材料，网上报，最后政府把这块地批给我们 Y 堂了，我们是 1992 年才拿着产权，少年宫 93 年才搬走。（在拿到产权之前），政府在

1986 年 11 月就把这块地方（应该是今天的主堂）给我们，他（政府）一看这也是哎，尖顶的房子，还有个大堂，就应该是以前基督徒做礼拜的地方。（接手主堂以后）然后我们开始装修，装修完了，那是 1987 年 8 月 2 号第一次开堂。

问：您还记得开堂那天的情况么？

答：哎呀，那天啊，我直到现在还记忆犹新。那天也就 100 来人儿，特别可怜。

问：都是些什么人来参加？

答：都是些老头老太太，100 多点人，不到 200 人。

问：这个堂的历史除了日本人写在了书里，还有没有书面的，成文的历史了？

答：有啊。10 年前才写这个历史。我今天跟你说的这些啊，都是第一手材料。我们当初为了写（历史）材料啊，那个苦啊，到处调查，那些老人都差不多了，快 100 岁了，那个难啊。

4.3.2　Y 堂活动安排

Y 堂每天都有活动，针对不同程度的信徒提供相应的活动内容。下面是 Y 堂公布的日常活动时间安排：

周一	晨更祷告	5：30--- 6：30
周二	慕道班	8：00--- 9：00
周三	晨更祷告	5：30--- 6：30
周四	祷告会	8：00--- 9：00
周五	青年团契	18：00---19：00
周六	查经会	8：00--- 9：00
周日	主日崇拜	一场　7：00--- 8：00
		二场　9：00---10：00
		晚场　18：00---19：00

4.4　外来务工者信仰的基本情况

如本章开始所述，从 2006 年 1 月开始，到 2007 年 3 月，笔者分别进行了两次针对外来务工者基督教信仰状况的问卷调查，共发放 102 份问卷，回收 81 份有效问卷。需要说明的是，我们的样本选择是有偏的，只针对外来务工人员，无法代表 Y 堂全体基督徒。但在官方数据无法获得的情况下，通过这个有偏样本，还是能够帮助我们管窥一豹，了解该堂基督徒的一些基本特征。同时，这也是为后文（第五、六两章）系统讨论两种分群模式的互动和冲突，做一些基本的铺垫。

下面是对这 81 份问卷数据的统计分析结果。

4.4.1 Y 堂外地信徒的状况分析

在 Y 堂教会调查期间，笔者参加的活动有周三的灵修小组学习、周五的青年团契、周六的福音班、周日的爱心团契活动及主日聚会。每一次活动均有相当数量的外地信徒参加。但是，比较明确的数量概念是从问卷的发放和分析过程中得到的。笔者在主日崇拜当天站在 Y 堂门口随机发放问卷，先问来参加敬拜的基督徒是不是本地人，如果不是，再发放问卷，待活动结束后收回。问到的 5 个人里，差不多就有 1 个是外地人。因此推算，本地基督徒与外地基督徒的比例大致是 4：1。

1、基本状况

在对回收了的 81 份问卷做统计时发现，女性占了 67.9%，男性占 28.4%。年龄最小的 18 岁，年龄最大的 71 岁，各只有一人，19-30 岁的占 69.14%，31-40 岁占 19.75%，41-70 岁占 3.70%。平均年龄 27.77 岁。婚姻状况：未婚的占 69.1%，已婚的占 19.8%，离异和丧偶的各占 2.5%。

2、家乡情况

来自辽宁的信徒占 42.0%，其次是黑龙江的信徒，占 14.8%，然后是来自山东的信徒，占 8.6%，其他信徒按照比例排序分别来自于吉林、河南、浙江、内蒙古、重庆、河北和江西。其中，33.3%来自农村，30.9%来自城市，11.1%来自县城，3.7%来自乡镇。

3、教育程度

外地信徒的教育程度普遍计较高，大专或本科学历的信徒占了 44.4%，其次是高中或中专、职业学校，占 25.9%，初中学历占 19.8%，另外，还有3.7%的信徒是硕士或博士学历。其中比较可参见图 1：

图 1　学历分布情况

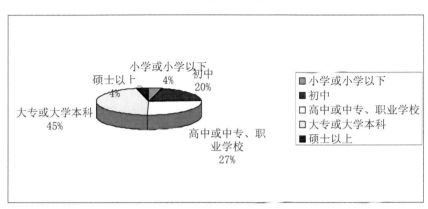

4、收入情况

月收入在 800-1499 元和 1500-2999 元的外地信徒占了大部分，分别是 29.6% 和 30.9%。如图 2：

图 2　外地信徒的月收入状况

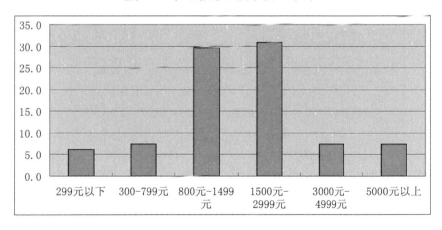

小结：从统计数据中得知，Y 堂教会外地信徒的基本情况与前文所述的 D 市外来务工人员的情况基本上是吻合的。辽宁省的信徒较多，其次是黑龙江省。信徒普遍素质比较高，收入状况也随之升高。此外，年轻、单身、来自城市也是描述外地信徒特点的关键词。

4.4.2 外来务工人员的信仰变迁情况

调查问卷显示，53.1%的基督徒是到 D 市以后才归信基督教的。在家乡归信的的基督徒占 34.6%，在其他地方归信的占 8.6%。到 D 市以后归信的基督徒基本上可以分为两种，一种是由亲戚朋友介绍来到教会，这是最常见的形式，每周五都会有 30 多名慕道友第一次来到教会，而他们大多是由亲戚朋友带来，待青年团契结束后，陪着新人一起听神职人员的传道。周六的福音班也是如此，如果没有亲戚朋友的带领，参加学习的人数会急剧下降；另一种则自己主动找到教堂来。笔者在调查中遇到一位姊妹，她是公司职员，工作几年后把自己的母亲接来 D 市同住，结果母亲要求来教堂看看，她就打听到了距离住所最近的教会，也就是 Y 堂教会，带着她母亲过来参加活动。来到教堂后，母女俩都觉得教会里的气氛非常好，从此以后便常常来参加活动，两个人都成为基督徒了。

有一点不得不提的是，D 市教会的活动（特别是青年团契）形式丰富多样，活泼感人。教会事工人员尽职尽责，对待每一位来到教堂的信徒或慕道友都非常的友善和热情。笔者对比过 D 市和北京的基督徒教会，一个最深的感受就是，D 市的教会要热情得多。再加上教会里 1000 多名基督徒共同唱诗产生的心灵震撼，教会对于外来务工人员的吸引力是非常大的。但是，真正接受信仰还是要靠原有的人际关系网络，这一点也可以从数据中找到根据，见表 1、2、3：

表 1　接受信仰地点与在家乡是否听到过基督教

			在家乡是否听到过基督教			
			非常熟悉	听到过，接触不多	听到过，但从来没有接触过	从来没有听到过
接受信仰地点	家　乡	频　数	22	6	0	0
		百分比	78.57	21.43	0	0
	D　市	频　数	9	22	10	0
		百分比	20.93	51.16	23.26	0
	其他地方	频　数	4	0	3	2
		百分比	57.14	0	42.86	4.65
	总　计	频　数	37	29	13	0
		百分比	45.68	35.80	16.05	0

表2　接受信仰地点与家乡是否有基督徒

			家乡有基督徒么			
			缺失	很多	不多	没有
接受信仰地点	家　乡	频　数	2	21	5	0
		百分比	7.14	75	17.86	0
	D　市	频　数	2	19	22	0
		百分比	4.65	44.19	51.16	0
	其他地方	频　数	0	5	2	0
		百分比	0	71.43	28.57	0
	总　计	频　数	5	47	29	0
		百分比	6.17	58.02	35.80	0

表3　接受信仰地点与家乡是否有教会

			家乡是否有教会		
			很多	不多	没有
接受信仰地点	家　乡	频　数	16	11	0
		百分比	57.14	39.29	0
	D　市	频　数	10	30	1
		百分比	23.26	69.77	2.33
	其他地方	频　数	5	1	1
		百分比	71.43	14.29	14.29
	总　计	频　数	32	44	2
		百分比	39.51	54.32	2.47

　　无论是在哪里归信——D 市、家乡还是其他地方——在对基督教没有了解的情况下归信是十分稀少的。在家乡有基督徒或教会的情况下，外来务工者才有可能归信。这也说明了已有人际网络关系的重要性。这一特点与本课题在北京调查所获结果基本是一致的[12]。

12 详见艾菊红、黄剑波：《都市边缘的陌生人》，载于《道风：基督教文化评论》，第二十六期，第129页。

从接受信仰原因的角度来看，同样支持这个结论。在众多原因当中，"家庭影响"被选择的比率最大，占51.9%，该题是多选题，即51.9%的被调查者都选了这个选项。其次才是"回应上帝的呼招"。见下表：

表4 接受信仰的原因

接受信仰影响因素	频　数	百分比%
家庭影响	42	51.9
自己或者家人、朋友的疾病	12	14.8
战胜不幸	16	19.8
生活或工作压力	18	22.2
克服不良习惯	13	16.0
上帝保佑成功	15	18.5
来世进入天堂	13	16.0
结交朋友，找到真爱	13	16.0
提升精神境界	15	18.5
追求真理，探索宇宙	16	19.8
回应上帝呼招	26	32.1
其他	13	16.0

4.4.3 D市教会与家乡教会的比较

在D市经常参加教会的频率比在家乡经常参加教会的频率要高得多，具体比较可以从下面两个表中得知：

表5 在D市参加教会频率

在D市参加教会频率	频　数	百分比
缺失	5	6.2
经常有规律地参加	56	69.1
圣诞节，复活节等重大节日时参加	6	7.4
随意或临时决定是否参加	14	17.3
总计	81	100.0

表6　在家乡参加教会频率

回家参加教会频率	频　数	百分比
缺失	7	8.6
经常有规律地参加	26	32.1
不经常参与	29	35.8
不参与	14	17.3
家乡没有教会	5	6.2
Total	81	100.0

若将上述两个表交叉比较，就会得出非常有趣的结论：

表7　在 D 市与在家参加教会频率交叉表

			回家参加教会频率				
			缺失	经常参与	不经常参与	不参与	家乡没有教会
在D市参加教会频率	缺　失	频　数	0	2	3	0	0
		百分比	0	40	60	0	0
	经常有规律参加	频　数	5	20	19	11	1
		百分比	8.93	35.71	33.93	19.64	1.79
	重大节日时参加	频　数	0	1	3	0	2
		百分比	0	16.67	50	0	33.33
	随意决定是否参加	频　数	2	3	4	3	2
		百分比	14.29	21.43	28.57	21.43	14.29
	总　计	频　数	7	26	29	14	5
		百分比	8.64	32.10	35.80	17.28	6.17

从这个交叉分析表中，我们可以看到，在 D 市经常参加教会的外地信徒，回到家以后依然经常参加教会的比率只有 35.71%，在家乡不经常参与和不参与教会的信徒占了多数，有 53.57%。换句话说，五成以上在 D 市经常参加教会活动的基督徒，回到家以后就不热心教会活动了。

这个结论也可以从下面这个图中得到验证：

图3　更喜欢哪里的教会

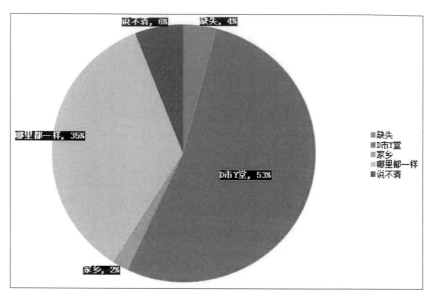

从图中可以发现，五成以上的外地信徒更喜欢 D 市的教会，而不认为在哪里参加活动都一样。外地信徒偏向 D 市教会的原因有很多，如认为 D 市教会讲道好、教牧人员好、信徒好、敬拜仪式好、有爱心和秩序好等。但是，关键的原因在于，多数人认为在 D 市教会成长更快：

图4　在哪里成长更快

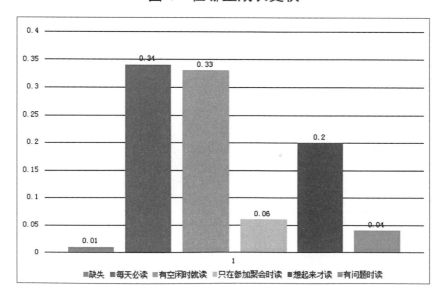

在行为表现上，也可以通过数据表现出来，即衡量外地信徒奉献给哪一边的教会：

图 5　最近一年奉献给哪边的教会

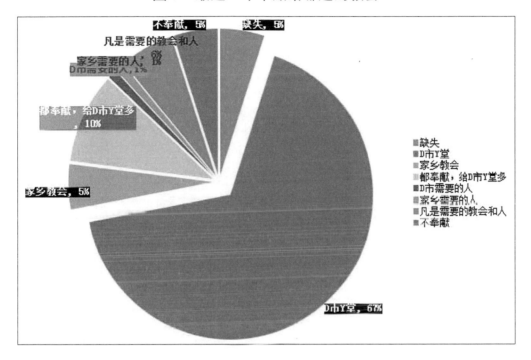

如图所示，67%的外地信徒将最近一年的奉献交给了 D 市教会，10%的信徒给家乡和 D 市的教会都奉献，但只有 5%的信徒把奉献交给了家乡教会。

除此之外，外地信徒和家乡教会联系频率与给家乡教会带信息频率都不高，有 44.4%和 37.0%的外地信徒表示从不或不经常联系家乡教会；33.3%和 39.5%的信徒表示从来不带或不经常带 D 市教会的资料给家乡教会。

4.4.4 信仰的重要性

在回答"基督教信仰对您在 D 市工作和生活有无帮助？"一题时，81.5%的信徒认为"非常重要"，7.4%的信徒认为"比较重要"，另外有 7.4%的信徒"说不清"，没有任何一个信徒认为信仰不重要。但是，在回答"D 市遇到困难的时候是否找教牧人员或者弟兄姊妹帮助？"时，却出现了这样的情况：

图 6　是否寻求帮助

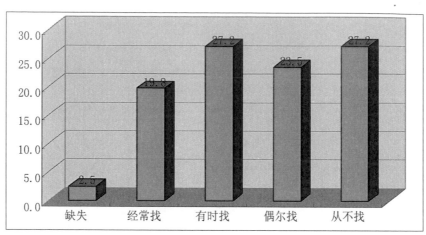

只有 19.8%的外地信徒在 D 市遇到困难时要经常找教牧人员或弟兄姊妹帮助。"从来不找"的百分比占到了 27.2%。同样的，接受帮助的情况也不乐观：

图 7　是否接受教会帮助

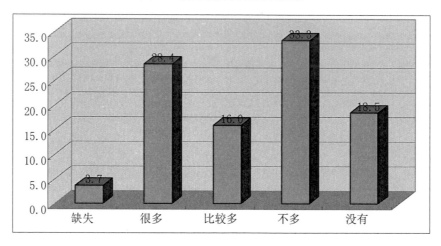

既然实际情况中主动寻求帮助和接受帮助的情况都比较少，那么我们只能相信，基督教对外来务工人员的帮助是信仰上和精神上的鼓励和支持了。那么外地信徒的祈祷和读经情况又是怎样的呢？

图 8　祈祷频率

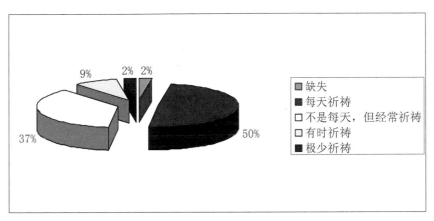

图 9　读《圣经》频率

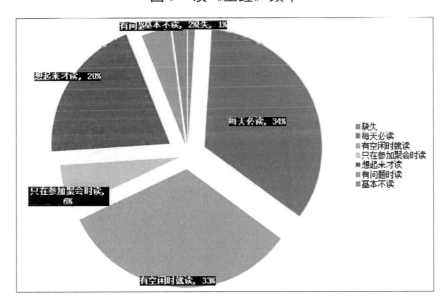

　　两个图表明，外地信徒的祈祷与读经频率还是很高的。

　　另外，在回答"您是否会告诉您周围的同事或者上司您是基督徒？"时，44.4%的外地信徒表示会"主动告诉"，"经过一段时间以后告诉"和"别人问的时候告诉"各占 27.2%，回答"从来不讲"的基督徒只有一位，占总数的 1.2%。在回答"基督徒可以参与烧纸钱、叩头祭祖等传统习俗活动吗？"时，77.8%的外地信徒认为"不可以"，回答"可以"和"视情况而定"的外地基督徒分别占总数的 4.9%和 14.8%。

4.4.5 教会选择

数据分析显示，80.2%的外地信徒都会固定参加一个教会的活动，12.5%的信徒会选择在两个或多个教会参加活动，2.5%的信徒没有固定教会。另外，48.1%的外地信徒是通过亲戚、朋友或其他熟人的带领找到 Y 堂教会的，40.7%的外地信徒是自己主动找到的，还有 3.7%和 2.5%的信徒的情况是"偶尔经过教会就进来了"和"经过与其他教堂比较选择"而来到 Y 堂教会的。

外地信徒对 Y 堂教会的满意程度很高，53.1%的信徒表示"很满意"，44.4%的信徒认为"比较满意，但有需要改进的地方"，只有 1 位信徒对 Y 堂教会"不满意"。至于选择 Y 堂教会的原因，问卷中列出了 10 个选项，是多选题，可以通过下表得到外地信徒的选择情况：

表 8　选择 Y 堂教会的原因

选择原因	频　数	百分比
经过比较选择这里比较适合自己	22	27.2
暂时在这里，如找到其他适合的就离开	3	3.7
教会都一样，在哪里聚会都一样	33	40.7
牧师讲道讲得好	29	35.8
诗班唱得好	29	35.8
敬拜气氛好	37	45.7
环境好	21	25.9
离住的地方近	35	43.2
与教牧人员或者参与聚会的信徒熟悉	19	23.5
其他	8	9.9

从上表可以看出，"敬拜气氛好"和"离住的地方近"被更多的信徒作为选择教会的重要因素。对 Y 堂教会提出的要求可见下表：

表9　对教会的要求

对教会的要求	频　数	百分比%
敬拜仪式要活泼	17	21
接待要热情	19	23.5
讲道要更贴近生活	37	45.7
教牧人员要多与信徒接近	51	63
赞美诗歌要多样	21	25.9
在自己居住地的附近开设聚会点	14	17.3
现在的教会就很好，没有要求	10	12.3
不清楚	1	1.2
其他	8	9.9

4.4.6 教会对外来信徒的态度

Y 堂教会的 W 主任对于外地人归信基督教持谨慎，甚至可以说是消极的态度：

问：W 主任您好，我们这个项目想了解，大城市中的民工或者外地人的信仰变迁情况。举个例子来说，一个来自农村的打工者，在进城之后信仰方面有没有发生变化，比如，从不信基督教到信基督教。

答：我们基督教会啊，大门是敞开的，四面八方的人都可以到这里来，随便来。不管他来自何方，我们都欢迎。但是呢，他/她要真正融入这个教会得有几个过程。什么过程呢？先是慕道，然后是学习要道，你光对这个（基督教）感兴趣还不行，你还得来这学习，学习基督教教义到底讲什么呀，最后还得考道，考教义教规啊，对教义有什么体会啊，等这些都考（察）合格了，才能填表，等着批准，然后才能受洗。

从我们管理教会的角度出发，我们吸收信徒，希望（被吸收进来的基督徒）是本地的。

问：为什么呢？

答：他好管理。你看啊，我们得对他进行了解调查啊，走访啊。

> 信仰是一个过程，不是说昨天还不信呢，今天就可以是基督徒了。
> 我们还得考察他/她，看他/她的行为啦，说的话啦，（我们吸收信徒）
> 不能是马马虎虎的。
>
> 问：这个过程一般要多长时间？
>
> 答：一般得一年。你说，这要是来了个外地人，今天来了，明
> 天走了，我们也不方便走访，不方便了解的，不好管理。

可是新一代的教会管理人员却不着这样想。1995 年，用 W 教士[13]的话说，来教堂的人数"暴增"，这其中少不了是外地务工人员归信的。因为：

> "有一点可以肯定的是，一到过年，往日这种 Y 堂这种拥挤的
> 现象，就会大大缓解。这个是可以肯定的。"

面对外地基督徒进入本市教会的状况，W 教士并没有觉得有什么不妥之处，反而觉得这是"圣灵在做工"。其他管理人员更是如此，因为他们中间就不乏外来务工者。对待每一位来教堂的慕道友、信徒都非常欢迎，完全不按照地域分类。

当问到青年团契中外地信徒的人数及情况时，W 教士表示，他们并不清楚具体情况，也从来没有因为外地信徒的存在就区别对待。但是有一点可以肯定的是，每逢过年过节，教会里的人都会少很多，人数减少十分明显。

4.4.7 信仰与外来人员的城市生活

在这部分，笔者选择几个比较典型的个案，分别描述和讨论 D 市外来务工者的信仰与生活情况。他们分别代表了：（1）没有接受信仰的外来务工者、（2）在家乡信仰基督教但是没有在 D 市参加教会活动的信徒、（3）在家乡接受信仰在 D 市偶尔参与教会活动的基督徒和（4）在 D 市接受信仰并且热心于 D 市教会活动的基督徒。

1、没有接受信仰的外来务工者（个案 A）

A，女性，1956 年生，辽宁省抚顺市人，1992 年通过成人高考来到 D 市读书，大专毕业后回到原单位——一家大型国有企业。几年后，由于国企改革，便主动辞去工作，来 D 市做生意，开了一家服装辅料公司。她在 D 市有

---

13 W 教士于 1976 年出生于 D 市，1992 年开始信主，南京金陵神学院神学专业研究生。2006 年 9 月回到 D 市，作专职教牧，并正式接管 D 市 Y 堂青年团契的工作。第五章和第六章对 W 教士及其管理理念有更为详细的介绍。

两家亲戚，丈夫所在单位的效益比较好，就没有同来，有一个女儿在外地上大学。刚刚在 D 市做生意的时候，她只是和大学同学在商场里合租了一个摊位，给客人量体裁衣，工作非常辛苦，经常要做到半夜 1、2 点，赚钱也不多，后来家里筹集了一些钱才把现在的辅料店开起来，经济情况开始好转。现在 A 已经通过贷款在 D 市买了一套房子，把自己的小妹妹从抚顺接来同住，共同经营店铺。买房之前她一直是租房子住，曾经搬过 6 次家，平时省吃俭用。笔者问，困难的时候为什么没有依靠信仰，她回答到：

> 咱不信这个那个的，什么佛啊，上帝啊，咱不信也是好人、做好事，对得起良心。咱用不着那些去证明什么。你看那些信佛的，不照样骂人么？再说柜台天天这么忙，哪能离开人啊？旺季的时候，那人啊，里三层外三层的，3 个人都忙不过来。你看我一年也就过年休息那么几天，平时连逛商场、买东西的时间都没有，还去什么教堂？没那时间。

但是，情况由于一个朋友的出现而发生了改变。A 有一个非常要好的同学 L，她们从小学开始就是同学，工作以后是同事。L 下岗后，A 就把她请来帮忙照看生意，吃住都在家里。L 之前在温州打工，在那里接受了基督教信仰，成为一名虔诚的基督徒。来到 D 市后她很快就找到了最近的教会，也就是 Y 堂教会，每个星期五和星期天都参加教会活动。起初 A 还对她的信仰不管不问，L 向她传教的时候甚至还有些排斥。直到有一人她听到了 L 从教会录来的信徒们唱诗的音乐，她才觉得，他们"唱得跟国歌似的，那么有劲。不像佛教的，有气无力的。"从那以后，A 甚至主动要求 L 带着她去教堂参加活动，她第一次去教堂参加了 Y 堂教会的主日崇拜。按照 D 市基督教两会的规定，每周五的青年团契由本教会的神职人员住持，每周日的主日崇拜由其他堂点的神职人员讲道。那天正好赶上其他堂点的牧师来讲道，A 随 L 坐到了最后一排，活动结束后，A 说她不喜欢今天牧师的讲道。因为他会打断自己的讲道，维持秩序，让大家把手机关上、让没有《敬拜赞美》的人赶紧去买一本。甚至还会讲到"包二奶"这个问题，他问："一个每周都来教堂的基督徒，会去给人家当二奶么？"A 觉得他的水平实在"太洼[14]"。但是 A 很喜欢教堂里的歌，在听歌时她也会看着乐谱跟着哼唱，还说《赞美诗》里面的歌太复杂，不好听，《敬拜赞美》里的歌简单，好听。她觉"不用听他讲什

---

14 D 市方言，"水平太差了"的意思。

么，天天来这里听歌、唱歌就行"。L 四个月以后就离开了 D 市，A 在她走后自己去教堂几次，都是为了"听歌"、"唱歌"和情感发泄。但最终也没有归信。

2、在家乡信仰基督教但是没有在 D 市参加教会活动的信徒（个案 B）

B，女性，1988 年生，山西大同人，在 D 市轻工学院上学，2004 级服装专业，中专学历，2007 年毕业，刚刚考上大专，但是嫌学校不好，不想读，想复读一年，重新考大学。B 的母亲是基督徒，她也就跟着母亲信了，在大同的时候，每周六、日都要随母亲去教会参加活动。非常虔诚。但是，来 D 市上学的三年内，一次教堂也没去过。问到原因时，她说：

> 现在有很多信的很偏的，很邪的。什么七天七夜不吃饭，还不停的哭，等着耶稣降临啊什么的。这些很多，我就不敢轻易去。怕信偏了。

在学校里，基督徒很少，三年间她只发现了一个和她有共同信仰的同学，两人是朋友，但是从来不会在一起祷告。放假回家时，还会和以前一样去教堂参加活动，周六一整天，周日晚上。B 从来不传教，因为她觉得"应该是那些信得好的基督徒去传教"，而她还信得不好。关于"信得好"的解释，她是这样说的：

> "一个信得好的（基督徒）应该各方面都很优秀。可是我觉得我还不够优秀，所以信得不好。"

笔者在 B 着急租房子准备复读的时候遇见她，出于好心，推荐她到教会去，找找热心的基督徒，看他们能不能帮得上忙，租个比较安全可靠的房子。可是她的反应让我感到奇怪，她只是坐在那里听，没有任何回应。之后也没有到教会去，只是自己不停的在外面找房子。直到 3 天后，她才开始问我教会在什么地方，怎么走之类的。

这是否能在一定程度上说明，在没有遇到个人危机，或者在没有结识本地基督徒的情况下，外来基督徒要想找到教会，去教会参加活动，是十分困难的事情？

3、在家乡接受信仰在 D 市偶尔参与教会活动的基督徒（个案 C）

C，女性，辽宁铁岭农村人，1979 年生人，初中学历，未婚，1998 年来到 D 市，一直做裁缝工作，目前在市民广场附近一家商场里有自己的裁缝摊位。2000 年左右在家乡信主，为了外婆的疾病，向上帝祈祷。家乡有很多基督徒，但是与 D 市不同的是，家乡的基督徒 90%都是老年人。C 于 2003 年受洗。如果不忙的话，每个星期五和星期天都要参加教会活动。平时很少回家，即使回家了，也不会参加家里的教会活动。在 D 市 C 会固定参加一个教会的活动，也就是 Y 堂教会，因为只有这个教会距离自己住的地方最近。她虽然认为在哪里聚会都一样，但还是觉得 D 市教会的敬拜比较好，因为神职人员的讲道"有深度"，敬拜仪式也比较"正规"。

但是，由于工作关系，她特别忙。经常忙碌了一天之后就不愿意去教会了。星期三的灵修小组聚会她更是几个月都无暇顾及，甚至从来都不知道还有一个这样的组织。她自己也比较坦白，说自己"不寻求"。当笔者建议她过去听听的时候，她还试图推迟，问笔者所在的小组里面，有没有她认识的人？这说明人际网络关系在信仰的组织方面起了很大的作用。后来就是因为没有熟人在小组里，她也就从来没有参加过灵修小组的活动。

4、在 D 市接受信仰并且热心于 D 市教会活动的基督徒（个案 D）

D，男性，吉林通化人，30 多岁，没念多少书，很小就开始到外地打工，到 D 市后，在一个朋友的影响下信了主，他认为这位朋友人品非常好，还十分热心，至今他都非常感谢这位朋友。他的工作非常忙，笔者认识他的时候，他在一家礼仪公司做职员，工作很认真负责。在这之前，D 什么工作都做过，也非常忙，甚至忙得没有时间回家过年，遇到这样的情况就干脆不回去，上点年货，跟朋友在路边卖，十分辛苦。目前他已经拥有了一家自己的公司，生意很红火。对于 D 市这个城市，他非常满意：

> 上海人、北京人太排外了，北京人还差，特别是上海人，他们瞧不起外地人。可是 D 市人却不，从来不说因为你是外地的就瞧不起你。我认识很多 D 市的弟兄姊妹都很好。

他的朋友带他来 Y 堂后，他就经常来听道，但用他自己的话来说，那个时候并不虔诚，往往是，6 点多唱诗结束了，已经开始讲道了，他才来，讲道结束后，还没等唱主祷文、三一颂呢就夹包走人了。他说那个时候的自己"没寻求"，只是"慕道"，喜欢听道，听完就走人。但是，他还是在 2006 年 4 月 9 日受洗了。他描述了受洗的情形，大家都对他品头论足的，怀疑这样一个小混混、地痞、流氓，怎么能让他受洗呢？怎么能让他成为基督徒呢？但是，在受洗以后，他感觉自己有了很明显的转变，他相信这是"神迹"：

再也不想抽烟了，久治不愈的咽炎也就渐渐好了。从那以后他就更加虔诚，更加主动的参与到教会的活动中来，并且得到了教会管理人员的信任，开始组织教会活动了。笔者调查时发现，D 参加了灵修小组，并担任"精兵之家"的组长，同时还是爱心团契的成员，兄弟会的成员，时不时地还为教会管理人员办事，如买东西，复印材料，组织联欢活动等。不管做哪一件事情，他都非常认真，热心，活动组织得有声有色，其他信徒都夸他有凝聚力，能够吸引来很多基督徒参与到活动中。这时的他，已经不满足于教堂里的讲道了，私下里，他经常到箴言书店[15]里买书、光盘，还制定了一个学习《圣经》的计划。

他在 D 市的朋友多是基督徒，开始时受到其他基督徒的照顾，后来开始照顾其他基督徒及其朋友亲戚。如，留宿其他的基督徒或者基督徒的兄弟姐妹，但是不收房租、伙食费等。他认为这是应该的。D 准备在主内找女朋友，并且认为，要想谈朋友，首先要谈信仰，信仰这关过了，才可以接着进行。

由此可见，D 在 D 市的人际网络关系，大多建立在基督徒之中，他自己的空闲时间也都交给了信仰。

4.5 本章小结

考虑到外来务工人员对身份认同和群体边界更为敏感，在缺乏有效官方数据的情况下，我们特意针对外来务工人员基督徒的信仰状况做了一个小规模的抽样调查。数据分析发现，D 市 Y 堂的外来务工人员基督徒多来自于辽宁、吉林、黑龙江三省。从其基本人口学变量看，教育程度、收入水平均为中等偏上，属于素质较高群体，与人们刻板印象中的"外来打工者"群体并不一致。

调查还发现，虽然教会的部分管理人员对外来务工人员基督徒有轻微的排斥态度，但这丝毫没有影响他们对 D 市 Y 堂的强烈身份认同。这种认同除了调查对象的自我报告之外，还表现在其他很多方面，比如对比家乡的教会，

---

15 箴言书店在 Y 堂南行 20 米一个住宅的 2 楼，外面没有挂牌子，比较隐蔽，门口处有风铃，只要有人开门里面的老板就会知道。书店一共 2 个房间，北侧的一个用来卖书、小饰品、项链、光盘等，都是和基督教有关的。南侧的一个房间被挡住了，里面有工具的响声。店主是一对夫妻，他们都是 Y 堂服侍组的成员。

他们更喜欢参加 D 市 Y 堂的礼拜和团契活动，捐赠奉献的频率和数额，也较家乡更多。

这一方面是由于 D 市开放包容的城市心态，另一方面，除了得益于 D 市 Y 堂教牧人员的个人魅力外，也和一系列有效的（主要借助宗教社会学的力量）管理手段密不可分。第五章将详细介绍 D 市 Y 堂对内部群体的组织和管理。

第 5 章　青年团契中的关系分群与制度化分群

熟悉基督教的读者知道，教会一般会组织和安排系列信仰活动供信徒参加，如第四章介绍的那样，除了常规的晨更祷告、礼拜日崇拜仪式、慕道班、查经会等活动外，教会还会针对各类人群开展不同的团契活动。限于时间和精力，本文重点以 D 市 Y 堂的青年团契为考察对象。

5.1 青年团契活动概况

本篇论文主要关注青年团契的内群分化问题。下面着重介绍一下青年团契内部的情况。

Y 堂年轻信徒的人数在近几年里一直处于较高速度的增长状态，"曾经是自发攒动的聚会现在年轻人占了绝大多数"[1]。整个青年团契的人数约有1300 人，每周五参加活动的基督徒人数都在 1000 人上下。青年团契原则上只是青年基督徒的聚会，但是每次都有 10 多位六、七十岁的老姊妹一起来参加青年人的活动[2]。参加活动的青年基督徒里，女性偏多，但是男性的数量也在不断增加。目前，男女比例约为 4：6。虽然正式活动于 18：00 开始，可是17：40 就已经很难找到位置了。教堂从 16：30 开始开放，并进行准备活动。

---

1 转引自《D 市基督教 Y 堂青年团契 2006 年工作报告》。

2 W 教士在周五的聚会上反复强调，请 45 岁以上的弟兄姊妹坐在教堂两边的位置上，把主要位置留给青年人坐。

下面便是青年团契的活动"程序"[3]：

    16：30-17：00　静默祷告

    17：00-17：15　教诗歌

    17：15-17：50　唱诗赞美

    17：50-18：00　通知时间

    18：00-19：00　崇拜聚会

    19：00-19：30　预备安排

    19：30-20：30　灵修小组

每当19：00左右团契的崇拜活动即将结束时，主持人都会请第一次来教堂的朋友站起来，由赞美组成员（约10人左右）站在台上专门为他们唱歌表示欢迎，同时，几乎所有在教堂里的基督徒都会一同歌唱，并和他们握手，为他们鼓掌。服侍组的成员则会微笑着为他们递上 Y 堂的介绍卡片，上面有聚会的具体时间、联系方式、《主祷文》[4]等，气氛十分温馨感人。据笔者一年多的观察来看，每周五新来的慕道友都有五、六十人。有很多新人在教牧人员为他们祷告的时候就已经闭上眼睛、随声附和"阿门"了。许多第一次来的慕道友经历过这样的"欢迎仪式"之后都会觉得十分感动，甚至以前对基督教有偏见的人也被这种热情、热烈、真诚的气氛感动。聚会结束后，教牧人员将新来的慕道友留下来，专门为他们传福音。每次留下来听道的慕道友约有50人左右，绝大多数人都会耐心地听完半小时左右的讲道才离去，还有很多人追着教牧人员发问。

值得注意的是，D 市 Y 堂青年团契已经有10年的历史了，这在 D 市的所有教会中是最早的，发展也最成熟。下面是2006年9月从南京金陵神学院回来负责 Y 堂青年团契工作的 W 教士与笔者的对话，从中可以窥视到 Y 堂青年团契的发展概况：

    W：不知道你有没有去过北京教会的青年团契，我见过全国各地很多的教会的青年团契，南京的、北京的，我们 D 市 Y 堂的青年团契不说是最好的，也肯定是数一数二的。

---

3 该"程序"是经过改革以后的新的活动安排，从2006年11月24日开始实行。

4 《主祷文》内容如下：我们在天上的父：愿人都尊你的名为圣。愿你的国降临。愿你的旨意行在地上，如同行在天上。我们日用的饮食，今日赐给我们。免我们的债，如同我们免了人的债。不叫我们遇见试探。救我们脱离凶恶。因为国度，权柄，荣耀，全是你的，直到永远。阿门。

S：好？是指哪方面好？

W：就是说我们教会里的这些青年人啊，（虽然）很多都是"半路出家"的，但是往往这样的人信起主来，比那些出生在基督徒家庭里的人信得还虔诚。《圣经》里说"在后的要在前，在前的要在后"就是这个道理。另外，我们青年团契成立的早，很多组织制度都已经完善了，大家又都是二、三十岁的年轻人，有了活动也很好组织。

从上述描述中，我们可以在脑海里呈现这样一个印象，即本篇论文的田野发生在一个很有活力的教会中：教牧人员非常年轻、具有较高的教育水平且有丰富的教牧经验，近一半的信徒都在 20-45 岁之间，义工充足，聚会气氛温馨而热烈，奉献收入相当可观，不断有新的信徒加入其中……总之，这是一个快速成长的教会和团契。

5.2 关系分群的青年团契

当一种为基督徒划分群体或者阶层的特殊力量尚未出现的时候，基督徒内群体通常都处于非正式的"关系分群"之中。这是一种最原初状态的分化模式，信徒之间以职业、血缘、地缘、业缘、年龄、性别、民族等作为参照，以人际关系为基础，形成不同的小群体。此时，小群体之间的边界并没有固定下来，小群体相对来说并不稳定，容易发生改变。在正式的制度化分群出现之前，Y 堂的基督徒长期处于这种非正式的关系分群状态。

为了更加全面地展现关系分群的状况，同时也为了与后文的制度化分群作对比，该小节的叙述主要从总体事工、"核心管理圈"和普通信众三方面入手。

5.2.1 总体事工[5]

从笔者进入田野开始（2006 年 1 月），到 2006 年 9 月期间，D 市 Y 堂青年团契的总体事工[6]由福音组、赞美组、服侍组、交通组、英文组和圣剧组六个组组成。其中福音组负责向新来的慕道友介绍基督教信仰、传福音；赞美组负责在聚会的时候唱诗等音乐事工；服侍组负责礼拜、聚会中的接待、安

---

5 事工是指基督徒为上帝和信徒做侍奉工作的。

6 见附表 2。

排座位、维持秩序、安全卫生等；交通组负责组织和带领团契活动结束后的交流活动；英文组负责带领懂英语的信徒用英文唱诗、祷告等；圣剧组负责排练和演出文艺节目。除了这些事工以外，还有一个组织活动是不容忽视的，那就是每周三的"查经聚会"，起初这个聚会只允许受洗了的青年服侍人员参加，以《圣经》为教材，目的在乎提升信徒的灵性信仰（spirituality）水平，并为事工培养合适的人选，后来与会者的亲属、朋友也都来参加，规模一直在慢慢扩大之中。

此时的 Y 堂青年团契事工完全按照功能进行分类，人员的随意性和流动性很强。只要基督徒有了"感动"和"呼招"，就可以参加到相应的活动和侍奉中去，各个小组对参与人员没有硬性的分类与规定，就连青年团契总体事工也没有一个成文的管理条例。基督徒之间已有的人际网络关系在各个事工组的形成过程中其中起着关键性的主导作用。

5.2.2 核心管理圈

上述各项事工的几位负责人组成了青年团契的"核心管理圈"。"管理圈"中的 9 个基督徒构成了团契中的"中层干部"，互相协商共同管理团契活动。但是，这 9 个人能够进入"管理圈"的原因却各自不同。从对 W 教士的访谈中，可以清楚地看到这一点：

S："核心管理圈"有几个人？

W："核心管理圈"9 个人。

S：他们为什么能够进入这个"核心管理圈"？

W：你没问之前我就做过相应的了解。一类属于是熬年头熬上来的。像 M 弟兄，时间久了。因为像教会和社会组织有个不一样的地方，我们不开工资也不发奖金，对不对？然后我们要用一个人，这个人可以随时来也可以随时走，所以我们肯定要用信任的人、熟悉的人，所以稳定的这么熬年头熬上来的；第二个是，有特殊恩赐才能，像英语好的，还有就是我们弹琴的那个 L 姐妹，我们青年团契音乐赞美部的负责人，那么她实际上信主不到 4 年，完全是恩赐比较好，另外她也有时间，她是全职的家庭主妇……L 弟兄他也是，他这个人保管物品啊什么的，特别细心；第三类呢，是教牧人员感觉比较熟悉，比较信任的，就会临时把他叫过来。

从"核心管理圈"的构成中可以看出，人际网络关系是组建"管理圈"的重要影响因素。在信徒之间长期的交往互动中，产生信任，得到他人的认可，因而具备了管理团契的权力。这便是非正式关系分群的一大特点。

5.2.3 普通信众

最能够体现出关系分群的基督徒群体恐怕就是普通信众了。如上文提到的参加查经聚会的成员，通过熟人的介绍来参加学习，相互熟识的基督徒经常围坐在同一张桌子周围，形成一个小小的学习、讨论群体。这些小群体便是按照非正式的人际网络关系形成了自发的分群小组；参加青年团契的基督徒通常愿意结伴而行，以至于教会总要在开展正式活动之前强调不许占座，但却总是屡禁不止。简单的说，这便是"物以类聚，人以群分"的道理，这与斯塔克对统一教的研究结论殊途同归，即社会网络对于宗教行为的重要影响（斯塔克，2005）。

根据我们在国内其他几个城市参加基督教活动的经历来看，相信中国的大部分基督徒中间都存在这种关系分群，特别是在人口流动性不强的农村和小城市的教会，熟人关系网仍旧在很大程度上影响着基督徒的内群分化。

5.3 宗教社会学力量的介入

D 市 Y 堂原有的关系分群，随着一种力量——暂且称之为宗教社会学力量的介入，开始逐渐改变原来的样子，甚至发生了质的变化，至少从外在形式和发展趋势上来看是这样的。这种力量，便是新来的 W 教士带来的。

W 教士于 1976 年在 D 市出生，1992 年开始信主，本科就读于 D 市所在 L 省省会的某大学，攻读法律专业，本科毕业后由于考研失利，便到南京金陵神学院读神学研究生，毕业后留校任教 4 年，曾教授宗教社会学一课，使用的教材是宗教社会学家斯塔克写的《信仰的法则》[7]。W 教士 2006 年 2 月曾经代表中国赴巴西参加世界基督教联合会第九次会议，同年 9 月决定回到 D 市，任专职教牧人员，并于 2006 年 9 月 15 日正式接管 D 市 Y 堂的青年团契工作。由于其较高的灵性修养、深入浅出的传道风格、颇具鼓舞力和感染

---

7 斯达克将经济学理论应用于宗教现象，开创了宗教市场论，被认为掀起了宗教社会学界的哥白尼革命。W 教士认为斯塔克的这本书与以往的宗教社会学教材都不同，真正做到了从基督教的角度出发，真正"为基督徒出了一口气。"

力的话语、平易近人的性格，深受广大基督徒的欢迎，有着较好的口碑。

W 教士的教育背景在全中国教士中都是十分罕见的。大多数教士都没有读过大学，文化水平停留在初、高中，甚至是小学阶段；教牧人员的神学素养也都不是在专门的神学院训练和培养出来的。所以在传福音的过程中，"瞎子传瞎子"的状况并不少见，特别是在广大的农村教会。而 W 教士却"与众不同"，他具备大学本科的教育水平，毕业后就读中国最好的神学院，拿到了中国最高的神学硕士学位[8]，毕业后因为成绩出众留校任教，而教授科目恰恰是宗教社会学。当然，作为一个基督徒，若说他的宗教社会学带有神学色彩，还不如说他的神学思想带有宗教社会学色彩。宗教社会学对于这位教士来说，是一个工具，使得他能够更好地把握基督教的人的方面，并且对宗教组织进行有效管理。接下来要介绍的发生在 Y 堂青年团契内部的种种变化便是这位教士带来的改革。改革的结果是，基督徒之间原初的非正式关系分群逐步转化成了正式化程度很高的制度化分群。

5.4 制度化分群的青年团契

W 教士正式接管 Y 堂青年团契以后，团契工作出现了巨大的变化，事工开始实行功能和灵性的分离，组织明显比以往复杂，管理思路更加明确、具体和规范，基督徒之间，尤其是外地信徒的关系也随之发生了改变。

5.4.1 事工[9]

青年团契的事工被分为六个部门：福音部、门徒培训部（简称培训部）、敬拜赞美部、服侍部、文字宣传部和主日学。其中，敬拜赞美部、服侍部与改革之前的赞美组和服侍组的职能大体相同。和改革前不同的是，福音部分成了 A、B 两个班级，A 班主要针对已经决志信基督但还没有受洗的人员，使用统一教材进行学习；B 班负责向新来的慕道友传福音。文字宣传部负责整理文字，保管档案，与教会执事会联络、沟通和相关文字宣传工作；主日学负责主日礼拜的授课工作。原来的"核心管理圈"成员继续留在核心，但是却有新成员加入。这些管理者成立了 Y 堂青年团契事工会，并制定了一系列规章制度，如《D 市基督教 Y 堂青年团契管理制度》、《Y 堂青年团契财务管理

8　目前中国还没有神学博士学位。

9　见附表3。

制度》、《团契事工规则》等。

门徒培训部中的灵修小组是最能够体现出功能与灵性分离的组织。灵修小组的前身就是前文提及的"查经聚会",但是它已经发生了质的变化:从一种自愿自发的小群体逐渐转化为青年团契管理领导下的正式组织。在外在形式上,它以"小组"固定下来,每个参加灵修小组的基督徒必须加入一个小组,并以小组为单位开展学习和活动。截至笔者写论文时为止,这样的灵修小组已经有 14 个了,每个小组有 5-12 个人不等,每个小组均有 位组长和一位灵修委员。组长由组员民主选举产生,灵修委员由事工会委派。从灵修委员的任命和职责中可以看出青年团契的管理力量:"灵修委员为事工会指派产生,任期一年。事工会有调动、调整灵修委员的权利。……灵修委员职责如下:①为小组成员祈祷守望。②带领小组的灵修学习。③关怀小组成员灵性问题。④根据青年团契灵性方向的带领,及时贯彻传达和落实。"[10]此外,灵修小组使用的教材从查经聚会时的《圣经》变成了《基要真理课程》[11]。

5.4.2 身份认同

这种正式的制度化管理手段,对于前文所介绍的关系分群,是一个很大的调整和改动,尤其对外来务工人员而言,原先基于老乡、亲友网络的非正式分群模式,现在面临着打散和重组的选择。

由于脱离了成长的环境,外来务工人员与固有的人际网络关系相脱离,在新环境下面临经济压力、个人/家庭危机,他们建立起新的身份认同是很困难的。Y 堂教会青年团契的事工为参加外地基督徒提供了一个建构新身份认同的绝佳契机。

例如,W 教士把灵修小组的身份比作"户口",每个人在青年团契中的活动被制度化的固定下来。"户口"这个词很容易让人联想到家庭。事实上,W 教士和 Y 堂的核心管理圈也是向着这个方向努力的。每个灵修小组均有组员共同起的名字,名字由组员决定,但是一定是"XX 之家"的形式。如"摩西之家"、"精兵之家"、"所罗门之家"、"喜乐之家"、"箴言之家"、

---

10 转引自《灵修小组工作指导意见》,见附录 1。

11 该教材由 W 教士从南京金陵神学院带回来,供 Y 堂青年团契灵修小组内部使用,其主要内容取自南京神学院青年团契的培训教材,共分三卷,24 课,每周由 W 教士讲一课。

"恩典之家"、"爱的诗歌之家"等。"家"在这里就暗示了成员的身份，即每一个成员都是家庭成员，是"家"的一部分。W 教士让每一个核心管理圈成员"认领"3-4 个小组，随时观察小组的活动。核心管理圈中的 M 弟兄便是这样做的，一次聚会上，他问"精兵之家"的组长，为什么来参加活动的人数这么少？组长也不清楚情况。M 弟兄便指导他：

> 每一个小组成员都是家庭成员，家庭成员无法参加家庭聚会了，难道不应该关心一下么？是生病了，还是工作上遇到困难了？对待家里的人，就应该多关心关心，我们的家才温暖，有爱心，像一个家的样子，你说是不是？

灵修小组成立不长时间，W 教士就开始强调这种"家庭"概念了。在 2006 年 11 月 22 日的聚会中，W 教士给大家留了一个作业：回答"我是谁"这个问题，每个人要求写 20 句话，且不能从《圣经》中直接摘抄句子出来。每个小组都应当在一个星期内讨论结束，在 11 月 29 日的聚会上向大家公布小组讨论的结果。在大家发言结束后，W 教士认为，发言中还应该加上一句，我是 XX 之家的成员。因为这样想才能够在教会里找到归属感：

> 小组，就像户口一样，所以我们把它取名叫"家"，就是你作为一个基督徒，你可以不在一个团契当中，但是你必须在小组当中……我想可不可以这样来理解，小组是他的户口，但是呢，你要非不在户口所在地住，那我们也没有别的办法。但是一开始就让他知道自己有个归属，这是最重要的。至于以后，随着不断的发展，他又能归到别的地方去了，别的小组或者别的团契，那是另一回事了。但是一开始要让他知道，我不是没人管，我是有这么一个组织，有这么一个小组管着的。

笔者认为，这样的归属感对于外地基督徒来说是非常重要的。基督教教义里原本就非常注重"归属"和"委身"，而灵修小组则提供了一个可以归属和委身的实体。它既不像社会中的某种组织，人情淡漠、缺乏交流，也不像教会那样大，虽然可以进行精神层面的交流却没有固定的成员。灵修小组的人数不多，大家都是熟人，又可以进行精神交流，刚好为处于身份认同危机的外地基督徒提供归属。吊诡的是，这在后来引发了一次"意外后果"，对身份认同更为敏感的外来务工基督徒对制度化的分群模式产生不满，导致"转组"现象的出现。后文（主要是第六章）有更为详细的讨论。

5.4.3 分群逻辑

从 W 教士的访谈中我们可以看出他当时成立灵修小组的初衷和小组成立的过程：

S：您为什么要用"灵修小组"的形式组织大家学习呢？

W：我是这样想的，因为现在我知道的教会，缺乏的就是弟兄姐妹之间的、团契之间的交流。大家都来做礼拜、参加聚会，然后呢，然后就走了，彼此之间没有沟通、没有交流。但是如果你要让我现在在整个青年聚会当中推行这个小组工作，……，将是一个非常浩大的工程。而且我们的小组长、我们的领袖，也很缺乏。你这个组成啊，（就）很难在你的控制之下。对不对呢？所以在这种情况下，我想，先从这个（查经聚会）开始着手（成立灵修小组），然后呢，甚至可以把它当成一块试验田，因为组织他们好组织。

S：在灵修小组里，大家都是根据什么被划分在一起？

W：我最开始有一次，划分小组那次，我不知道你在不在。我就有一个硬性的规定，就是说，当天晚上，你坐在哪个桌子了，惨啦，基本上你就硬性的在这个小组当中了。然后，就这样划出了 11 个小组。然后通过一段时间的调整、磨合，让他们选出小组长。

因为有了被 W 教士比作"户口"的小组，每个人在青年团契中的活动就已经被制度化的固定下来了。《灵修小组工作指导意见》规定："灵修小组每月应当至少固定时间、地点、方式活动两次，活动内容为共同追求灵性成长。至于如何活动则由各小组自行决定，但应征求小组成员意见并报培训部批准。"

从 W 教士的描述中可以看到，最初划分小组归属时，基本上是按照"随机分配"的原则，"当时你坐在哪个桌子，就被分到哪个小组"。经过这一系列改革，原来根据人际关系分群的基督徒已经被制度化在各个小组里了，以小组为单位成为了一个个新的小群体，他们之间原有的关系分群也随之变成了制度化的分群。

但是，不可否认的是，W 教士以小组的形式为基督徒划分分群是建立在原有的关系分群的基础上的。因为，表面上"随机"的座位选择，实际上背后是有人际关系的依据和基础的。大家大多会选择和自己熟悉的人坐在一桌。当然，也不能否认当时有人完全随性选择自己的座位，因为谁也不知道分组会根据座位来划分。但这部分人人数不多，属于特例。

此外，门徒培训部中还有另外一种组织，基本上还是按照人际关系来分群，那便是各种团契。该团契是指在 Y 堂青年团契之下的小型团契。笔者在调查时，Y 堂共有 5 个团契，艺术团契、爱心团契[12]、英语团契、英语初级团契及日文团契。另外，法律团契、商人团契和学生团契正在筹建当中。与灵修小组不同的是，团契中的成员都是自愿自发加入的，没有任何"硬性规定"。在问及团契成员为什么要加入团契时，多数回答为"神的召唤"。虽然从人类学的角度来看，该回答并不能算作"准确"或"完整"，但是至少我们可以从中看出其加入团契的部分动机。另外，加入各个团契一般都需要有一些特长、爱好，或者特定的职业，并不是每个人都有条件加入。

每个团契的人数从十几个人到几十个不等，活动时间和内容也都不同。笔者主要参加了爱心综合事工团契（简称爱心团契）的活动[13]。该团契共有 24 名成员，年龄都在 24-35 岁之间。职业有在校学生、护士、公司职员、无业人员等。该团契于每个周日上午在 Y 堂附堂将衣物整理好、摆放整齐，周日晚上向前来礼拜的信徒们发放衣物，并做好记录。由于城市里需要旧衣物的信徒比较少，爱心团契就决定给周围郊区的教会送去衣物，再由那里的教会分发给有需要的人。这样，有的周日上午他们就会集体到郊区的教会参加礼拜活动，并在活动结束后与教会负责人商量捐赠事宜，协助当地教会组建青年团契。双方的沟通一般先由 W 教士搭好桥梁，然后再由团契负责人具体操作。笔者随同爱心团契去过郊区的教会，在活动全部结束后，通常都会有几位成员留下，或者集体去游玩，或者一同吃午饭。

值得注意的是，W 教士对青年团契的组织管理模式与乔治的教会理想模式极其类似，只是在细微之处稍作调整。12 人灵修小组由小组长和灵修委员带领，各个团契由团契负责人带领；小组长、灵修委员和团契负责人定期受到 W 教士的训练（后文将做具体叙述），同时又受各部同工带领；而同工则受"核心管理圈"的领导，"核心管理圈"则向 W 教士负责。Y 堂青年团契的这一管理架构反映了 W 教士受到宗教社会学的影响，甚至可以从《信仰的法则》一书中对乔治理想教会模式的介绍直接找到这一管理模式的范本。

---

12 原名为服装组，负责收集、整理捐给教会的衣物，再分发给有需要的人。后来该组得到进一步"完善"，分化成"服装组"和"爱心探访组"。

13 笔者参加活动时该团契名称为爱心团契，还没有分化成服装组和爱心探访组。

在参加小组和团契的活动时，笔者发现一个现象，即有相当一部分成员是重合的。即该基督徒既是某个灵修小组的成员，同时又是某一个或几个团契的成员，甚至是团契负责人，这部分人也就因此而具备了关系、制度分群之下的双重身份认同。这一现象的出现与 W 教士的制度化分群有着直接的联系。由于事工的复杂化、制度化，使得已有的人际关系被划分在不同的制度化机构之中，基督徒在制度化边界的限定之下形成了"我群"与"他群"的区分。但是，制度化分群之前的关系网络并没有中断，两种分群逻辑同时进行，处于这些交叉群体的基督徒由此便具备了双重认同。在具体实践中，双重认同不可避免地会产生冲突、矛盾和紧张，相关讨论将在第六章展开。

5.4.4 分群工具

分群规则的改变，必然需要一系列话语的支持，使之合法化（accountable）。这些话语主要体现在符号和行动上。

在符号方面，有几件物品可以证明灵修小组成员的"身份归属"，便于同大多数非灵修小组成员区分开来[14]。一张身份卡片，非常类似于我们使用的银行卡，正面印有"基督教中国·D 市 Y 堂青年团契"、"JESUS"、"Heaven"、"以马内利"等的字样，还有百合花、十字架、鱼、白鸽等基督教符号。该卡片由青年团契事工会设计并制作，共分为两种，一种是 144 张带有编号的，发给小组内的正式成员，事工人员能够根据卡片上的编号判断出该基督徒的名字和组别；另一种是不带编号的，发给不在 D 市常住，但是愿意参加灵修小组的基督徒。每个基督徒需要交纳押金 5 元才能得到。关于卡片的用途，事工人员解释为，进出 B 大厦之用。因为有时基督徒会受到保安的阻拦，此卡片能够证明基督徒的身份。但是笔者在 B 大厦连续参加了 1 个多月的活动，每周至少出入 B 大厦两次，却从未遇到过保安的拦阻。该卡片的获得是有条件的：在某一个特定的灵修小组内连续学习三次以上，才有资格让组长向团契提出申请索要卡片。获得《基要真理课程》的程序也是一样。这无疑是以制度规范建构并强化灵修小组成员与普通信徒之间的边界，同时也加强了个体基督徒与特定小组的联系。

名字和数字也是符号。每个灵修小组均有组员共同起的名字，如摩西之

---

14 整个 Y 堂青年团契的人数在 1300 人左右，而参加灵修小组的人员却只有 130 多人，是一个少数群体。

家、精兵之家、所罗门之家、喜乐之家、箴言之家、恩典之家、爱的诗歌之家等。每个"家"里原则上要有 12 个成员。这也是经过 W 教士精心安排的：

> 一个正常的小组，应当是一个什么样的组成呢？首先第一，人数，社会学家告诉我们，小组处在最良性的状态应该是 5、6 个人，这是一个最良性的互动状态，但是呢，5、6 个人呢又嫌少，说句老实话，有人说我曾经组织过一个 5、6 个人的小组，但是大家因为工作一忙，这个人今天不来了，就只剩 4 个了。同时有一个人再有点病，坏了，就剩 3 个了。（剩下的 3 个人）坐在一起面面相觑，所以实际上呢，使小组始终保持在 5、6 个人或超过 5、6 个人的良性状态呢，12 人应该是最好的，超过 12 人必定出现"叛徒"[15]。

对这一人数安排的解释，既体现了 W 教士的基督教信仰导向，又体现他娴熟运用社会学工具管理和干预信徒活动的能力。

除了上述符号的强化以外，正式的制度化分群还得到了行为因素的支持。信徒每周三以小组为单位到 B 大厦参加学习活动，活动本身所带来的小组成员的共同经历和集体记忆是对制度化分群的最好强化和巩固。此外，青年团契事工会还会组织一些额外的活动，从而达到支持制度化分群的目的。如，在小组成立 1 个月以后，即 2006 年 11 月 26 日，W 教士组织召开了一次针对全体小组长、灵修委员的"小组培训会"，会上向他们解释成立灵修小组的原因、意义、目标，并指导他们如何管理好自己的小组。其指导意见极其细致，操作性很强。会上 W 教士频繁引用宗教社会学的研究结果，同时结合基督教神学的解释。如上文关于小组人数的规定就是宗教社会学与神学的结合。该"小组培训会"按计划每两个月召开一次，每次的主题不尽相同，目的在于及时解决小组运行中出现的种种问题。

除了这种只针对"中层"管理人员开的会议之外，Y 堂青年团契还在 2007 年 1 月 27 日召开了更大规模的会议。这是一次全体代表大会，主题为"兴起，建立教会"。在青年团契中召开代表大会是从来没有过的事，而这次会议当然要归功于 W 教士的组织。共有 113 名代表参加了会议，代表们多数来自各事工部门、团契、小组的推荐，同时也有少数特邀代表、自荐代表和 D 市其他教会的嘉宾。此次会议总结了 Y 堂青年团契 2006 年的事工工作，制定

---

15 在《圣经》中耶稣基督就是被第 13 个门徒犹大出卖，才被钉死在十字架上。

了 2007 年工作计划，从事工、灵性成长和荣耀上帝三个方面提出了具体要求。有趣的是，会上宣读的《D 市基督教 Y 堂青年团契 2006 年工作报告》中，关于 1 月到 8 月的工作成果仅用寥寥几句话概括，而对 9 月以后，即 W 教士接管 Y 堂青年团契以后的工作却描述得十分详细，前后篇幅极不协调。

这次代表大会以后，Y 堂青年团契对"核心管理圈"进行了小规模的改革。从下面两段不同时间的访谈材料可以清晰地看出变化：

> W：这个（"核心管理圈"的）组成方式我认为是不对的。但是我不可能说："不对，我们今天改选。"不可能是这个样子。这个组成方式应该采取比较民主啊，类似于像小组长这样的选举或者是怎样。
>
> S：那你打算改么？
>
> W：打算改啊。但是，改的前提是，以前的不动。以后在不减人的情况下再考虑怎么样来更好的组织这个管理圈。

以上访谈是笔者于 2006 年 11 月 26 日对 W 教士的访谈，下面这段则是 2007 年 3 月 3 日的访谈：

> S：您的"核心管理圈"，原来是 9 个人，现在有没有变？
>
> W：算一下吧。11 个。哎，我正好给你一张（文件）。这就是我们今天下午要开会通过的。这就是"核心管理圈"。原来是 9 个，后来主日学合并到这里来。还有一个现象要和你说，我们邀请了一位姊妹做我们的秘书。因为我们发现，有一些文字啊，需要我们建档啊什么的，但她不作为核心管理圈，只是整理资料。

以上叙述刚好印证了布迪厄关于"符号力量"的阐释。W 教士通过制定一系列符号对青年团契的组织结构进行改革，这些符号在组织层面上起到了支配效果，它们按照 W 教士的逻辑在青年团契中推动了新的秩序，并为在普通信众中引发制度化分群模式提供了基础。

5.5　本章小结

从以上两部分的描述中，可以看出 W 教士来到 Y 堂青年团契前后的变化。W 教士推行的改革过程其实就是他对青年团契重新分类的过程。从宗教组织到符号、行动无一不渗透着 W 教士的改革力量。从某种意义上说，出众的神学背景为 W 教士带来了分类权力，而 Y 堂青年团契的大部分基督徒都处于被动接受分类的位置。通过一系列符号的运用，W 教士带来和推行的制度化分群影响了原有的关系分群，从而建构出一个新的分类秩序——正式的制度化分群。

但是，既然我们承认符号系统能够对构造秩序发挥作用，那么它们就不仅仅是简单照样反映社会关系，还有助于构建和改变这些关系。所以，人们就可以在一定限度内，通过改变世界的表象来改变这个世界。在下一章内容中，笔者将重点讨论分类主客体互动的情况。试图回答以下问题：分类客体真的会完全接受新的分类体系吗？基督徒群体是否对 W 教士的符号力量有所察觉？还是仅仅有"误识"？双方之间到底有没有互动？互动又是通过什么形式表现出来的？背后隐藏着怎样的行为逻辑和组织机制？我们试图通过对这些问题的讨论，进而探讨分类现象形成过程中的主客体关系。

第 6 章　分类主客体的互动

　　笔者在 Y 堂的调查正巧由于 W 教士的到来而一分为二。2006 年 1 月和 8 月的调查看到的是 Y 堂青年团契长期存在的原初状态，而 2006 年 11 月和 2007 年 2 月笔者则亲身经历了 W 教士的改革，看到了基督徒群体对于改革、分类的不同回馈和反映。这种巧合[1]正好为本篇论文的中心议题——非正式的关系分群与正式的制度分群，提供了比较的可能。

6.1 积极的回应

6.1.1 边界的生产

　　前文已经指出，制度化分群是在关系分群的基础上建立起来的。在进行正式的制度化分类之前，分类主体 W 教士会尽可能考虑到分类客体已经具备的条件和基础。这便是布迪厄所讲的，分类主体会按照分类场域的逻辑来行事。W 教士成立灵修小组的决策并不是凭空而来的，而是有"查经聚会"这一传统的支持。而在查经聚会中，已经形成了比较成熟的关系分群。的确，当时 W 教士分组的时候是有一个"硬性"规定，当天 a 基督徒和谁坐在一起就得和谁成为同一个小组的成员了。但是，正如第五章中已经简略提到的那样，从访谈中笔者还得到另外一个信息，即，可能发生这样的情况：a 基督徒原来就认识 b 基督徒，或者和他/她是同学、同事关系，或者经过长期的"查

1　退一步说，如果没有这种"巧合"，本篇论文的内容和形式将呈现另外一个（截然不同的）面貌。这是人类学田野调查的"开放性"所决定的。这种偶然性提醒和警告我们，在推广和提升本文的研究发现和结论时，一定要慎之又慎。

经聚会"的学习、教会的聚会活动已经互相熟识了，所以就"自然而然"的坐到了一起。即使 W 教士不宣布成立小组，他们每周三来活动的时候也会坐到一起，坐到特定的一张桌子上。这种"共识"、"认同"，是大家都互相承认并彼此尊重的。该现象在笔者刚刚进入"查经聚会"的时候就已经有所发现，而当时 W 教士还没有回来，也没有任何关于分组的迹象。这一事实证明了旧有人际关系为日后的制度化分群提供了基础和支持，是制度化分类边界的潜在屏障。

　　另外，从个别基督徒要求"转组"这件事情上也可以看出旧有人际关系对于制度化小组建立与巩固的重要作用。当笔者第三次进入 Y 堂青年团契时，正式的灵修小组工作已经开展了近两个月。在这两个月中，有一位 H 姊妹是转过组的。这是一个"意外发现"，因为是访谈对象"主动"向我反映的情况：

　　　　H：你是哪个组的？

　　　　S：我是"精兵之家"的，Zxq 那个组。

　　　　H：Zxq 啊？那个人特别逗……我当时还想进你们组呢，（结果）你们组（人数）满了，你们组好像是最先满的。我就没去上。

　　　　S：哦，那你现在在哪个组啊？

　　　　H：我现在在 Sxh 姊妹那个组。

　　　　S：哦。

　　　　H：我原来不在她那的，他们（指培训部）给我分了一个组，（那里面的人）我全都不认识，话也说不到一起去，也没啥好说的，我就说我要出来，然后到了 Sxh 姊妹那个组。

　　由此可以看出，旧有的人际网络关系仍然是影响基督徒制度化分群的重要因素之一。笔者认为旧有人际关系已经包含了基于血缘、地缘、业缘等关系等建立起来的所有关系。因此也可以将血缘、地缘、业缘等作为影响边界生产的因素。此外，我们也不能排除民族、年龄、受教育程度、性别等因素对符号产生的影响。这里所说的符号和界限并没有非常明显的表征[2]，相反，它更多的通过一些"潜规则"或者否定的方式表现出来。若某基督徒遵守了

---

2 Representation，是指可反复指代某一事物的任何符号或符号集，转引自李恒威、王小潞、唐孝威：《表征、感受性和言语思维》，《浙江大学学报（人文社会科学版）》，2008 年第 5 期。

这个"潜规则"，在参加灵修小组活动的时候自觉地坐到了自己习惯坐的位置，这就不会遭到质疑和非议。但是一旦他/她坐到了另一张桌子前，就一定会受到质疑：你今天怎么上这来了？基督徒在一起学习的时候，在空间上虽然没有划分界限，但是一个小"家"中的成员倾向于坐到一起，如果有人坐得远了，就会被本小组的成员半开玩笑似地叫回来："哎，你上人家组掺合个什么？"同样，上述转组的实例也说明了这个问题，如果 H 姊妹从最开始就在"精兵之家"或者 Sxh 姊妹那个组的话，她是不会要求转组的。正是因为被分配到了没有熟人的组，潜在的符号和界限才会发生作用，因此才会导致转组事件的发生。

以上几个案例可以看出关系分群与制度化分群的互动。旧有人际关系一方面为制度化分群提供了基础，使得 W 教士的"硬性"规定看上去并不"硬"；另一方面，如果灵修小组的分组原则违背了原有的关系分群意愿，旧有人际关系就会以否定的形式和实际行动表达出自己的利益，从而造成了小群体边界的产生。

6.1.2 边界符号的再生产

内群分化是一个动态的过程，而不是固定、静止、一次性完成的定型。关系分群和制度化分群都要经过这样一个过程。小群体内部与外部的成员是双向流动的，即小群之间的边界并不稳定。若想保持边界的稳定，将分群制度化、固定下来就需要不断建构新的符号话语体系。

在 W 教士的鼓励和提倡下，许多能够反映出小群体边界的符号被不断制造出来。这些符号有的是"官方"的，例如前文提到的由 Y 堂青年团契统一印发的表明"灵修小组"成员身份的卡片、内部使用教材等。此外，从行为上看，还包括成员在固定的时间共同参与小组活动，从而形成关于各自小群体的"集体记忆"。有些符号是"半官方"的，例如小组的名字，青年团契事工会建议每个小组都要取一个名字，以便管理，但并没有具体规定哪一个小组需要叫什么名字，名字都是由本小组的成员集体商量产生的。小组活动也是这样，"根据《管理制度》，灵修小组每月应当至少固定时间、地点、方式活动两次，活动内容为共同追求灵性成长。至于如何活动则由各小组自行决定，但应征求小组成员意见并报培训部批准。"[3]每个小群体（小组或团契）

---

3 转引自《灵修小组工作指导意见》，第二页，见附录 1。

都必须按照青年团契的要求开展活动，但同时又有较大的自主权。第三种符号是完全"自发"的，从未经过 W 教士或任何人的提醒。这一点，连 W 教士自己也会感到惊讶和吃惊，觉得有些小组的运行状况非常之好，出乎他的意料。笔者在参与观察中发现，部分小组自发生产出能够与其他小组区分开来的边界符号和活动，例如小组生日、组歌、小组 E-mail、小组通讯录、小组制度、学习计划、召开小组代表大会等等。这些符号被制造出来，不仅仅服务于青年团契，而且还塑造着使用它的基督徒的身份认同与日常生活，巩固了制度化分群。

之所以说这些符号是再生产出来的，是因为这个过程发生在小组形成以后。在小组形成之前，旧有人际关系影响导致了符号的生产。制度化、规范化的小组形成之后，由小组内部与外部共同建立、强调、尊重、保持的符号则是再生产出来的了，这一过程巩固了小组成员之间的相互认同，同时也确立了对外部群体的"排他性"，这两种效果是同时产生的。符号的再生产表现出了群体对 W 教士推行的符号分类系统的接受和认可，这也许是在没有察觉的状况下发生的，他们并不认为关于灵修小组的一系列符号就是施加在自己身上的某种力量，反而积极地接受和响应，这便是布迪厄所讲的行动者的"误识"。换一个角度来看，符号力量作为一种软性的、蔓延的、无始无终的力量，的确发挥了建立起新制度的作用。

非常幸运的是，笔者所在的"精兵之家"正是一个实例。在这个小组成立之前，组长 Zxq 弟兄只认识灵修委员 C 弟兄，他们是通过周五的"弟兄会"认识的。其他人多数是三三两两认识的，有两位姊妹是一同在医院工作的护士，另外三位姊妹同在一家商场里做个体工商业者，有一对未婚夫妻[4]，剩下的成员互不相识，还有一位弟兄和一位姊妹是后来被分配进来的。可以看出，在这个小组刚刚成立的时候，存在着一定的旧有人际关系的影响。小组正式成立后，运行状况一向良好，组长多次组织活动，成员之间的关系也比较融洽[5]。而组长 Zxq 弟兄一直都把笔者看作是"精兵之家"小组的一员，在笔者返回学校之后，还一直都能收到他通过 E-mail 发过来的讲课录音和小组聚会相片，使得笔者一直都很清楚这个小组的动态，知道这个小组的生日定在了

---

4 未婚夫即精兵之家的灵修委员 C 弟兄。

5 笔者最后一次参加该小组的活动的时候，发现原来被分配进来的一位姊妹已经主动要求转组了，这也正好说明了旧有人际关系的重要性。

哪天，组歌是哪一首，小组的公共邮箱是什么，等等。就在笔者留在学校，赶在春节前写出初稿的时候，Zxq 弟兄告诉笔者，"精兵之家"的第一次会议马上就要召开了，希望我能提出"宝贵意见"，还告诉我会议结束以后，小组成员要集体包饺子吃。从这些细节中可以看出，这个在制度下产生的小群体的成员认同已经得到了巩固，至少成员都愿意在"精兵之家"这个小组认同的框架下参加活动。在很多小组都无法顺利开展活动的情况下，"精兵之家"的活动还能够如火如荼，这一认同的持续及巩固与符号的再生产过程有着密切的关系。该小群体的再生产性符号从"官方"的到"半官方"的，再到"自发"的，一应俱全。在多次互动过程中，这些符号得以强化，并形成了日渐稳固、融洽的人际关系，从而反过来促进符号的再生产。这种循环过程的结果便是制度化分群得到了巩固，与小群体之外的基督徒的边界日益清晰明了。

6.2　反动与冲突

以"灵修小组"形式把受洗了的年轻基督徒固定在小组中，让他们在小组里找到家的归属感，甚至希望这一小组成员身份能够深入到个体认同层次，这些只是 W 教士的理想管理模式。为了实现这一模式，将制度化分群固定下来，W 教士做了一系列努力，包括建立一个"自上而下"的针对灵修小组的管理体制，把管理小组的任务分配给 4 个培训部同工，每个人负责管理 3 到 4 个小组，关心他们的灵性成长和活动情况。此外，还通过符号、行为等方式加强制度化分群的合理化。然而，理想模式终究是理想，运行状况良好得出乎意料的小组毕竟是少数，多数小组并没有做到《灵修小组工作指导意见》中要求的那样，"每月应当至少固定时间、地点、方式活动两次，活动内容为共同追求灵性成长。"[6]

很多小组在正式运行了两个月以后，出现了很多问题，连"正常的学习都很难开展"[7]。"有的团契组织纪律性不够强，同青年团契管理格局不完全融入。有的小组不够成熟，事工缺乏规范和指导，甚至处于半停滞状态。"[8]据

6　转引自《灵修小组工作指导意见》，第二页，见附录 1。

7　引自 Zxq 弟兄与笔者的通信。

8　引自 W 教士的博客日志：《兴起，建立教会——Y 堂青年团契 2007 年工作计划》，发表于 2007 年 1 月 22 日。

笔者初步了解，这样的小组多缺乏旧有人际关系的基础，成立之初组员之间相互不认识，小组成立之后由于种种原因（小组长组织不力、组员工作学习繁忙没有时间参加活动、组员之间性格不协调等）而没有再生产出符号巩固小组边界，接下来的活动便很难开展了。于是就出现了"不好"的组的成员想越过分组边界，参加"好"的组活动的现象。笔者认为，"转组"事件最能够体现出基督徒对制度化分群的反动。

新的分类逻辑并非被每一个基督徒所接受。对制度化分群的反抗则以旧有的人际网络关系为基础，同样也不动声色地进行着。

在调查过程中，笔者还发现了若干关系分群与制度化分群之间发生冲突的情况。下面，笔者将通过"深描"[9]这种民族志叙述方式，描写发生在基督徒内群中的一个事件，反映出普通基督徒之间的关系群体与制度化群体的互动，并展现出分类主客体的"共谋"关系。以下是该事件的详细过程呈现：

> 事情发生在 2006 年 11 月 25 日，是一个周六。此时灵修小组已经正式运行一个多月了，爱心团契的活动也开展了两个多月。在此之前，灵修小组的讨论活动都由 Y 堂青年团契组织开展，每周三下课以后，大家马上就展开讨论。可是从 11 月 22 日开始，由于马上就要进入深冬，天黑得越来越早，团契事工会考虑到姊妹回家不安全的情况，就将小组讨论活动时间交给各个小组自行安排了。故 11 月 22 日那天的学习到 19：30 结束，各个小组的讨论还都没有进行。爱心团契的活动一直都进行得很顺利，收集到的衣物越来越多，教堂里已经快要摆不下了，同时也缺少帮手整理衣物。上周日 W 教士带领整个爱心团契的成员到 D 市郊区的一个教会进行交流，与当地教会商量捐赠衣物以及帮助他们兴办青年团契的相关事宜。
>
> 本次事件的中心人物当然是这两个小群体中的成员。事件直接背景是这样的：因为周三（11 月 22 日）灵修小组学习的时候，W

---

9 格尔茨在《文化的解释》一书中，借用"深描"概念来为民族志定位，认为民族志可以被看作是人类学家纪录文化的特殊方式，是一种特别"浓重"的写作。他认为人类学的民族志不能简单停留在"制度性素材的堆砌"，不能简单的做照相机的工作，而也应该是一种"深描"，即通过对社会行动者的社会行为的描述揭示出该行动的社会意义。"深描"要追求的目标是：被研究者的观念世界、观察者的观念世界和读者的观念世界三者的沟通。只有这样，才有助于解决读者的疑惑。

教士给大家留了一个"家庭作业"：让每个人用二十句话回答"我是谁"这个问题，不许摘抄《圣经》中的原文。这个作业要求每个灵修小组的成员将答案写在纸上交给组长，并以小组为单位展开讨论，待下周三的时候组长代表本组成员到讲台前公布讨论结果。

"精兵之家"的组长 Zxq 弟兄将讨论定在了周六福音班结束之后，大家一起到教堂附近的火锅店吃顿晚饭，顺便把这个问题讨论了。作为组长，他通知了该组的每一位成员，于 26 日下午 4 点半在教堂附近的广场集合。

笔者参加了下午 2 点到 4 点的福音班，提前赶到 B 大厦的时候遇到了爱心团契的 Xj 姊妹和 Lxs 姊妹。因为上个周日笔者参加了爱心团契到 D 市郊区教会的交流活动，活动结束后还随几位弟兄姊妹一同到海边唱诗拍照，其中就有这两位姊妹。正是因为这些活动带给我们共同的经历与记忆，彼此也就显得更加熟识了。我主动找她们攀谈了起来，问她们小组的作业完成情况，有没有写作业、有没有讨论，等等。这两位姊妹分属不同的灵修小组，Xj 姊妹说她是被安排在现在这个小组（所罗门之家）的，成员之间互相都不认识。这次作业也没有讨论，没有交纸条。我问，那下周三 W 老师让发言可怎么办？她似乎并不关心的说："不知道"。Lxs 姊妹所在的小组也没有讨论，但是已经有四个人向组长交了自己的答案，组长说这就够了，不用讨论了。当我告诉她们，我们组一会要去吃火锅讨论问题的时候，她们显然很是羡慕，说了几遍"你们组可真好。"后来发生的事情与我向她们透露这一信息有着直接的关系。

福音班结束以后，组长 Zxq 和我一起到广场上找那些没有参加福音班的本组成员集合，准备去吃火锅，正式落座之后，算笔者在内一共来了 11 位弟兄姊妹，其中 3 位弟兄 8 位姊妹。有 2 位姊妹因事不能过来。就在我们刚要点菜的时候，灵修委员 C 弟兄接到了一个电话，正是 Xj 姊妹和 Lxs 姊妹打来的，C 弟兄小声的告诉组长，她们也要来参加我们的聚餐，C 弟兄虽然是这个组的灵修委员，但是本次活动是 Zxq 小组长组织的，所以是否让她们过来需要请示组长意见，就边打电话边向组长递眼色。组长的第一反应是，"别让她们来"，这句话重复了 2、3 次，还在用肢体语言向 C 弟兄示意，因为在场那么多弟兄姊妹，不好被他们看出来。他的意思是，今天是我们小组内部的讨论活动，不好让别的小组的人进来参与。可是电话那边还在问："你们在哪里？你们在哪里？"问题在 C 弟兄那里变得很棘手，所以他干脆把手机递给了组长，让组长接下这个"烫手的山芋"。组长碍于面子，不好直接在电话里推脱，只好告诉她们我们在哪。其他成员默不做声，挪出位置，等着她们两个过来。

这样，已经有 13 位弟兄姊妹参加这次讨论活动了。

这里需要简单介绍一些这 13 位弟兄姊妹的小群体归属情况。前文已经交待过，灵修小组和团契这两个小群体间存在相互重合的情况，而这种情况在"精兵之家"和爱心团契之间是较为严重的。那天参加活动的 11 位"精兵之家"成员中有 7 位同时又是爱心团契的成员，剩下 4 位姊妹只参加了灵修小组的活动。而 Xj 和 Lxs 姊妹是爱心团契的成员，同时又分属于不同的小组。这两部分姊妹是互相不认识的。

后来的两位姊妹入座以后，这 6 位姊妹均作了简单的自我介绍，但是气氛一直都比较尴尬，吃饭过程中，也并不活跃，Lxs 有所抱怨，觉得不理解"你们吃饭怎么这样啊，没意思。"Xj 平时是个爱说爱笑爱热闹的人，可是在这个饭桌上话却不多。精兵之家的这 4 位姊妹都比较腼腆，话也不多，所以 Xj 姊妹和 Lxs 姊妹只是和我们这些参加过爱心团契的人聊天。饭后的讨论和游戏也一直没能激发出大家的兴致，场面一直都有些不自然。

9 点多活动结束时，我们分成两路回家，我同 Xj 姊妹、Lxs 姊妹一路，其他人另一路。Xj 姊妹主动提出要送我到车站。到了车站又非得等到把我送上车了才走，我怎么推辞都不行。等车的时候和她闲聊，她就说今天的活动本来不想来的，一是因为这是我们"精兵之家"内部的活动，她们不好参与，要是爱心团契组织活动的话，过来还行；二是因为那 4 个人，她真的不认识，在一起吃饭不知道要说什么才好。她说今天都是 Lxs 姊妹叫她来的，如果她不来的话 Lxs 姊妹就要生气了，她不想让任何人生气，就陪着 Lxs 姊妹来了。

事件至此已经基本结束。笔者认为，通过这个简单的事件能够分析出普通基督徒在多重关系认同中的矛盾与压力。首先，Lxs 姊妹为什么一定要来

"精兵之家"参加活动？如果 Xj 姊妹不陪她来，就可能发展到生气的程度？在"精兵之家"中，有一多半的成员都参加了爱心团契的活动，Lxs 姊妹同这些成员在人际关系上可以说是很熟悉的。上周日郊区教会的活动结束后，就是 Lxs 姊妹带着愿意留下参加"民间活动"的爱心团契成员到海边唱歌拍照的，因为 Lxs 姊妹的家在那里，她个人在大学里又学的旅游管理专业，所以就应大家的要求到海边玩。整个游玩过程非常轻松愉快，大家可以互相开玩笑。相信在爱心团契组织的众多活动的基础上，成员之间建立了比较广泛、深入的人际关系。良好的人际关系促使 Lxs 姊妹没有注意到本应只属于"精兵之家"这个制度化群体的边界，或者主动忽略了这个群体边界，因此她并没有被该群体的边界所阻碍，坚持要来参加活动。这里需要注意的是，Lxs 姊妹与"精兵之间"成员之间良好的人际关系是从爱心团契中的群际互动中得到的。个体基督徒由于对小群体的认同产生了良好的人际互动。而这种人际关系，后来又阻碍对制度化小群体认同的接受与理解。

如果说 Lxs 姊妹是小群体认同的"未察觉者"的话，那么 Xj 姊妹和 Zxq 弟兄则是小群体边界的"维护者"，对 W 教士建立的制度化分群产生了"误识"，试图与分类主体同构出这一分类体系。从 Xj 姊妹的抱怨中可以知道她是不愿意参加这次活动的。因为她明显感觉到了"精兵之家"这个小群体的界限，觉得自己跨入这个界限是不合适的。但是她来了，碍于面子，碍于同 Lxs 姊妹的人际关系。然而，她们的人际关系是在另一个小群体中形成的。同样，Zxq 弟兄身为本次活动的组织者，更加明确本次活动的范围、界限。所以当他听到有其他组的成员要过来的时候第一反应就是不让她们来。此时 Zxq 弟兄最先顾及到的是"精兵之家"这个小群体。对制度化群体的认同与维护使他更倾向于抛开已有的人际关系，但是最后也没有敌得过面子，委曲求全让她们一同加入。可以说整个活动中，最矛盾的、思想斗争最激烈的两个人就是 Xj 姊妹和 Zxq 弟兄了。这种矛盾和压力是多重交错的身份认同带来的。按照布迪厄的观点，Zxq 弟兄和 Xj 姊妹才是没有察觉到符号力量的人，不但没有察觉，反而与这种符号合谋，并将其施加于自己身上。这便是布迪厄所讲的："……甚至他们在受制于社会决定机制时，他们可以通过形塑那些决定他们的社会机制，对这些机制的效力'尽'自己的一份力。"（布迪厄、华康德，1998）

活动中的其他人多数怀有"旁观者"的态度，其他组的成员过来也可以，当然不来最好，他们没有太多的意见。即他们对小群体边界的感知并不是很明晰。由此可以看出，"精兵之家"这个小群体刚刚处于形成阶段。对外界的排他性不强，外界也没有明显、强烈的感知到边界与界限的存在。但是，通过这个简单的事件可以预见到，由于青年团契的强调和鼓励，由于组长对边界的警醒态度，随着小组活动的增多，小群体符号的增多，成员共同经历的增加，这个小群体的边界一定会越来越清晰、牢固，小群体内部成员一定会具有越来越强的排他性，从而形成"内群异质性"与"外群同质性"倾向。

6.3 本章小结

上文所述的冲突事件可以概括为：两个外群体的成员想要进入到群体中共同参加活动，受到了制度化小群体内部一些力量的抵制，但由于人际关系的介入使得抵制没有成功。从这个简单的事件中可以看出个体基督徒在多重认同中的压力、冲突与矛盾，从中更加体现出处于客体结构之下的主体的能动力量。虽然分类的主体企图将新秩序的建立尽量显得自然化、中立化、合理化，如 W 教士经常引用《圣经》中的话语来说明小组的合理化，调动自己管理教会的经验教训为小组的管理模式指出具体的要求等。然而，现实中的分类秩序并没有完全按照他的逻辑展开。处于分类客体地位的基督徒在社会"实践"中充分发挥了能动力量，展开了对新的分类秩序的反动与抵制。与此同时，对"符号力量"的"误识"也在进行中，二者的互动在实践过程中引发了冲突、压力与矛盾。由此看来，体现权力的分类体系的形成，并不是自上而下、单方向的权力控制，而是主客体共建的过程。进一步说，分类过程中的客体也在从事着分类主体的实践，分类体系的形成离不开二者的共同构建。

第 7 章　结论和讨论

关于基督徒的内群分化研究，国内外已经有了不少，其中心理学的进路相对比较多。我们将其置于社会学或人类学的分类研究传统进行考察，应当可以提供一个值得参考的视角。

"分类"一直是西方社会学、人类学界持续不断的经典研究主题。本文着重介绍了布迪厄对于分类的研究。在吸收了马克思的社会理论之后，布迪厄对以往将分类主要视为一种观念的抽象概念提出了重大的调整，转而强调其实践、权力、过程等方面。在他看来，分类绝不仅仅是社会强加给个体的观念系统，而是主客体不断互动的一种动态过程，或者说是一种共谋关系。

基于这种关注实践、关注动态过程的分类理论，我们将基督徒的内群分化作为一种分类实践来进行考察。在对一个北方某城市基督教会中的青年团契进行调查的基础上，我们发现该群体的内部分化规则和实践确实可以被视为一种动态过程，而且被分类者也在用不同的方式来对从外部强加的分类规则和方式进行不同形式的"反抗"或调整。

7.1 内群分化的事实与过程

由于特殊的历史和现实背景，既往研究通常倾向于把基督徒看作是铁板一块的统一身份群体。即使关注到了基督徒内群体的划分，标准也过于简单，且满足于静态分析，忽略了对教徒分群动态实践的关注和考察，以及实际生活中因动态人际互动而产生的多种认同甚至身份交叉重叠的可能。

通过对基督徒群体长期的田野参与观察，笔者发现在相对同质的基督徒群体内部存在着各种分化的情况。这种分化沿着两条清晰可见的线索和维度展开：一种是基于人际关系网络和其他人口学变量的自发（spontaneous）非正式关系分群；另一种则是教会的管理者借助宗教社会学力量理性设计的正式制度化分群。

首先，在没有任何制度性外力介入的情况下，最原初的分化依据人际关系网络展开，在此文中将其定义为关系分群。造成关系分群的因素有血缘、地缘、民族、文化程度、职业、性别、年龄等。在相对同质的基督徒群体中，关系分群的规则广泛影响着事工成员、"核心管理圈"的组成以及普通信徒的宗教活动。

除了关系分群外，在本文的"田野"中还出现了另外一种分群——正式的制度化分群。其表现为，事工会实行了灵性和功能的分化，各项职能开始规范化、制度化；青年团契中部分受洗的信徒被固定在特定小组中，并以小组为单位展开学习和各种宗教活动。这种正式的制度化分群原则是由具有宗教社会学训练背景的 W 教士来到 D 市 Y 堂之后推行的，对于 W 教士来说，这无疑是对基督徒群体的再分类，进而按照特定逻辑将青年团契秩序化，从某种程度上说，这种做法体现了他在 Y 堂青年团契这个场域中的权力。W 教士的分类权力通过一种软性的力量形式——符号力量体现出来，同时又以关系分群为基础，使得改革看起来更加自然化、中立化、隐蔽化和合理化。

上述两种分群模式是重复可观测到的组织现象，尽管如此，我们还是能够发现，两种分群逻辑的交叉、互动、对抗，甚至是反动。

7.2 分类主客体的互动

随着制度化分类原则的推行，新旧两种分类体系出现交锋与重叠的现象。新生产出来的符号系统使部分被分类的基督徒产生误识，在积极认可新的制度化边界的同时，进一步对边界进行再生产，并再次以符号的形式表现出来。此时，分类客体本身也就是从事着分类的主体，二者形成共谋的关系。新的分类系统也在双方的互动过程中共同建构起来。

分类体系的建立是一个复杂、动态的过程。其复杂性、动态性正是由分类的主客体带来的。分类客体对分类系统的接受通过对"符号力量"的既是认识又是"误识"的行为完成。然而，分类主体并不能因此而完全按照自己的逻辑行事，而必须按照原有的分类逻辑，加上软性、合理、潜移默化的符号与行动实现新的分类体系的建立。

然而，并不是所有处于被分类地位的基督徒都满意和自觉接受制度化的分类体系，他们用实践的方式表达了自己对新分类规则的反动。这一事实体现出，外在的结构力量对于个人并不具备决定性作用，处于客观结构之下的个体仍然暗藏了巨大的能动力量。当新旧两种分类体系的相遇给个体造成认同压力、矛盾的时候，个体对分类体系的反动便以实践的方式表现出来，反映给外在的结构与制度，促使其再次做出调整和变革。

所以，我们既能看到两种分群逻辑相对清晰的边界，又发现这条界线会在制度结构与成员行动的互动中左右摇摆。这种不断进行的动态实践是"永恒不朽的日常生活"（Harold Garfinkel，1984）的常态。

7.3 客体结构与主体能动

在一般化的意义上说，对于一位基督徒个体来说，若将其生活看作是"内在意义"的话，那么他/她所在的教会、堂点的组织、制度则是"外在意义"的体现。从某种意义上说，个体基督徒对"内在意义"的感受及阐释受制于"外在意义"的边界，并且随着"外在意义"的变革而发生改变。然而教会的组织和制度却也不是最大的"外在意义"，W 教士之所以能够带来一系列改革也要受制于国家、社会等更大的"外在意义"的影响。但是，个体并非只能被动地接受客体框架，其所具备的主体能动力量以实践的形式介入、干预外在结构的影响。布迪厄认为，社会中的各种分类系统是争夺的焦点，在各个场域中以单打独斗或集体竞争的形式形成对立。因此，新的分类秩序必然发生于主客体的互动、制衡过程中。

如果撇开组织层面不谈，单单从信仰层次上讲，个体基督徒对于 W 教士的到来是非常欢迎的。无论是灵修小组成员还是青年团契中未参加小组的基督徒，还有来 Y 堂参加聚会的普通信徒们，大多认为 W 教士的到来为个体的灵性成长带来了新的契机。不管教会管理方式如何改变，基督徒首先关注的，依然是生活中的信仰。

无论是明茨说的"内在"意义、"外在"结构，还是布迪厄的分类主客体，其实都是在强调一种互为主体性（intersubjectivity）的研究视角。与单一、静止的，只强调结构或者只强调个体的决定论视角相比，互动论视角赋予社会结构框架下的个体以能动力量，同时又不忽视客观结构对个体的限定和约束作用，因此更能够彰显出现实生活中的复杂性和张力。

客体结构和主体能动（structure-agency）之间的关系，是社会学和人类学理论研究永恒不变的主题之一，也是经验研究容易深陷的泥淖和困境。本文试图通过一个关于基督徒内群分化的具体案例，为这个话题的讨论提供一定的实践基础。我们试图阐明，以往静止的、孤立的本体论思维方式应该予以抛弃，转而采用一种动态的、全面的关系论视角，不仅关注共时性（synchronic）的主体间性，也考虑到了历时性（diachronic）的发生学（genesis）构件，从而还原日常真实世界的实践逻辑。

实践拥有自己的原则，即实践逻辑（logic of practice），这种逻辑的一个显著特点是多重性（polythetic），比吉登斯的结构二重性更复杂，即实践逻辑能够同时处理一系列紊乱的、逻辑上互相矛盾的意义或命题，因为它所面临的情境是实践的、具有紧迫感。用马克思的话来说："人创造了历史，但这种创造并不是随心所欲的，因为人不能选择情境，他们所处的情境要么是直接遭遇的，要么就是过去延续或给定的。"（Karl Marx 1869/1963）实践的紧迫感表现在模糊性、盲目性和不确定性。因为人们是在社会生活中成长、学习并获得一系列实践能力的，这使得人们反而失去了认识社会的能力。于是武断便成了他们看待社会世界的一种必然方式。我们往往对生活的意义不假思索，只是想当然地按照常统经验（toxic experience）行事，因为社会生活有一种紧迫性，使我们没有时间去深思和反省。由此，实践往往带有一种即席创作（improvisation）的特性，这反过来又增加了社会生活的复杂性和变化性。除此之外，实践还具有时间性和空间性，同时还具有暂存性。

实践的这些特性凸显了传统社会学的又一局限，即以理论逻辑代替实践逻辑，从而把真实世界去历史化和固化了。换句话说，研究者在思考过程中用语言的逻辑代替了行动逻辑。实践的总体性要求我们关注的不是固态的、静止的、结构性的东西，而是动态的、流动的、过程性的实践形态和社会现象的不断再生过程。实践是无限的，它总比有限的人类认识多出一些东西，这就是"实践的增量"（孙立平，2002）。

参考文献

1. 阿尔文·施密特著，江晓丹、赵巍译，《基督教对文明的影响》，北京，北京大学出版社，2004 年。

2. 包尔丹，《宗教的七种理论》，上海，上海古籍出版社，2005 年。

3. 布迪厄、华康德著，李猛、李康译，《实践与反思——反思社会学导引》，北京，中央编译出版社，1998 年。

4. 崔新建，"文化认同及其根源"，《北京师范大学学报（社会科学版）》，2004 年第 4 期，102-107 页。

5. 董江阳，"哪种基督徒？哪类基督徒？——试析现代基督教内部的阵营分组与分野"，《世界宗教研究》，2006 年第 3 期，74-85 页。

6. 方文，"群体边界符号如何形成？——以北京新教群体为例"，《社会学研究》，2005 年第 1 期，25-59 页。

7. 菲奥纳·鲍伊著，金泽译，《宗教人类学导论》，北京，中国人民大学出版社，2004 年。

8. 弗洛伊德著，杨韶刚译，《一个幻觉的未来》，北京，华夏出版社，1999 年。

9. 戈夫曼著，冯钢译，《日常生活中的自我呈现》，北京大学出版社，2008 年。

10. 高师宁，"从实证研究看基督教与当代中国社会"，《浙江学刊》，2006 年第 4 期，56-72 页。

11. 黄剑波，《"四人堂"纪事——中国乡村基督教的人类学研究》，中央民族大学民族学博士论文，2003 年。

12. 卡尔·白舍客著，静也、常宏等译，《基督宗教伦理学》第一、二卷，上海，上海三联书店，2002 年。

13. 克利福德·格尔茨著，韩莉译，《文化的解释》，北京，译林出版社，1999 年。

14. 李春、宫秀丽，"自我分类理论概述"，《山东师范大学学报（人文社会科学版）》，2006 年第 51 卷第 3 期，157-160 页。

15. 李峰，《乡村教会的组织结构及其运行机制——浙南 Y 县 X 镇基督教教会组织研究》，上海大学社会学博士论文，2004 年。

16. 李海淑，《宗教认同与民族认同的互动——北京市朝鲜族基督教个案研究》，中央民族大学宗教会硕士学位论文，2005 年。

17. 李晋，"对功能主义人类学的超越——一个中西比较的视角"，《社会科学》2006 年第 7 期，42-51 页。

18. 李康乐，《仪式中的宗教行动者：海淀堂基督徒行为模式研究》，北京大学社会学硕士学位论文，2003 年。

19. 李林艳，"社会生活中的分类与支配：从迪尔凯姆到布迪厄"，张一兵、周晓虹、周宪，《社会理论论丛》第 2 辑，南京，南京大学出版社，2004 年。

20. 梁丽萍，《中国人的宗教心理》，北京，社会科学文献出版社，2004 年。

21. 罗伯特·赫茨著，吴凤玲译，《右手的优越——一项关于宗教极性的研究》，载《死亡与右手》，上海人民出版社，2011 年。

22. 罗伯特·莱顿著，蒙养山人译，《他者的眼光》，华夏出版社，2005 年。

23. 罗德尼·斯塔克著，黄剑波译，《基督教的兴起》，上海，上海古籍出版社，2005 年。

24. 罗德尼·斯塔克、罗杰尔·芬克，杨凤岗译，《信仰的法则——解释宗教之人的方面》，北京，中国人民大学出版社，2004 年。

25. 马丁·路德著，马丁·路德著作翻译小组译，《马丁·路德文选》，北京，中国社会科学出版社，2003 年。

26. 马克斯·韦伯著，阎克文译，《新教伦理与资本主义精神》，上海人民出版社，2010 年。

27. 马塞尔·莫斯、爱弥尔·涂尔干，汲喆译，《原始分类》，上海，上海人民出版社，2000 年。

28. 玛丽·道格拉斯著，黄剑波、卢忱、柳博赟译，《洁净与危险》，未刊稿。

29. 曼纽尔·卡斯特著，夏铸九、黄丽玲等译，《认同的力量》，北京，社会科学文献出版社，2003年。

30. 明茨著，林为正译，《吃》，北京，新星出版社，2006年。

31. 沈坚，"基督教与云南怒江傈僳族社会"，《历史教学问题》，2006年1期，13-19页。

32. 孙立平，"迈向实践的社会学"，《江海学刊》，2002。

33. 陶家俊，"身份认同导论"，《外国文学》，2004年第2期，37-44页。

34. 涂尔干著，冯韵文译，《自杀论》，北京，商务印书馆，1996年。

35. 王潇楠，《北京市基督教徒信仰状况分析》，《宗教研究四十年》下册，中国社会科学院世界宗教研究所编，北京，宗教文化出版社，2004年。

36. 王晓红，《意义的复制——北京市基督教会珠市口堂祷告见证会见证研究》，中央民族大学宗教学硕士学位论文，2005年。

37. 魏德东，《宗教研究范式的"哥白尼革命"——读〈信仰的法则〉》，http://wohaopapa.blogchina.com/1292133.html。

38. 徐海燕，"关于辽宁中老年女性宗教信仰状况调查分析"，《理论界》，2005年5期，188-189页。

39. 杨江华，《当代大学生基督教信仰成因研究》，中国人民大学社会学硕士论文，2006年。

40. 姚米佳、王剑华、刘宏全，"西安地区基督教信众状况调查分析"，《陕西教育学院学报》，2003年3期，29-32页。

41. 苑国华，"略论皮埃尔·布迪厄的人类学思想"，《青海民族研究》，2006年第17卷第3期，11-14页。

42. 张静，《身份认同导论》，上海，上海人民出版社，2006年。

43. 张亚月，《跨入上帝之门：基督徒意义系统的建构和重构》，北京大学社会学硕士学位论文，2003年。

44. 张莹瑞、佐斌，"社会认同理论及其发展"，《心理科学进展》，2006年第14卷第1期，475-480页。

45. 赵斌，"对大学生宗教暧昧现象的透视"，《东华大学学报》2001年2期，13-15页。

56. 赵旭东，"从田野工作到文化解释"，《民俗研究》，2004年第四期，5-30页。

47. 庄孔韶，《人类学通论》，太原，山西教育出版社，2002年。

48. 左鹏 "象牙塔中的基督徒——北京市大学生信仰状况调查"，《青年研究》，2004 年 5 期，11-18 页。

49. Bourdieu, P., 1977, *Outline of a Theory of Practice*, Cambridge University Press.

50. Bourdieu, P., 1990, *The Logic of Practice*, Cambridge: Polity Press.

51. Harold Garfinkel, *Studies in Ethnomethodology*, Baker & Taylor Books/1984.

52. Karl Marx. *The 18th Brumaire of Louis Bonaparte*. New York International Publishers, 1869/1963:15.

53. Jan E.Stets; Peter J. Burke, 2000, "Identity Theory and Social Identity Theory", in *Social Psychology Quarterly*, Vol.63, No.3. pp.224-237.

54. Lewis R. Rambo, "Conversion: Toward a Holistic Model of Religious Change", *Pastoral Psychology* 38 (1989): 48.

55. Richardson, James T. "Studies of Conversion: Secularization or Re-enchantment?" pp.104-121 in Phillip E. Hammond (ed) *The Sacred in a Secular Age*. Berkeley and Angeles: University of California Press. P.108, 1985.

56. Sherry B. Ortner, 1984, "Theory in Anthropology since the Sixties", *Comparative studies in Society and History*, Vol. 26, No.1. pp. 126-166

57. Tajfel, H., 1978, "Social categorization, social identity and social comparison", In Tajfel, H. (ed.), *Differentiation between social groups*: Studies in the social psychology of intergroup relations (pp. 61-76). London: Academic Press.

58. Verter, B, 2003, "Spiritual Capital: Theorizing Religion with Bourdieu Against Bourdieu. " *Sociological Theory*, vol. 21 (2).

附　表

附表 1　乔治的未来教会理想模型

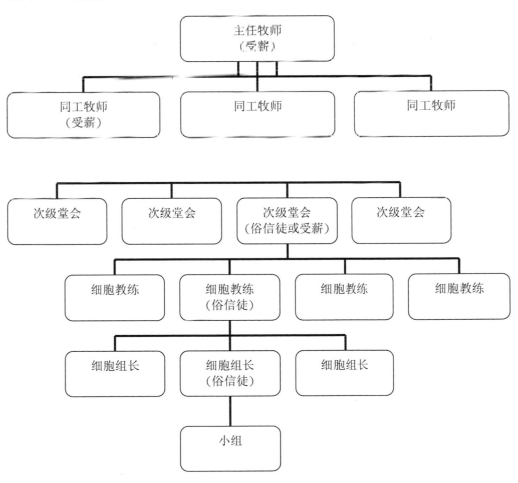

附表 2　关系分群的 Y 堂青年团契事工

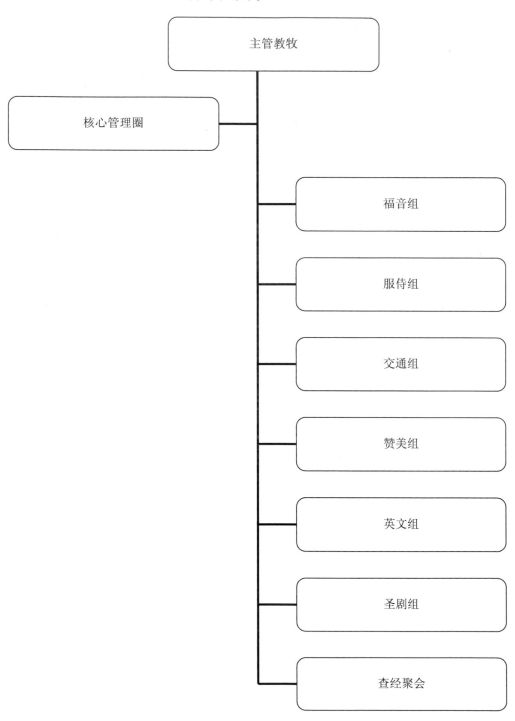

附表 3　制度化分群的 Y 堂青年团契事工

```
                    ┌─────────────┐
                    │   W 教士    │
┌─────────────┐     └──────┬──────┘
│  核心管理圈  │────────────┤
└─────────────┘            │
                           │      ┌─────────────┐
                           ├──────│   福音部    │
                           │      └──────┬──────┘
                           │      ┌──────┴──────┐
                           │   ┌──┴──┐     ┌────┴────┐
                           │   │A 班 │     │  B 班   │
                           │   └─────┘     └─────────┘
                           │      ┌─────────────┐
                           ├──────│  门徒培训部  │
                           │      └──────┬──────┘
                           │      ┌──────┴──────┐
                           │  ┌───┴───┐    ┌────┴────┐
                           │  │灵修小组│    │   团契  │
                           │  └───┬───┘    └────┬────┘
```

灵修小组:
- 摩西之家
- 恩典之家
- 喜乐之家
- 精兵之家
- 爱的诗歌
- 所罗门之家
- 以林泉
- 箴言之家
- 约伯之家
- 以诺家
- 蒙恩之家
- 迦勒之家
- 大卫之家
- 荣神益人之家

团契:
- 英文团契
- 日文团契
- 爱心综合事工团契
  - 服装组
  - 爱心探访组
- 英文初级团契
- 书画艺术团契

核心管理圈 (续):
- 敬拜赞美部
- 服侍部
- 文字宣传部
- 主日学

附　录

附录 1　灵修小组工作指导意见

根据《D 市基督教 Y 堂青年团契管理制度》（下简称《管理制度》）特制定《灵修小组工作指导意见》供培训部团契小组事工参照执行：

1、灵修小组划分

(1) 灵修小组在目前事工会培训部下设的 11 个灵修小组基础上进行再划分。

(2) 凡是人数连续 2 个月超过 12 个人以上的小组，则在小组长和灵修委员的指导下再次划出分组，总组名称不变，但可采用 XX（1）小组；XX（2）小组……的名称，方便管理。

(3) 原小组长和灵修委员应当根据《管理制度》和本意见，主持民主选举分组长和请事工会培训部委任灵修委员并备案。

(4) 凡连续连个月活动时低于 5 人的小组则应当终止活动，其成员可经培训同工负责安排并入其他小组。

2、成员的吸收与退出

(1) 灵修小组可自动吸收新的成员，但必须是已经信主的基督徒。（如没有受洗，应当在其参与小组满 5 个月内受洗）

(2) 福音部同工在其成员信主后可向灵修小组推荐新成员，无特殊情况，灵修小组应当接受由福音部同工推荐来的新成员。

(3) 灵修小组也可在事工会同意后，在教会公告栏中招纳吸收新成员加入。但新成员应为受洗的青年基督徒。

(4) 凡是连续三个月无故不参加小组活动或半年不参加小组活动者，算为自动退出。

(5) 小组成员有违反教会纪律和小组规则者，情节严重屡教不改，小组长有权利劝退。

3、小组长与灵修委员

(1) 所有小组长均为民主协商选举产生，任期一年，连选得连任。

(2) 小组长职责如下：

①负责接纳新来组员并介绍小组情况。

②负责组织、安排小组活动。

③负责联络、关怀、探访小组成员。

④其它属于小组行政工作的事项。

(3) 灵修委员为事工会指派产生，任期一年。

(4) 事工会有调动、调整灵修委员的权利。

(5) 灵修委员职责如下：

①为小组成员祈祷守望。

②带领小组的灵修学习。

③关怀小组成员灵性问题。

④根据青年团契灵性方向的带领，即使贯彻传达和落实。

(6) 小组长和灵修委员搭配做工，在一方空缺的情况下，另一方可代行其职责，直到产生新的同工为止。

4、灵修小组的活动

(1) 根据《管理制度》，灵修小组每月应当至少固定时间、地点、方式活动两次，活动内容为共同追求灵性成长。至于如何活动则由各小组自行决定，但应征求小组成员意见并报培训部批准。

(2) 小组活动不得与教会礼拜日及青年团契重大活动相冲突。

(3) 灵修小组应当采用统一的青年聚会的灵修材料。自行选择灵修材料时应当征得事工会同意。

(4) 灵修小组成员若有需要，可以提出并请小组为之祷告，但若非小组活弟兄姊妹主动帮组及奉献，不许主动借贷；在小组灵修及私下交往中，不许利用肢体情谊推销商品、保险以及进行其他各种形式的商业活动。

(5) 灵修小组遇到重大原因暂停（时间为 2 个月以上）或终止灵修活动的时候，应当由小组长上报青年聚会事工会培训部。方便进行安排。

5、附则

(1) 本意见修改和废止权属青年团契事工会，须经 2/3 以上表决通过。

(2) 本意见由青年团契事工会培训部负责解释和监督执行。

(3) 本意见经青年团契事工会批准后于 2006 年 11 月 15 日起执行。

Y 堂青年团契事工会

2006 年 11 月 12 日

附录 2 精兵之家 2007 年工作计划

1、每周三由 C 弟兄针对 W 教士当日所讲的内容带领大家进行讨论学习，消化和分享。

2、每周五青年团契聚会结束后，有一位小组成员主持小组聚会。主要以分享经文或见证等为主。采取轮换主持的方式，做到每位组员都有机会。由上一个星期五聚会后决定下次人选。

3、设立文艺委员，由 Wch 姊妹担任。Wy 姊妹负责协助工作，争取每个月都能教大家一首新歌或舞蹈等。

4、由 Mnn 姊妹成为生活委员。负责每周把本组成员需要祷告的内容收集汇拢。然后通知到每位肢体，小组全体组员为这些事项共同祷告。

5、每二到三个月组织一次大型的小组活动，（或联系其他小组进行互动）可以带家属、带朋友。由 Zxq 弟兄主要负责，可带领一个或多个成员，同工组织活动。

6、由 Lj 姊妹担任学习委员，在以后的一年里我们小组由 Lj 姊妹带领大家共同读好书、看好电影、也要与多个小组进行交通，在 07 年内学会用英文背诵主祷文、使徒信经和一首以上的英文歌曲。并学会一些简单的口语。

7、在 07 年内达到组员全部受洗。

8、由 Ws 弟兄在 07 年 3 月末前建立精兵之家的校友录。并负责维护、更新。

9、争取在本年度内本组的成员都能够参与到各个团契事工当中。

附录3　2007年精兵之家小组制度

1、每年进行一次小组内部各个职务的重新选举工作。

2、每位组员如有特殊事情长期不能参加学习，或要离开 D 市很久，需要提前通知小组，并把自己的学习卡片交到组长手中。

3、灵修委员对每次参加学习的组员进行记录，Zxq 弟兄负责对每次学习进行录音，保障有特殊情况不来学习的肢体能把落下的课程及时补上。

4、每位组员如果不能参加周三的学习，都要以电话或转告等形式通知灵修委员或组长。

5、在小组的成员上，原则不超过十二人。如超过十二人，就成立精兵一组。如果不到十二人，就要补足十二人。人员可以组员推荐，或事工部推荐等。但要通过二个月的考察期。可以先作为候补组员。考察期满，再通过小组集体表决，超过半数以上的组员通过可以加入小组。

6、建立小组档案，档案所有权归小组所有，如果小组或人员有变动需小组讨论决定档案管理权问题。档案要严格保密，未经个人同意不可以泄露个人信息。可以请教事工会部门审阅指导。

7、长期无正常理由不参加学习，和不遵守小组制度的组员，小组有讨论并开除的权利。

8、超过半数组员对担任某职务的肢体，有反对意见，可以在小组会议上进行其讨论。超过半数人反对可以重新选拔新的人选。

9、禁止本组内部相互借贷，如确有困难可以在小组活动的时候，进行小组讨论，再做具体的帮助。

10、参加小组学习或聚会，必须把电话关机或打到震动档，着装也要严肃，弟兄不许穿背心、大裤头，姊妹禁止穿吊带背心，或过于暴露不严肃的衣服。

11、严格遵守国家的各项法律、法规。对于教会的各项制度也要严格遵守，服从教会管理。积极配合教会、团契和小组的各项事工工作。

12、每年第的小组制度，制定以后上交青年团契事工部审批，制定后从第二年3月1日起实施。

13、每年一次工作总结会议，总结过去，展望未来。并对新年内的各项工作进行重新整理。

以上小组计划及小组制度希望大家都能严格遵守！以马内利！